PSICOLOGIA
DA
ALMA

CHAVES PARA A ASCENSÃO

OUTRAS OBRAS DE JOSHUA DAVID STONE

MANUAL COMPLETO DE ASCENSÃO – A Realização da Ascensão Nesta Existência

PSICOLOGIA DA ALMA – Chaves para a Ascensão

SUA MISSÃO ASCENSIONAL – O Seu Papel no Plano Maior de Deus

COMO DAR AULAS DE ASCENSÃO

A ASCENSÃO E OS RELACIONAMENTOS ROMÂNTICOS

MEDITAÇÕES DE ATIVAÇÃO ASCENSIONAL DA HIERARQUIA ESPIRITUAL

A HISTÓRIA DA CRIAÇÃO

O LIVRO DE OURO DE MESQUISEDEQUE – 2 Vols.

Joshua David Stone

PSICOLOGIA DA ALMA

CHAVES PARA A ASCENSÃO

Tradução
EDUARDO PEREIRA E FERREIRA
Revisão técnica
NILO ARNALDO BECK

Editora
Pensamento
SÃO PAULO

Título original: *Soul Psychology – Keys to Ascension.*

Copyright © 1994 Joshua David Stone.

Copyright da edição brasileira © 1999 Editora Pensamento-Cultrix Ltda.

1ª edição 1999.
6ª reimpressão da 1ª edição de 1999 – catalogação na fonte 2006.
14ª reimpressão 2023.

Todos os direitos reservados. Nenhuma parte deste livro pode ser reproduzida ou usada de qualquer forma ou por qualquer meio, eletrônico ou mecânico, inclusive fotocópias, gravações ou sistema de armazenamento em banco de dados, sem permissão por escrito, exceto nos casos de trechos curtos citados em resenhas críticas ou artigos de revistas.

A Editora Pensamento não se responsabiliza por eventuais mudanças ocorridas nos endereços convencionais ou eletrônicos citados neste livro.

Dados Internacionais de Catalogação na Publicação (CIP)
(Câmara Brasileira do Livro, SP, Brasil)

Stone, Joshua David
    Psicologia da alma : chaves para a ascensão / Joshua David Stone ; tradução Eduardo Pereira e Ferreira ; revisão técnica Nilo Arnaldo Beck. -- São Paulo : Pensamento, 2006.

    Título original : Soul psychology.
    6ª reimpr. da 1ª ed. de 1999.
    Bibliografia.
    ISBN 978-85-315-1073-1

    1. Ascensão da alma 2. Auto-ajuda – Técnicas 3. Movimento da Nova Era I. Título.

06-7485   CDD-299.93

Índices para catálogo sistemático:
1. Ascensão da alma : Psicologia da alma : Movimento da Nova Era : Religiões de natureza universal   299.93

Direitos de tradução para a língua portuguesa adquiridos com exclusividade pela
EDITORA PENSAMENTO-CULTRIX LTDA, que se reserva a
propriedade literária desta tradução.
Rua Dr. Mário Vicente, 368 – 04270-000 – São Paulo, SP – Fone: (11) 2066-9000 –
E-mail: atendimento@editorapensamento.com.br
http://www.editorapensamento.com.br
Foi feito o depósito legal.

INTRODUÇÃO

Um dos meus maiores interesses nesta vida tem sido o estudo daquilo que eu agora chamo de psicologia monádica ou espiritual. Existem dezenas de milhares de livros de auto-ajuda na área de psicologia e relações humanas; porém, muito poucos deles abordam também a alma e o espírito. E é esse o meu interesse primordial. Este livro representa a destilação da pesquisa, do estudo e do trabalho de toda uma vida nesta área.

Procurei tornar o assunto bem claro, direto e de fácil compreensão. Este livro é extremamente abrangente e, em conjunto com meu primeiro livro, *The Complete Ascension Manual: How to Achieve Ascension in This Lifetime*, apresenta princípios básicos da psicologia da alma e da psicologia monádica.

Quero deixar claro que há três níveis de auto-realização: o nível da personalidade, o nível da alma e, por último, o nível monádico ou espiritual. Estes dois livros proporcionam o entendimento básico, instrumentos e mapas para atingir todos os três níveis daquilo que se poderia chamar coletivamente de teo-realização, ou realização divina.

A maioria dos livros encontrados nas livrarias se concentra na auto-realização no plano da personalidade. A nova onda no campo da psicologia é a psicologia da alma, ou transpessoal, que então conduz à psicologia monádica no caso dos alunos mais avançados do caminho.

Toda a compreensão da psicologia é completamente alterada quando a ela se integra, de modo apropriado, o conceito de alma. Diz-se que a auto-realização no nível da personalidade traz a felicidade; que a auto-realização no nível da alma traz o júbilo; e que a auto-realização no nível monádico e espiritual traz o êxtase. É rumo a essa meta que humildemente direciono a obra de minha vida, buscando compreender a psicologia da alma e espiritual.

Joshua David Stone, Ph.D.

DEDICATÓRIA

Eu gostaria de dedicar este livro ao meu pai, à minha mãe e à minha irmã. A vida na Terra pode ser uma escola bastante puxada, e sem o apoio e amor de uma família a existência se torna bem mais difícil. Pela graça de Deus, nesta vida nasci numa família realmente maravilhosa.

Sem seu enorme apoio afetivo nos níveis espiritual, mental, emocional, terreno e financeiro durante toda a minha vida, certamente eu não seria hoje a pessoa que sou, e você não estaria lendo este livro. Na verdade, eu há muito já teria passado para o mundo espiritual.

As palavras não podem expressar apropriadamente os sentimentos de gratidão e amor que sinto por esses três seres maravilhosos. Para mim tem sido um privilégio conhecê-los, e estou certo de que nosso amor e amizade continuará muito além do curto período desta encarnação.

SUMÁRIO

1. O desenvolvimento do poder pessoal e o funcionamento das mentes consciente e subconsciente 11
2. A auto-estima incondicional e a criança interior 22
3. Integração das três mentes e dos quatro corpos 34
4. A consciência crística e como alcançá-la 44
5. A psicologia da alma comparada à psicologia tradicional 73
6. Armadilhas e ciladas no caminho da ascensão 87
7. Os relacionamentos românticos vistos com os olhos da alma 93
8. Recursos usados para curar as emoções 104
9. Como reprogramar a mente subconsciente 124
10. Hipnose e auto-hipnose 137
11. Imortalidade física 150
12. Uma compreensão esotérica da sexualidade 157
13. Autodefesa psíquica 171
14. A aura humana e os sete corpos 196
15. Os 22 chakras 204
16. O despertar da kundalini 213
17. A canalização 218
18. Uma visão espiritual de sonhos e sono 224
19. As leis da manifestação 235
20. As leis do karma 246
21. As crianças no mundo de hoje 254
    Bibliografia 265

1

O DESENVOLVIMENTO DO PODER PESSOAL E O FUNCIONAMENTO DAS MENTES CONSCIENTE E SUBCONSCIENTE

*O requisito mais importante para alcançar a saúde psicológica
e espiritual é aprender a tomar posse de seu poder pessoal.*
Dr. Joshua David Stone

A mente consciente é a racional, enquanto a mente subconsciente é a não-racional. A mente superconsciente é a onisciente.

A mente consciente é o capitão do navio, o programador do computador, o que toma as decisões, o jardineiro. Se a mente consciente é o capitão, então a subconsciente é o marujo que fica no convés, e obedece a todas as ordens dadas pelo capitão. A mente subconsciente é o computador ou gravador de fita cassete.

A mente subconsciente é o solo. Se a mente consciente é o jardineiro, então o jardineiro planta as sementes (pensamentos) e o solo faz crescer todo tipo de semente plantada — erva daninha ou linda flor. A mente subconsciente armazena informações e obedece às ordens, sejam elas racionais ou irracionais. Ou seja, a mente subconsciente não se importa com nada, pois não tem absolutamente nenhuma capacidade de raciocínio.

A mente subconsciente é um paradoxo. Não tem capacidade de raciocínio, mas tem um número incrível de impressionantes possibilidades e aspectos inteligentes. A melhor metáfora para compreender isso é a do computador.

O computador é um equipamento incrível, mas pouco importa se é programado para resolver a crise energética ou provocar uma guerra nuclear. O subconsciente faz tudo aquilo para que é programado, seja lá o que for. Um bom exemplo é a maneira como a mente subconsciente governa completamente o corpo físico. É possível provar isso pelos efeitos das sugestões hipnóticas dadas a uma pessoa acerca de seu corpo. A mente subconsciente tem a capacidade de gerar saúde perfeita ou provocar um câncer. Ela irá criar tudo aquilo que for programada para fazer. Ninguém, conscientemente, programa um câncer, mas

As Três Mentes

A Mente Espiritual
1. Pode ser contatada via:
   a. Meditação
   b. Sonhos
   c. Manutenção de um diário
   d. Intuição
2. Pode nos ajudar somente se pedirmos ajuda. Não interfere no nosso livre-arbítrio num nível consciente.

(A mente superconsciente ou Eu superior)

A Mente Racional
1. Diretor executivo
2. Presidente da personalidade
3. Capitão do navio
4. Programador do computador
5. Jardineiro
6. Tomador de decisões
   a. Poder da vontade, disciplina, discernimento, discriminação, concentração, raciocínio.

(A mente consciente ou eu mediano)

A Mente Não-Racional
1. Trabalha com impressões, estímulo/resposta.
2. É um banco de dados e arquivo de idéias, sentimentos, lembranças, imaginação, hábitos, impulsos, desejos, instintos.
3. Faz funcionar o corpo físico.
4. Cria a maioria dos sonhos.
5. Gera a força vital.
6. Funciona 24 horas por dia.
7. Funciona segundo a lei da atração.
8. Examina, classifica, armazena informações.
9. Em termos metafóricos, é o computador, o jardim, a sala de máquinas.
10. Desempenha papel essencial no processo da oração.
11. Controla os sentidos internos (visualização).
12. Propaga os sentidos.
13. Cria condutos de fluxo energético que contatam objetos e outras pessoas
    a. Pode deixar o corpo, seguindo esses condutos (como no uso de pêndulos, na psicometria, na psicocinese).
    b. Pode enviar energia vital e formas-pensamento através desses condutos (como na telepatia e na oração).

(A mente subconsciente ou eu inferior)

muitas pessoas, inconscientemente, programam a doença por meio do ódio a si mesmo, da autocomiseração, da vingança, da desistência e assim por diante. O ideal é dizer a si mesmo, ou à sua mente subconsciente, que você tem saúde perfeita, radiante, e que todo dia, em todos os aspectos, você está cada vez mais saudável.

A mente subconsciente opera de modo independente da mente consciente. Funciona 24 horas por dia, sete dias por semana, 365 dias por ano, esteja você dormindo ou acordado; e jamais se cansa. Está continuamente fazendo aquilo que foi programada para fazer.

O ASPECTO INTELIGENTE DA MENTE SUBCONSCIENTE

A função básica da mente subconsciente é armazenar informações. Ela é o armazém e o banco de dados de todos os seus pensamentos, sentimentos, imaginações, hábitos, impulsos e desejos. Desde a mais tenra infância você vem recebendo programas de seus pais, avós, colegas, professores, sacerdotes, parentes e programas de televisão. Nas crianças a mente racional ainda não se desenvolveu o bastante para conseguir discriminar e assim proteger a pessoa das programações negativas. As crianças são totalmente abertas, e a mente subconsciente pode ser preenchida com venenos mentais, pensamentos equivocados e crenças distorcidas. Da mesma forma como o corpo pode acumular toxinas físicas com uma alimentação inadequada, assim também o subconsciente acumula toxinas mentais com uma programação e educação negativas.

A mente subconsciente também cria a maior parte dos sonhos, embora haja ocasiões quando o superconsciente gera sonhos. O sonho é, basicamente, um espelho da maneira como você pensa, sente e age durante a vida diária consciente. O sonho é como um jornal que você recebe toda noite, descrevendo a organização e dinâmica de suas energias internas.

A diferença entre os sonhos e um jornal de verdade é que os sonhos aparecem na linguagem universal dos símbolos. Compreender os sonhos é compreender que cada parte do sonho é, na realidade, uma parte de você mesmo. Ao examinar as relações simbólicas, você pode desenvolver conhecimento intuitivo e compreensão a respeito dos padrões comportamentais que se manifestam na sua vida. O sonho é um processo automático que a mente subconsciente lhe apresenta como resposta. Essa resposta é essencial, pois é muito comum as pessoas manifestarem padrões sem ter consciência dessa manifestação.

A mente subconsciente também pode ser chamada de mente do hábito, pois armazena todos os hábitos, positivos e negativos. Muita gente acha que hábitos são sempre ruins. Isso não é verdade. Você só vai querer mudar os hábitos ruins criando ao mesmo tempo hábitos saudáveis.

Um bom exemplo disso é aprender a dirigir um carro de câmbio manual. No início é preciso grande dose de esforço consciente e força de vontade, mas logo as mudanças de marcha são feitas sem que você tenha de pensar nelas. Se você não tivesse uma mente subconsciente para armazenar as habilidades desenvolvidas, as mudanças de marcha sempre iriam exigir muita atenção e concentração.

Há uma lei psicológica básica que diz que são necessários 21 dias para firmar um novo hábito na mente subconsciente. Você pode aprender algo num só dia mas, para gravar o hábito a mente subconsciente precisa do período de 21 dias. Essa capacidade que a mente subconsciente tem de armazenar hábitos permite que você cresça continuamente, desenvolvendo novas capacidades sem se preocupar com as antigas.

A mente subconsciente é o campo onde opera a lei da atração. Ela está continuamente atraindo algumas coisas para você e repelindo outras, de acordo com o programa instalado. Um mestre é alguém que usa essa lei para o benefício próprio e consciente.

A questão do dinheiro e da prosperidade proporciona um bom exemplo. Se você tem gravada em sua mente subconsciente a crença de que jamais terá dinheiro, então certamente não o terá. Se, por outro lado, você acredita que terá dinheiro, sua mente subconsciente irá atrair as oportunidades e possibilidades para tal. Tudo o que você deseja na vida você pode afirmar e visualizar na mente subconsciente, e esta irá atraí-lo e magnetizá-lo até você.

Carl Jung tratou disso quando falou do inconsciente coletivo. Sua mente subconsciente está interligada com todas as outras mentes subconscientes. É possível dizer que todos os filhos e filhas de Deus têm uma grande mente subconsciente única.

A mente subconsciente também tem a capacidade de perceber radiações de energia. Você usa automaticamente essa capacidade na vida cotidiana. Isso pode ser usado especificamente em áreas como a rabdomancia para encontrar água, ou hidroscopia. O subconsciente pode ser programado para encontrar qualquer substância física, não somente água. Pode sentir a radiação energética de qualquer substância, desde que tenha sido programada para encontrá-la.

A mente subconsciente é também a sede das capacidades psíquicas. O subconsciente tem cinco sentidos internos, que funcionam como contrapartes mais sutis dos cinco sentidos externos: visão interna (clarividência), audição interna (clariaudiência), olfato interno, paladar interno e tato interno.

Enquanto está sonhando, você tem esses cinco sentidos à sua disposição. Mas como isso acontece, se você está dormindo? Ora, porque você usa os cinco sentidos internos da mente subconsciente. Você tem capacidades mediúnicas e pode desenvolvê-las ainda mais. É só uma questão de prática e treinamento apropriado, como acontece com qualquer capacidade exterior.

COMO A MENTE CONSCIENTE FUNCIONA EM RELAÇÃO À MENTE SUBCONSCIENTE

A função-chave da mente consciente é operar como um programador de computador, protetor e senhor da mente subconsciente. O subconsciente existe para operar como um serviçal ou como um servomecanismo da mente consciente, e não para dirigi-la. Se você não compreende essas leis psicológicas, provavelmente vai permitir que a mente subconsciente o governe. E por que você deixaria que uma mente não-racional controle a sua vida? Por estranho que pareça, é isso o que faz a maioria das pessoas. Quando isso acontece, você pode se tornar uma vítima e ter inúmeros problemas.

Quando um pensamento, sentimento ou impulso surge na mente subconsciente, é dever da mente consciente usar suas capacidades de raciocínio e discriminação para examinar esse pensamento na porta de entrada. Se o pensamento ou impulso é positivo e espiritual, você permite que ele entre. Se é negativo, você o expulsa.

Saúde psicológica é o processo de admitir na mente pensamentos positivos, espirituais, equilibrados. A saúde espiritual é como a saúde física. Se você quer ser fisicamente sadio, assimila alimentos sadios. Se quer ser psicologicamente sadio, assimila pensamentos sadios. Ao expulsar de sua mente os pensamentos negativos você lhes nega energia. O processo é bastante parecido com o de uma planta que não é aguada. Ela acaba definhando e morrendo em virtude da falta de água (atenção ou dedicação). O segundo passo é afirmar o pensamento oposto e positivo. Isso se chama pensamento positivo e uso de afirmações positivas. Ao desconsiderar continuamente o pensamento negativo e afirmar o pensamento positivo, forma-se um novo hábito na mente subconsciente. O velho hábito morre por não receber energia; e o novo hábito se forma porque você está continuamente reforçando-o e pensando positivamente. No período de 21 dias esse novo hábito pode ser estabelecido.

Você deve lembrar que o subconsciente está repleto de muitas fitas velhas, que você aceitou quando era mais novo. Se a mente consciente não faz escolhas, então toda essa antiga programação da mais tenra infância continua afetando sua vida atual.

DESENVOLVIMENTO DA BOLHA OU ESCUDO EXTERNO PARA SE PROTEGER DA ENERGIA NEGATIVA DE OUTRAS PESSOAS

Assim como é essencial desenvolver uma bolha interna para se proteger de sua própria mente subconsciente, é também essencial produzir uma bolha ou escudo externo para se proteger da energia negativa de outras pessoas. Lembre sempre que se você não assumir essa responsabilidade, a mente subconsciente ou outras pessoas vão controlar a sua vida. O ideal é ser a causa, o criador e o senhor de sua vida.

Tomemos o exemplo de alguém que o critique ou julgue. O ideal é estar cercado por uma bolha, Luz ou escudo imaginário, de forma que quando a crítica vier na sua direção, atinja a bolha ou escudo e se desvie, sem provocar nenhum efeito. Você faz uma escolha consciente quanto a admitir ou não a crítica na mente subconsciente. É preciso ficar claro que essa bolha é semipermeável. Em outras palavras, ela permite a entrada da energia positiva, mas mantém afastada a energia negativa.

Se você não mantém ativa essa bolha protetora em todos os momentos, pode virar vítima dos comentários, observações ou energia de outra pessoa qualquer. Há uma hora para estar aberto e uma hora para se fechar. É necessário fechar-se, protegendo-se de outras pessoas caso estas ajam de modo negativo. Caso alguém arremesse uma lança de verdade contra você, tenho a certeza de que, se pudesse, você iria tentar escapar dela fisicamente. Certamente você não quer que a mente subconsciente governe sua vida, e não quer também que outras pessoas o controlem.

Outra forma de dizer isso é afirmar que certamente você prefere responder a reagir. Responder é escolher como lidar com uma energia que vem na sua direção. Reagir é deixar que a energia entre diretamente na mente subconsciente, no plexo solar ou no corpo emocional, rechaçando-a depois. Se alguém o julga ou ataca e você assimila a crítica, então das duas uma: ou você irá se magoar, retraindo-se e chorando; ou irá revidar. Agindo assim, você deixa que outra pessoa seja a causa de suas emoções. Mas é você quem deve ser a causa de suas próprias emoções.

Uma forma diferente de encarar isso é considerar que você está se deixando hipnotizar. Sou hipnotizador e também conselheiro. Porém, a maior parte de meu trabalho não consiste em hipnotizar pessoas, mas sim em desipnotizá-las. Muitas pessoas vivem num estado de auto-hipnose, e o que tento fazer é livrá-las disso. Uma pessoa está sob hipnose quando age como vítima. Alguém é hipersugestionável quando não faz escolhas a respeito de como quer responder. Na realidade, psicologicamente, você é invulnerável. Essa afirmação tem implicações bastante profundas. Ser invulnerável significa que você não pode ser ferido emocionalmente, a não ser que o permita.

MINHA METÁFORA PREDILETA

Minha metáfora predileta liga a saúde psicológica à saúde física. Se uma pessoa que você conhece pega um resfriado ou uma gripe, certamente você não vai querer também pegá-la. Então você faz tudo o que está ao seu alcance para evitar a doença. Toma doses adicionais de vitamina C. Diz a si mesmo que não vai adoecer. Alimenta-se bem e tenta dormir bastante. Em outras palavras, aumenta a sua resistência. Se você mantém elevada a resistência, não adoece.

Médicos e enfermeiros não pegam todas as doenças de seus pacientes. Por quê? Porque não existe isso de doença completamente contagiosa. O que existe são pessoas com baixa resistência.

Essa analogia se aplica igualmente ao plano psicológico. Não existe isso de doença psicológica contagiosa. O que existe são pessoas com baixa resistência. E como é que você pode manter elevada a sua resistência psicológica, de forma que não pegue as doenças infecciosas da raiva, da depressão, do ciúme, da crítica, da agressão, do rancor, do ódio e por aí afora? É fácil: basta manter elevada a resistência psicológica conservando uma atitude mental positiva.

A bolha protetora é uma técnica de atitude positiva. Outras técnicas essenciais são manter seu poder pessoal, conservar de forma incondicional o amor a si mesmo e a auto-estima e perseverar na fé em Deus.

Essas são algumas das principais atitudes. Nos capítulos seguintes vou explorar outras mais. O importante é que você está aqui neste mundo para dar um exemplo melhor. Você está aqui para elevar outras pessoas, e não para ser você mesmo sugado para baixo. Fundamentalmente, a Terra é como um hospital dirigido pelos pacientes, no qual há bem poucos curadores ou médicos. O propósito da vida é *ser* um curador.

Ao deixar que outras pessoas o transformem em vítima, você novamente se torna um dos pacientes, e então necessita de cura. Tudo bem. A lição é retornar ao seu eu equilibrado e novamente tornar-se curador, o mais rápido possível, pois é essa a missão nesta vida.

O DESENVOLVIMENTO DO PODER PESSOAL: A PRIMEIRA CHAVE DE OURO

De todas as atitudes que reclamam aprimoramento na personalidade saudável, nenhuma é mais importante que o poder pessoal, ou o desenvolvimento da vontade. As técnicas deste livro não irão funcionar sem poder pessoal. Poder ou vontade pessoal é a força-guia da personalidade saudável.

Poder pessoal é uma atitude. Você pode decidir manter uma atitude de fraqueza ou de força ao começar cada novo dia. Seu poder é a energia que você usa para executar as decisões que toma. Por exemplo, digamos que você queira fazer exercícios às três da tarde. Quando chegar a hora determinada, é bem provável que precise usar esse poder para obrigar-se a fazer aquilo a que se comprometeu.

Esse poder também é necessário para controlar a mente subconsciente. O subconsciente toma conta do espetáculo a menos que você assuma seu poder pessoal; assim, o poder pessoal é o agente executor da mente consciente. O poder pessoal, no seu uso externo, é a afirmação.

O poder pessoal também está fortemente vinculado à capacidade de decisão. Se você não é decidido, a mente subconsciente ou outras pessoas tomam as decisões por você. A mente subconsciente não tem poder de raciocínio, e as decisões de outras pessoas nem sempre se coadunam com os seus interesses.

Como é que você pode ser o senhor de sua própria vida se não toma posse do seu poder? Você sabe que Deus tem poder. O fato é que você é co-criador, um minideus, e portanto também tem poder. Deus ajuda aqueles que se ajudam; você não pode se ajudar se não for dono do seu poder.

Está e sempre esteve disponível para você um poder pessoal irrestrito. O poder pessoal não passa de uma energia que existe no seu corpo físico e na sua mente subconsciente, energia essa que você utiliza para controlar sua própria vida.

Parte da tarefa de tomar posse de seu poder reside em ser um guerreiro espiritual na vida. A vontade de viver é na verdade a vontade de lutar. A Ioga ensina que a vida é não só uma escola, mas também um campo de batalha. Você está tentando chegar até o topo de uma montanha. O progresso exige que você dê três passos à frente e deslize dois passos para trás, até que o cume seja atingido. Essa é a natureza da vida para todos os que trilham o caminho espiritual. A coisa mais importante é não se dar por vencido. Paramahansa Yogananda, o grande sábio indiano, disse: "O santo é um pecador que jamais desistiu." Parte do processo de tomar posse do seu poder reside em se esforçar continuamente. É ter fé no poder de Deus, e também no seu próprio poder. Quando toda a segurança externa desaparece, você sempre sabe que pode recorrer a seu próprio poder e ao poder de Deus. Isso é a verdadeira segurança.

Seu poder pessoal é a energia que você usa para assumir riscos. Caso não tome posse de seu poder, terá muita dificuldade para manter a bolha protetora. Pois é esse poder pessoal que lhe permite "fingir até conseguir". O poder pessoal, em essência, é o seu centro. Quando você detém o controle, você se sente naturalmente mais próximo desse centro.

Quando você usa o seu poder durante um longo tempo, você tem aquilo que chamamos de disciplina. Deter esse poder é justamente aquilo que permite que a mente racional consciente permaneça no controle, sem ser subjugada por forças subconscientes ou ambientais. Mas se você não detém o controle do seu poder, acaba deprimido.

Existem duas forças opostas na vida: o bem e o mal, a luz e as trevas, o positivo e o negativo, a ilusão e a verdade, o pensamento egoísta e o pensamento espiritual. O poder é a arma com a qual se pode lutar contra o negativo e se identificar com o positivo. Como disse Edgar Cayce, "Não existe no universo força mais poderosa que sua vontade ou poder".

A mente racional consciente, com a vontade ou poder, dirige todas as forças que entram na sua esfera. Sem esse poder, você seria subjugado. Num caso extremo de abandono desse poder, a pessoa pode tornar-se psicótica. A mente consciente pode abdicar de toda a responsabilidade, então a mente subconsciente e o ambiente assumem o comando.

Você não precisa temer o seu próprio poder, pois vai usá-lo somente de uma forma amorosa — para servir a Deus, a si mesmo e aos outros. Quando você detém esse poder, sente-se naturalmente bem, estimulando-se e afirmando-se sempre. Quando você abre mão desse poder, a vida passa a espancá-lo. A essência do que estou tentando ensinar neste meu trabalho é que você é a causa da sua própria realidade. Para criar aquilo que você deseja, é preciso assumir o seu poder pessoal.

COMO REIVINDICAR ESSE PODER PESSOAL?

Para reivindicar esse poder é só resolver, toda manhã, afirmar que você o detém. O diagrama no final deste capítulo relaciona algumas afirmações de poder pessoal que estimularão essa energia. Incluí também algumas afirmações de invulnerabilidade emocional para construir sua bolha de proteção, já que esse escudo tem muito a ver com a posse do poder pessoal.

Edgar Cayce, o grande profeta "adormecido", fez outra afirmação importante a respeito do poder. Ele falava sobre a importância de desenvolver a raiva positiva, e eu enfatizo a palavra positiva. Raiva positiva é a raiva controlada, que não é dirigida a outras pessoas ou a si mesmo, mas, antes, à força negativa que tenta empurrá-lo para baixo. Ela é usada para catapultá-lo rumo à Luz e à positividade.

Há um poder enorme ligado à raiva. A idéia é canalizar esse poder de forma construtiva. Jesus disse para um de seus discípulos, quando este começou a reclamar: "Afasta-te de mim, Satanás!" Acho que a raiva positiva tem a ver com a existência de um pouco de emoção verdadeira por trás do poder pessoal.

Ao pronunciar as afirmações, é preciso dizê-las com verdadeiro poder emocional, caso contrário não irão funcionar. Quando você leva a sério, o subconsciente torna-se servo seu. Mas você precisa *fazer* que ele lhe sirva e não pedir apenas. É também importante ressaltar aqui que Deus não vai controlar a sua mente subconsciente para você, por mais que você reze. Isso não é obrigação dEle. É sua obrigação.

Toda manhã, ao levantar da cama, você pode reivindicar o seu poder e se comprometer a tornar-se senhor da sua própria vida. É possível ser afetuoso, servir a Deus, ter um dia excelente e não deixar que nada no universo o demova das tarefas agendadas. Assim que tiver firmado o seu poder, então poderá orar pela ajuda de Deus e fazer algumas afirmações e visualizações a fim de programar a mente subconsciente da maneira que você deseja que ela trabalhe por você. Esse é o poder fundamental do universo.

Você precisa se dar conta do poder que está à sua disposição. Como então poderá deixar de vencer essa guerra? Como então deixará de chegar ao cume da montanha? Como poderá deixar, com todo esse poder, escapar de suas mãos o sucesso? Além disso, é bom lembrar que cada um de vocês é filho ou filha de Deus, verdadeiramente, e todos formam uma coisa só com Deus. Assim, será que Deus e os filhos e filhas de Deus podem perder uma batalha contra Satã, que é outro nome para ego, ilusão, pensamento negativo?

MINHAS DUAS AFIRMAÇÕES ESPIRITUAIS FAVORITAS

1. Deus, meu poder pessoal e o poder de minha mente subconsciente são uma equipe imbatível.

2. Tranqüilizai-vos e reconhecei: Eu sou Deus.

Outro método de aumentar seu poder é visualizar um símbolo que denote o seu poder integral — talvez uma espada, uma coroa, o Cajado de Moisés, um taco de beisebol. Se você combinar esse tipo de imagem com suas afirmações, vai sentir um poder ainda maior.

EXERCÍCIO DE DESIDENTIFICAÇÃO E IDENTIFICAÇÃO

Instruções sugeridas: toda manhã e toda noite, durante 21 dias, você deve repetir essas afirmações três vezes em voz alta, até que penetrem totalmente na sua mente consciente e subconsciente.

EXERCÍCIO DE DESIDENTIFICAÇÃO

Eu tenho um corpo, mas não sou esse corpo. Meu corpo pode se encontrar em diferentes condições de saúde ou doença. Isso nada tem a ver com o meu ego verdadeiro, ou o "Eu" verdadeiro.

Eu tenho um comportamento, mas não sou esse comportamento. Todo o meu comportamento provém dos meus pensamentos. Como não desenvolvi o controle de mim mesmo, e assim ainda funciono no piloto automático, às vezes me comporto de forma inadequada. Mas ainda que eu me comporte bem ou mal, eu não sou esse comportamento. Isso nada tem a ver com o meu verdadeiro ego, meu verdadeiro "Eu".

Eu tenho emoções, mas não sou essas emoções. Porque ainda não desenvolvi o controle de mim mesmo, minhas emoções às vezes são negativas e outras vezes positivas. À medida que eu for me assenhoreando de minha vida, isso irá mudar. Embora uma onda de emoções possa me dominar, eu sei que eu não sou essas emoções. Minha verdadeira natureza não irá mudar. "Eu" permaneço o mesmo.

Eu tenho uma mente, mas não sou essa mente. Minha mente é a ferramenta que tenho para criar as emoções, o comportamento e o corpo físico, assim como as coisas que atraio para a minha vida. Porque ainda não desenvolvi o controle de mim mesmo, minha mente às vezes me governa, em vez de eu controlar a minha mente. A mente é o meu instrumento mais valioso, mas não é aquilo que "Eu" sou.

EXERCÍCIO DE IDENTIFICAÇÃO

O que sou "Eu"?

Depois de desidentificar-me (o "Eu") dos conteúdos da consciência, afirmo que eu sou um centro de pura autoconsciência. Sou um centro de vontade e poder pessoais, capaz de ser a causa e o criador de cada aspecto da minha vida. Sou capaz de dirigir, de escolher e de criar todos os meus pensamentos e emoções, o meu comportamento, a saúde do meu corpo e as espécies de coisas que atraio para a minha vida. É isso o que "Eu" sou.

AFIRMAÇÕES

PARA TER PODER PESSOAL E TORNAR-SE CAUSA CRIATIVA

Eu sou o poder, o senhor e a causa de minhas atitudes, emoções e comportamento.

Sou cem por cento poderoso, amoroso e equilibrado em todos os momentos.
Sou poderoso, saudável e completo dentro de mim mesmo. Tenho preferências, mas não apegos.
Sou totalmente poderoso e decidido em tudo o que faço.
Tenho perfeito controle sobre todas as minhas energias a serviço de um objetivo espiritual amoroso.
Sou o senhor de minha vida, e minha mente subconsciente é minha amiga e serva.
Sou um centro de pura autoconsciência e vontade, com a capacidade de direcionar minhas energias para onde quer que eu queira enviá-las.
Sou poderoso, centrado em mim mesmo e amoroso em todos os momentos.
Sou poderoso e centrado em mim mesmo em todos os momentos, e não permito que nada do universo exterior atrapalhe o meu equilíbrio.
Detenho cem por cento de meu poder pessoal e prometo jamais dar esse poder à minha mente subconsciente ou a outras pessoas quaisquer.
Tenho autocontrole e autodomínio perfeitos em tudo o que faço.

INVULNERABILIDADE EMOCIONAL

Sou totalmente invulnerável à energia negativa de outras pessoas. A energia negativa dos outros se desvia de mim sem provocar nenhum efeito.
Sou eu mesmo a causa de minhas emoções, e não outras pessoas. Jamais darei novamente aos outros tal poder sobre mim.
A energia negativa de outras pessoas ricocheteia em mim como se eu fosse um almofada de borracha.
Eu ouço o que os outros me dizem. Entretanto, só assimilo aquilo que "Eu" resolvo assimilar.
O único efeito que a energia negativa de outras pessoas tem sobre mim é o efeito que eu permito que ela tenha. De agora em diante, decido não mais ser afetado.

2

A AUTO-ESTIMA INCONDICIONAL E A CRIANÇA INTERIOR

*Se existe na vida uma panacéia,
a cura para tudo, só pode ser a auto-estima.*
Paul Solomon
mestre espiritual e
Canal da Mente Universal

Se o desenvolvimento do poder pessoal é a primeira chave de ouro para a saúde psicológica e espiritual, então a auto-estima incondicional é sem dúvida a segunda chave de ouro.

Poder pessoal e auto-estima são os blocos construtivos de uma imagem saudável de si mesmo. A relação mais importante em sua vida é aquela que você tem consigo mesmo. Se você está desequilibrado dentro de si mesmo, como pode ter relacionamentos equilibrados com os outros?

A auto-estima começa com a compreensão de que existem dois tipos de amor no mundo: o amor condicional e o incondicional. O amor condicional é egoísta. O incondicional é espiritual.

A primeira pergunta a fazer a si mesmo é se você se ama condicional ou incondicionalmente. A auto-estima incondicional baseia-se na compreensão de que você tem valor e é digno de ser amado porque Deus o criou. Todos são filhos e filhas de Deus, e Deus não cria refugos. É claro que você tem valor! Se você não tem valor, então Deus não tem valor. Em outras palavras, seu valor e direito de ser amado são uma herança espiritual.

Mas o ego diz que esse valor e direito de ser amado baseiam-se na satisfação de determinadas condições. Você deve ter obrigatoriamente um determinado tipo de corpo físico. Precisa freqüentar a universidade, ter dinheiro, ter um emprego bem pago, um certo *status* social, ser espiritualizado, meditar, exercitar-se fisicamente, ter um relacionamento, tirar boas notas, ser bem-sucedido, ser perfeito e assim por diante.

Ora, muitas dessas coisas são alvos bastante nobres a perseguir. *Porém, elas nada têm a ver com sua auto-estima ou amor-próprio!*
Sua auto-estima e amor-próprio vêm daquilo que você é, e não daquilo que você faz. Então não há necessidade de satisfazer condição nenhuma. Na sua vida você pode fazer tudo bem feito, ou mesmo mal feito, mas seja como for seu valor e direito de ser amado serão os mesmos. Nunca é demais enfatizar essa verdade.

Uma boa metáfora para compreender esse ponto importante é imaginar que o seu filho acabou de nascer. Será que essa criança tem de fazer algo para ter valor? Será que precisa ter uma aparência específica? Não existe por acaso um valor inerente na centelha de vida? É claro que um bebê tem valor e merece ser amado. E acaso os pais não continuam a amar essa criança à medida que ela cresce, ainda que entre em apuros ou fracasse no teste de ortografia do primeiro ano?

O fundamental é que existe uma diferença entre a alma que constitui aquela criança e o comportamento que ela apresenta. A alma é sempre cativante e digna de estima. O comportamento pode nem sempre ser assim. Trata-se de uma discriminação extremamente importante a fazer nos outros e em si mesmo.

Levemos essa analogia um passo adiante: você é filho de Deus. Ele lhe deu a vida. Ele o ama como você amaria um filho seu. Ele continua a amá-lo ainda que você cometa erros na escola espiritual chamada vida terrena.

É preciso que você ame a si mesmo assim como Deus o ama — incondicionalmente! Jesus disse: "Amarás a teu próximo *como* a ti mesmo." Ele não disse que você deve amar o seu próximo e se odiar a si mesmo.

É possível determinar em que ponto você está do caminho espiritual ao verificar o quanto você ama o seu próximo e o quanto você está amando a si mesmo.

Você também precisa aprender a sentir o amor de Deus. O amor de Deus é como o sol: está sempre brilhando. É só uma questão de recebê-lo.

Uma de minhas metáforas favoritas é a idéia de que você é um diamante salpicado de lama. Deus o criou, portanto você é um diamante. Mas o seu pensamento equivocado, egoístico e negativo o sujou de lama. Neste livro, estou tentando ligar a mangueira e lavar a lama do pensamento errôneo, para que você possa ver o seu verdadeiro eu. Sua verdadeira identidade é o Cristo, a perfeita criação de Deus. Só as interpretações falsas, negativas, pessimistas do ego é que fazem você se sentir inútil e indigno de amor.

A Terra é uma escola. Seus erros não lhe são lançados na cara. Não existem pecados, apenas erros. Alguns crêem que o pecado é como uma mancha no caráter, algo que não pode ser removido. Isso é um absurdo. Os erros são positivos. *Os erros são positivos!* Você não se esforça para cometê-los, mas se acontecerem são oportunidades para o aprendizado.

Todo erro é uma bênção disfarçada, pois sempre existe nele uma pepita de sabedoria para assimilar. Você aprende da maneira mais fácil, ou então na escola dos golpe duros, mas está nessa escola para conhecer a si mesmo e, assim, conhecer a Deus. O universo de Deus é governado por leis: leis físicas, leis psicológicas e leis espirituais. O processo de aprendizado envolve o erro e, depois, os ajustes.

O caminho espiritual montanha acima consiste em cinco passos à frente e quatro para trás, sete à frente, e seis para trás. Não entre no jogo do ego de criar um padrão perfeccionista inatingível, no qual os erros sejam inaceitáveis. O espírito acredita no esforço rumo à perfeição, mas encara os erros como positivos e inevitáveis.

PENSAMENTOS CRIAM REALIDADE

Quando você vai dormir à noite e tem um pesadelo, acorda e diz a si mesmo: "Rapaz, que bom que foi só um sonho; parecia tão real enquanto eu estava dormindo!" Bem, é isso mesmo o que eu estou dizendo aqui: acorde desse sonho ruim, dessa hipnose negativa que você vem vivendo.

É hora de acordar! Que da lama surja o diamante, para que você possa ver quem realmente é. Pois você é a coisa mais preciosa de toda a criação. Por acaso você acha que Deus ama uma rocha ou uma árvore mais do que Seus próprios filhos, que são feitos à imagem dEle?

Agora vem a chave de todo o processo: seus pensamentos criam a sua realidade. Os pensamentos não criam a verdade. Só criam a realidade das pessoas que os geram. Em outras palavras, se você pensar que é indigno, viverá então o pesadelo e o inferno que são frutos de seus próprios pensamentos.

Você viverá os seus pesadelos, ainda que não sejam verdadeiros. Pois você é aquilo que pensa que é, e portanto precisa afastar da mente as falsas atitudes de indignidade e falta de merecimento do amor, e começar a afirmar a verdade sobre si mesmo. Ao fazer isso, você passará a registrar uma nova mensagem no gravador do seu subconsciente.

EQUILÍBRIO ENTRE EGOÍSMO E ALTRUÍSMO

Outro aspecto da auto-estima é aquilo que eu chamo de equilíbrio entre egoísmo e altruísmo. Isso significa que existe a hora de ser egoísta e a hora de ser altruísta. Ser altruísta é direcionar suas energias para ajudar os outros; ser egoísta é tomar conta de si mesmo. O caminho espiritual é o caminho do equilíbrio. Você não está aqui para ser mártir, mas precisa aprender a ser espiritualmente egoísta.

Muita gente espiritualizada bem sincera e boa interpreta erroneamente essa afirmação. Eu não estou dizendo que não se deve ajudar os outros; os maiores dentre vocês são servos de todos. Estou dizendo apenas que você também precisa cuidar de si mesmo. Você é parte de Deus, filho ou filha de Deus.

Deixar de ser espiritualmente egoísta de quando em quando é rejeitar uma parte de Deus. Se você é altruísta demais, provavelmente irá se tornar uma pessoa ressentida. A grande lição é a seguinte: quando for egoísta, não se sinta culpado; e quando for altruísta, doe-se sem ressentimentos. É preciso entregar-se completamente ao que você está fazendo no momento.

COMO DESENVOLVER A COMPREENSÃO DA CRIANÇA INTERIOR

A segunda compreensão importante exigida para gerar a auto-estima incondicional tem a ver com o entendimento da criança interior.

Você mantém um relacionamento consigo mesmo. E quem é esse "si mesmo" de que estou falando? Outro nome para essa pessoa é criança interior, ou eu interior. Em outras palavras, você age como pai de si mesmo.

No diagrama abaixo, sugiro que existem duas formas de criar ou a si mesmo ou uma criança exterior. Há uma forma espiritual e outra egoísta. A forma espiritual é ser firme, mas amoroso, de modo que o yin e o yang estejam equilibrados. A forma errada de criar uma criança é ser firme demais ou tolerante demais. Um pai que seja firme demais age de modo crítico. Como indica o diagrama, quando o pai é crítico demais, a criança tende a se sentir depreciada e desamada. Quando o pai é permissivo demais, a criança pode ficar mimada e rebelde. Um pai firme e afetuoso ajuda a criança a se tornar uma pessoa equilibrada e bem-ajustada.

O primeiro passo na compreensão de todo esse processo é examinar a maneira como você foi criado, para determinar se seus pais foram críticos ou afetuosos. É bem provável que você trate a si mesmo exatamente da maneira como seus pais o tratavam. Agora analise como você criou ou cria seus filhos. E, por último, examine como você está criando a sua criança interior.

A criança interior é uma realidade psíquica. Aprender a criar a criança interior corretamente é uma das habilidades mais importantes que você pode aprender. Além disso, você se tornará pai ou mãe muito melhor dos próprios filhos depois que tiver aprendido a criar-se a si mesmo de modo adequado.

COMO APRENDER A CUIDAR DA CRIANÇA INTERIOR

Quando você age consigo mesmo de forma demasiado crítica, o que acontece na verdade é um caso de "maus-tratos" contra uma criança. Se você presenciasse um caso de maus-tratos a uma criança, certamente iria interferir e dizer algo para acabar com tal situação. Bem, é isso mesmo o que você precisa começar a fazer com relação a sua criança interior, que necessita da mesma proteção.

Pais críticos são como uma babá despreparada com quem você, desavisadamente, deixou seu filho. Agora você volta (despertando) para reclamar o filho como seu. É preciso começar a dar à criança a proteção de que ela necessita.

Psicologicamente, isso significa que quando você toma consciência de que o pai crítico interior começou a espancar a criança interior, é preciso intervir imediatamente! Não importa como. Você pode inflar a bolha protetora e dizer: "Não vou mais permitir que minha criancinha seja espancada ou maltratada. Vou protegê-la, pois amo a minha criança interior e não posso deixar que ela continue sendo magoada."

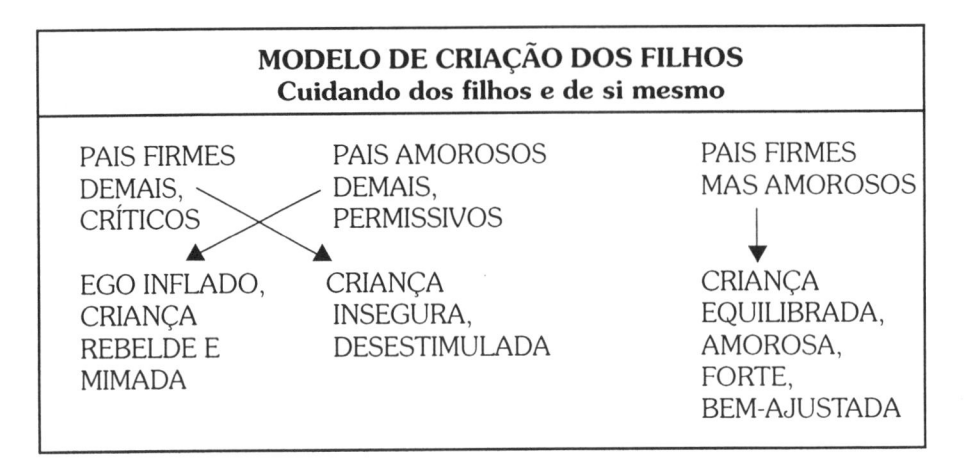

MODELO DE CRIAÇÃO DOS FILHOS		
Cuidando dos filhos e de si mesmo		
PAIS FIRMES DEMAIS, CRÍTICOS	PAIS AMOROSOS DEMAIS, PERMISSIVOS	PAIS FIRMES MAS AMOROSOS
EGO INFLADO, CRIANÇA REBELDE E MIMADA	CRIANÇA INSEGURA, DESESTIMULADA	CRIANÇA EQUILIBRADA, AMOROSA, FORTE, BEM-AJUSTADA

Quando o pai excessivamente indulgente entra em cena, querendo ser permissivo, você pode dizer: "Não. Não quero saber desse tipo de extremismo. Não quero ser yin demais, nem yang demais. Eu quero equilíbrio. Suma daqui!" Expulse de sua mente o pensamento permissivo.

O segundo passo, depois de expulsar o pai crítico ou permissivo, é afirmar que você daí em diante será firme e afetuoso consigo mesmo. Ao agir assim continuamente você faz que o pai crítico ou permissivo desapareça por falta de atenção, enquanto o pai firme e amoroso se fortalece. Isso exige prática e vigilância. É só lembrar que, se você não ficar atento, acaba permitindo os maus-tratos à criança dentro do próprio ambiente mental.

O que também se deve levar em conta aqui é que, se uma criação inadequada vem ocorrendo, então a criança interior estará carecendo de cura, da mesma forma que uma criança de verdade depois de ser maltratada. A criança interior que foi vítima de um pai crítico vai precisar de doses adicionais de amor e carinho.

A criança interior que foi vítima de um pai permissivo vai precisar de um "amor enérgico". Uma criança que expressa livremente suas vontades na vida real precisa ficar de castigo por algum tempo, não de uma maneira crítica, mas dentro de uma idéia de amor enérgico. Essa criança teve nas mãos mais poder que o pai, mas é o pai quem detém o comando, e a criança interior precisa ouvir isso. É possível que, no início, você se obrigue a endurecer bastante para se fazer entender, da mesma forma como faria com uma criança de verdade. A criança interior vai compreender a mensagem se vir que você fala sério. De qualquer modo, essa criança não gosta mesmo de não ter limites.

Sua criança interior deseja desesperadamente o seu amor incondicional, da mesma forma que o faz uma criança de verdade. Lá no fundo, sua criança interior quer limites bem determinados, assim como uma criança de verdade. Se você for firme e afetuoso, tanto a criança interior quanto a exterior vão desenvolver autocontrole, poder pessoal e auto-estima.

DIALOGANDO

Um recurso bastante útil usado no desenvolvimento de relacionamentos corretos é dialogar com as partes envolvidas num diário. Converse com sua criança interior e veja como ela está se sentindo; depois, deixe que a criança interior fale com você, imaginando como ela lhe iria responder. Dialogue com o pai crítico e permissivo, e depois com o pai firme a amoroso. Isso faz com que você entre em contato mais profundo com o modo como a dinâmica opera dentro de seu íntimo. Você pode, inclusive, introduzir o Eu superior no diálogo.

Há algo bastante interessante acerca dessa última sugestão. Os ensinamentos hunas do Havaí chamam o Eu superior de "Eu-pai totalmente confiável". Eu acho isso fascinante. Em outras palavras, você precisa aprender a cuidar de si mesmo assim como o seu Eu superior cuida de você. E será que o seu Eu superior não cuida de você com firmeza e amor, amor enérgico?

AGENDA DE PROGRESSOS

Esta sugestão é essencial se você busca uma auto-estima e um valor que o mantenha em equilíbrio. Até aqui eu falei sobre auto-estima no plano da essência, o plano no qual você tem valor e é digno de ser amado simplesmente por ser filho ou filha de Deus.

Há também o plano da forma, e é preciso que você se sinta bem acerca do que está fazendo e criando também na vida exterior. O pai crítico passa todo o tempo sendo um perfeccionista no sentido negativo, procurando o que você faz de errado. Num dia qualquer, você pode fazer 98% das coisas bem-feitas, mas o pai crítico se concentra nos 2% que foram mal feitos. Isso não faz sentido. Você precisa ser capaz de se sentir 98% feliz nesse dia, e só 2% deprimido, vendo o copo d'água como estando meio cheio, e não meio vazio.

O propósito da agenda de progressos é examinar aquilo que você vem fazendo bem-feito, e não o que você faz de forma equivocada. Existem dois passos na elaboração de uma agenda de progressos. Primeiro analise toda a sua vida, usando um pente-fino, listando todas as coisas que você fez bem-feito na vida. Relacione todos os seus atributos e qualidades positivas — tudo, mesmo as coisas mínimas. Ao fazer isso, você automaticamente se sente bem consigo mesmo. Muda-se o seu ponto de vista, e você começa a ver as coisas do modo como o seu Eu superior as vê.

O segundo passo na agenda de progressos é o seguinte: toda noite, antes de ir para a cama, e toda manhã também, acrescente novas informações à lista, e repasse os progressos daquele dia e da semana. Ao fazer isso, você incentiva a criança interior, dando-lhe reforço positivo, abraços e beijos psicológicos e amor. Você diz à criança interior o quanto aprecia a cooperação dela. Você também pode dizer a mesma coisa ao Eu superior. Juntos, vocês formam uma equipe imbatível.

O QUE FAZER DEPOIS DE COMETER GRANDES ERROS

Quando você realmente comete erros, é importante manter afastado o pai crítico. Não há problema em fazer *observações* sobre si mesmo ou sobre outras pessoas; isso também se denomina discernimento espiritual, pois é feito com base num amor incondicional.

Seja qual for o erro, basta extrair das experiências a pepita de sabedoria que lhe proporciona a experiência para que o incidente se transforme numa experiência positiva. Se você realmente aprender com os "erros", jamais terá de passar de novo por um sofrimento semelhante. Diga a si mesmo que você é cativante e digno de ser amado, ainda que tenha caído num equívoco ou cometido um erro de avaliação. Erros são positivos e inevitáveis. Erga-se e aprenda a conviver com eles.

Componente essencial da auto-estima é o perdão. Você pode escolher entre adotar uma filosofia de perdão ou guardar rancor. Isso também se aplica a você mesmo. Lembre que, se guarda rancor, está na verdade guardando rancor contra a criança interior. Será que você faria o mesmo contra uma criança de verdade? Se você quer ser perdoado por Deus, é sensato emitir também a mesma energia, tanto para si mesmo quanto para os outros.

Este capítulo vem se concentrando nos cuidados com a criança interior; acrescentei no final do livro um curto capítulo sobre como criar uma criança exterior, do ponto de vista espiritual. Mesmo que você não tenha crianças em casa, pode ser útil ler essas idéias fundamentais, já que existe uma semelhança direta entre os cuidados que se deve ter com uma criança interior e com uma criança.

O QUE ACONTECE COM VOCÊ SE VOCÊ NÃO TEM AUTO-ESTIMA?

Se você não tem auto-estima incondicional dentro de si mesmo, então acaba automaticamente buscando esse apoio lá fora. Amor é algo sumamente necessário; sabe-se que crianças chegam realmente a morrer por falta de amor em instituições para a infância.

O ideal é dar amor a si mesmo e receber o amor incondicional de Deus. Se não fizer isso, você acaba buscando amor e aceitação em outras pessoas. Essa situação o coloca numa posição vulnerável. Outras pessoas passam a programar o seu computador interior, tornando-se a causa da sua realidade. Seu valor fica então na mão dessas pessoas. Mas será que você realmente quer que os outros tenham tal poder sobre você? A falta de auto-estima abre um buraco na sua bolha de proteção, de forma que, quando outras pessoas o criticam, você não consegue se proteger.

O ideal é dar a si mesmo tanto amor e sentir também tanto o amor de Deus a ponto de começar o dia sentindo-se totalmente poderoso e absolutamente amado antes de se deparar com outro ser humano. Idealmente, você se sente inteiro e completo em si mesmo, sentindo a sua unicidade com Deus. Idealmente, você está tão repleto de amor que pode dar amor aos outros, ainda que os outros não o amem. Fundamentalmente, você pode *querer* o amor de alguém, mas não *precisa* desse amor. Você prefere relacionamentos amorosos, mas não se apega ao amor que eventualmente recebe dos outros. Tornando-se uma pessoa realizada, você primeiro estabelece um relacionamento correto com Deus e depois estabelece um relacionamento correto consigo mesmo.

São essas as duas relações mais importantes da sua vida. Depois você pode encarar a vida como uma pessoa completa, hábil e independente, que está no mundo para dar, e não para tentar receber, preencher um vazio dentro do eu. Essa é a obra do caminho espiritual.

Na verdade você já tem tudo isso agora mesmo. O único problema é que muitas vezes você pensa que não tem. Você vive o pesadelo da limitação auto-imposta, que nem sequer é real. Você pode se livrar dessas limitações quando quiser; basta tomar posse de seu poder e assumir o comando da sua mente.

AFIRMAÇÕES DE AUTO-ESTIMA

As seguintes frases são afirmações de auto-estima, para reprogramar tanto o pensamento consciente quanto o subconsciente:

1. Eu tenho amor por mim mesmo e me perdôo totalmente por todos os erros que cometi, pois agora reconheço que os erros são positivos, e não negativos.

2. Reconheço agora perfeitamente que tenho valor, pois foi Deus quem me criou, e nada tenho de fazer para conquistar esse valor.

3. Reconheço agora que sou um diamante, e não a lama que o cobre.

4. Meu valor é invariavelmente positivo, pois é uma herança espiritual. Não é aumentado pelos meus sucessos, nem diminuído pelos erros que cometo.

5. Percebo agora que tenho total valor e dignidade como pessoa, quer aprenda ou não as lições da vida.

6. Reconheço neste momento que tudo o que aconteceu na minha vida foi positivo, pois tudo continha lições que eu precisava aprender.

7. A partir de agora resolvo viver no presente, deixando de usar o passado contra mim mesmo.

8. De agora em diante, resolvo aprovar a mim mesmo, para não ter de buscar a aprovação de outras pessoas.

9. Eu mereço ser amado porque Deus me criou; eu sei que meus erros não me são lançados na cara.

10. Percebo que tudo o que acontece na vida é uma lição, um desafio e uma oportunidade de crescimento.

11. Percebo agora que sou o "Eu", aquele que escolhe, a consciência e o ser espiritual, e que essa parte de mim merece amor incondicional em qualquer momento.

12. Eu sou a luz, e não a cúpula que cobre a luz.

13. Mereço amor porque minha verdadeira identidade não é aquilo que eu faço na vida. E sou eu quem escolhe aquilo que eu faço.

14. Compreendo agora que estou aqui na Terra para aprender e crescer; mas, ainda que cometa erros, continuo perfeitamente digno de amor e invariavelmente digno de estima.

15. De agora em diante resolvo ser firme e incondicionalmente amoroso comigo mesmo.

16. Eu sou o senhor da minha vida. Decido, então, ser o meu melhor amigo, e não o meu pior inimigo.

17. Resolvo amar a mim mesmo como Deus me ama — incondicionalmente.

18. Resolvo agora compreender que quero ser perfeito, mas que os erros são positivos e parte de um processo de crescimento.

19. Percebo agora no plano da minha verdadeira identidade — o "Eu", aquele que decide, a alma — que sou um igual perfeito em relação a qualquer outra pessoa do mundo.

20. Decido agora despertar e reconhecer que era somente o pensamento errôneo do meu ego que me impedia de amar a mim mesmo.

21. Resolvo agora desfazer todo o pensamento errôneo que a sociedade programou dentro de mim, substituindo-o pela auto-estima.

22. Resolvo agora reconhecer que mereço amor, assim como todas as outras pessoas.

23. Resolvo agora reconhecer que não tenho culpa nem pecado, pois todos os erros não passam de lições e oportunidades para crescer.

24. Percebo agora que Deus não me lança na cara o mau uso que faço do livre-arbítrio; então, por que eu mesmo o faria?

25. Eu tenho amor por mim mesmo. Eu me perdôo. Eu me aprovo, e me comprometo deste momento em diante a me tratar de uma maneira espiritual, e não de modo egoísta. Percebo agora perfeitamente que o modo como penso é a realidade em que vivo. Decido agora afastar o pensamento errôneo e viver num estado celestial de consciência criado por mim mesmo.

26. Eu me amo incondicionalmente, pois sou filho(a) de Deus, e o mau uso que faço do livre-arbítrio — ou pensamento errôneo — não me é lançado na cara.

27. Como então o que Deus criou não seria valioso e digno de amor?

28. Eu tenho amor a mim mesmo porque sou inocente, e não culpado.

29. A única coisa, neste universo, que diz que eu não mereço o amor é o meu "ego". De agora em diante, rejeito o meu ego e sua falsa atitude. Permito a mim mesmo harmonizar-me novamente com o meu verdadeiro eu espiritual.

30. Agora, e de uma vez por todas, resolvo abandonar o jogo do ego de "ter

de fazer algo" para merecer amor e valor. Reconheço perfeitamente agora que sempre fui uma pessoa cativante e digna de estima, e sempre o serei.

VISUALIZAÇÃO DE AUTO-ESTIMA

Comece imaginando uma bela cena da natureza. Visualize-se sorrindo, feliz, alegre, afetuoso e em paz consigo mesmo e com o mundo. Olhe em volta e aprecie as cores, os cheiros e os sons, e o sentimento de estar em harmonia com a natureza.

A seguir, imagine um de seus animais favoritos a seu lado no seu cenário natural. Visualize o animal aproximando-se de você, dando-lhe amor e afeto. Depois imagine que seu melhor amigo vem caminhando na sua direção, ainda longe. Seu amigo carrega no colo uma criança de seis meses. Imagine-se saudando o amigo, dando-lhe um abraço e conversando com ele por algum tempo.

Seu amigo lhe pede que cuide do bebê por umas duas horas. Cuidadosa e delicadamente ele lhe passa a criança. Veja o seu amigo deixando a cena, prometendo voltar daí a duas horas. Imagine-se segurando, embalando e dando amor a esse belo nenê.

Em seguida, perceba que essa criança na verdade é a criança interior dentro de você. Você agora é o pai que pode escolher de que forma irá criar essa criança, que é você mesmo.

O ideal é tratá-la com firmeza e amor incondicional. As outras opções são ser para si mesmo o pai crítico e excessivamente enérgico, de um lado, ou o pai frouxo e permissivo, de outro. Se você é crítico demais, a criança interior cresce sentindo-se depreciada, incapaz e desalmada. Se você é excessivamente indulgente, a criança cresce mimada e orgulhosa. Qual das opções você escolhe para si mesmo? Faça agora essa escolha, tratando essa criança — que na verdade representa você mesmo — com firmeza e amor incondicional.

Agora imagine que já se passaram cinco anos e que essa criancinha, que é você, está brincando no cenário natural que você criou. Novamente se imagine como um pai ideal. Converse com a criança. Diga como você se sente. Deixe a criança responder.

Agora, imagine que mais dez anos se passaram, e que a criança, que é você, agora já é um adolescente de 15 anos. Imagine-se o pai que você quer ser para esse adolescente.

Agora imagine que o adolescente atingiu a sua idade atual. Visualize-se como você é hoje. Perceba que ainda está cuidando dessa pessoa adulta que está aí dentro de você. Agora que a criança cresceu, transformando-se em você adulto, será que você jogou o amor incondicional e a firmeza pela janela?

Faça agora a opção de comunicar-se consigo mesmo, de voltar a ter um relacionamento correto consigo mesmo. Ponha-se de pé diante de si mesmo e abrace essa pessoa, que é você, reconhecendo que esse é sem dúvida o seu melhor amigo. Peça desculpas por ter sido tão duro consigo mesmo no passado. Perdoe os erros de seu eu-pai, e perdoe também os erros do eu-criança-adulta.

Permita que a criança-adulta interior lhe diga que tipo de relacionamento ela quer ter de agora em diante. Faça a opção de viver no presente e marque um novo início a partir desse ponto. Faça a escolha de encarar o passado como um espaço repleto de experiências positivas, pois agora você resolveu olhar tudo o que lhe aconteceu como oportunidades de crescimento. Você pode se aprovar e aceitar, porque agora reconhece que os erros são positivos, e não negativos.

Diga a sua criança-adulta que você irá amá-la incondicionalmente de agora em diante. Diga-lhe que você não vai vincular seu amor àquilo que ela faz, mas ao fato de ela ter sido criada por Deus; portanto, é claro que ela tem valor e dignidade, independentemente de erros ou acertos.

Veja o "Eu", a pessoa, o ser espiritual, como algo diferente do comportamento, dos erros, dos acertos, da personalidade, do corpo físico, dos pensamentos ou emoções. Firme um compromisso consigo mesmo de, a partir de agora, travar um relacionamento correto com esse alguém que você é.

Agora aproveite a oportunidade para entabular uma conversa de coração a coração consigo mesmo, tratando-se com amor. Aproveite a oportunidade para esclarecer todo incidente mal resolvido, todo pensamento equivocado, de forma que ao término do período de meditação possa haver um novo início, um renascimento dessa relação de você consigo mesmo.

O VERDADEIRO EU: A CONSCIÊNCIA CAUSAL

Ainda que você tenha dentro em si tanto um eu-criança quanto um eu-pai, é importante perceber que o verdadeiro você não é nem o pai nem o filho. O verdadeiro você é a "consciência" ou o "Eu", que decide que tipo de dinâmica pai-criança você cria dentro de si mesmo.

O verdadeiro você é o eu observador, que é o controlador e diretor, o causador, aquele que decide. A chave para ser diretor é compreender a necessidade de se desidentificar do conteúdo da consciência. Você não é os seus pensamentos, as suas emoções, o seu corpo, o seu comportamento, as suas ações, a sua personalidade, os seus erros, acertos, capacidades, o seu passado, o seu futuro ou as suas crenças. Você é a essência, e não a forma. Você é a consciência, não a criação. Você só pode dirigir e controlar aquilo em relação a que você se desidentifica. Em outras palavras, o seu senhor será aquilo a que você, como consciência ou "Eu", está identificado. Vivendo neste mundo, você precisa lidar com a forma. É por isso que é fundamental escolher a forma de criação que você proporciona a si mesmo.

Você pode agora fazer uma visualização na qual todas as coisas que pensava ser (os conteúdos da consciência) são colocadas num grande caldeirão de metal, bem no meio do seu cenário natural. Coloque tudo ali dentro, até que esteja vazio de toda forma mental, emocional e física. Tudo o que resta é um centro de pura consciência, perfeitamente vazio.

Depois experimente tirar qualidades, atitudes, sentimentos, crenças, capacidades e não-capacidades, testando-as e depois jogando-as novamente no caldeirão. Treine os processos de identificação e a seguir, de desidentificação. Experimente assumir o posto de controlador, causador e criador da sua vida, como o faria num papel de teatro. Lembre-se sempre daquilo que é o seu verdadeiro eu, e de quem e o que verdadeiramente você é.

3

INTEGRAÇÃO DAS TRÊS MENTES E DOS QUATRO CORPOS

Sejam moderados em todas as coisas.
O Buda

Um dos passos fundamentais para se tornar um ser realizado ou teo-realizado é aprender a equilibrar e integrar as três mentes e os quatro corpos. Ora, na realidade você tem mais de três mentes e mais de quatro corpos, pois na quarta iniciação a alma, ou Eu superior, funde-se novamente no espírito, ou mônada, e espírito e mônada tornam-se a consciência, que é o seu guia. Isso, porém, dá-se por estágios; portanto, especificamente para esta análise, coloco a alma e a mônada na mesma categoria, já que desempenham funções semelhantes.

Com respeito à análise dos quatro corpos, faço coisa semelhante, considerando a existência dos corpos físico, emocional, mental e espiritual. Na verdade, o corpo espiritual pode ser dividido em corpos causal, búdico, átmico, monádico, logóico, de Luz, e assim por diante, adentrando os níveis cósmicos da consciência.

Você trabalha com esses corpos espirituais superiores por estágios, à medida que passa pelo processo de iniciação, de modo semelhante ao empregado no trabalho com as três mentes; portanto, especificamente para esta análise, também estou reunindo todos esses corpos espirituais superiores naquilo que agora chamo de corpo espiritual.

Primeiro eu quero focalizar as três mentes. Cada mente é um nível de estado mental, sendo cada uma delas de nível superior à anterior. O ideal é o subconsciente tornar-se subserviente à mente consciente, e esta tornar-se subserviente à mente superconsciente, ou alma.

Outra maneira de dizer isso é que o seu eu consciente foi criado para se tornar o senhor da sua mente subconsciente, enquanto sua alma, ou Eu superior, é o seu mestre ou guia. Os kahunas do Havaí têm uma maneira bem eloqüente de explicar isso. Eles chamam o Eu superior, ou alma, de aumakua, que é definido como o "Eu-pai totalmente confiável". Como o Eu superior é o eu-pai totalmente confiável, então a mente subconsciente é o Eu-pai totalmente confiável para a mente consciente e a criança interior. Você pode aprender como cuidar corretamente de si mesmo seguindo o exemplo dado pelo Eu superior.

A Bíblia afirma que você foi criado à imagem de Deus. Diz que Deus é uma trindade: o Pai, o Filho e o Espírito Santo. No hinduísmo, a trindade recebe os nomes de Brahma, Vishnu e Shiva. Nos ensinamentos hunas, do Havaí, a trindade é denominada Ku, Kane e Kanaloa.

Como você foi criado à imagem de Deus, então também você deve ser uma trindade; e realmente o é. Sua trindade é a das mentes superconsciente, consciente e subconsciente.

Deus, Cristo e o Espírito Santo são níveis diferentes de divindade; porém, eles funcionam como uma única consciência. O mesmo vale para você. O ideal é que as suas três mentes funcionem como uma só. O problema é que, para muitos, as três mentes estão em desequilíbrio. Você pode até nem saber que tem uma alma ou mente superior a guiá-lo, e muitas vezes deixa que sua mente subconsciente, ou de plano inferior, governe a mente consciente.

Quando a mente subconsciente governa a sua vida, o ego negativo se torna o seu diretor, e o seu corpo emocional geralmente acaba controlando a sua vida. O primeiro passo rumo ao equilíbrio e à integração é reconhecer que você tem três mentes.

O segundo passo é começar os processos de aprender a tomar posse de seu poder pessoal e assumir o controle da mente subconsciente e dos três veículos inferiores. O terceiro passo é começar a harmonizar-se com o Eu superior, pedindo a sua ajuda.

As três mentes podem ser encaradas como grandes anéis de metal. Nos primeiros estágios de sua evolução, os anéis estão bem separados. À medida que você evolui e começa a desenvolver o controle de si mesmo e a harmonização com a alma, os anéis começam a se aproximar.

Ao tempo da terceira iniciação, a alma se funde, esses anéis começam a se fundir e passam a funcionar como uma única mente. Isso porque o ser já atingiu em larga medida o autocontrole sobre a personalidade tripla (veículos físico, emocional e mental) e porque a personalidade já completou, em pelo menos 51%, o processo de fusão com a consciência da alma.

À medida que prossegue a estabilização da fusão da alma, as três mentes passam a funcionar com harmonia e equilíbrio cada vez maior. À medida que você continua a evoluir, a mônada, ou mente espiritual (distinta da alma), começa a assumir o controle. Na altura da quarta iniciação, a alma se funde novamente na mônada, e a mônada torna-se o diretor pleno daí em diante no processo de sua evolução.

Quando chega a quinta iniciação, ocorre uma integração e um equilíbrio mais aprimorados das três mentes, pois, no processo evolutivo, você se funde completamente com a mônada. (Na altura da terceira iniciação ocorre a fusão da alma, e na quinta iniciação, a fusão monádica.)

Os três anéis da metáfora que apresentei se uniram numa fusão ainda mais elevada. Na ascensão, a mônada desce e toma conta completamente do seu ser, enquanto você evolui na Terra e nos quatro corpos, que se transformam em Luz.

Até mesmo o corpo físico se funde completamente com a Luz. Neste ponto você atingiu a perfeita integração e equilíbrio das três mentes e quatro corpos.

COMO EQUILIBRAR OS QUATRO CORPOS

Para alcançar a união, integração e equilíbrio de um mestre elevado, é preciso que você aprenda a equilibrar os quatro corpos. Você tem quatro corpos distintos e separados, cada um com aspectos singulares: um corpo físico, um corpo emocional, um corpo mental e um corpo espiritual. O ideal é respeitar e ouvir todos os quatro corpos simultaneamente. O que se verifica com maior freqüência é uma tendência de identificação excessiva com um ou dois dos corpos, em detrimento dos outros. Mais de metade das pessoas do mundo experimentam a vida pelo ângulo do corpo emocional.

Alguns sentem a vida. Outros pensam a vida e são menos ligados aos sentimentos. Outros ainda estão envolvidos de tal modo com o corpo espiritual que não cuidam do corpo físico, e também podem não cuidar de pensamentos e sentimentos.

Alguns estão envolvidos de tal modo com a existência física que vivem completamente isolados do corpo espiritual, e às vezes também das demandas intelectuais ou pensamentos. Provavelmente você se concentra em um ou dois corpos em especial.

É possível estar excessiva ou debilmente identificado com cada um dos corpos. Quando é esse o caso, a energia que flui do Criador não se move apropriadamente. Se essa situação perdura, acaba se manifestando como doença em um dos quatro corpos.

O corpo físico geralmente acaba sendo o espelho desses desequilíbrios psicológicos. Isso se baseia na lei hermética: "Dentro como fora; acima como abaixo." É possível correlacionar a causação mental, emocional ou espiritual com a localização de problemas de saúde no corpo físico.

Você pode não pensar em seus quatro corpos até que sinta o mal-estar, mas o objetivo é integrar esses quatro corpos e alinhar seus diferentes pontos de vista para usá-los a fim de se tornar perfeitamente criativo e desenvolver plenamente o seu potencial e o propósito divino que o trouxe aqui. Você é uma célula no corpo de Deus. Quando você não trabalha em harmonia com o plano sagrado de Deus, então, em certo sentido, Deus tem um câncer. Parte da lição proporcionada pelo sistema de quatro corpos é fazer todas as células funcionarem tendo o mesmo propósito em mira — idealmente, crescimento espiritual e teo-realização.

Quando os quatro corpos estão equilibrados e integrados, não existem restrições e você flui livremente. Estando os quatro corpos equilibrados, você é plenamente capaz de compreender Deus. Muita gente entende isso com o corpo mental, mas ainda não sintonizou os outros corpos nessa verdade.

O mesmo acontece na equilibração das três mentes. Por exemplo, é possível que a mente consciente não queira mais se preocupar ou ficar deprimida, mas a mente subconsciente pode não cooperar. O corpo mental pode compreender o ideal, mas vivenciá-lo plenamente em todos os quatro corpos para tornar esse ideal uma realidade vívida é algo que possivelmente exigirá um pouco mais de trabalho.

Cada um dos quatro corpos e três mentes tem uma dádiva única de informação e orientação para lhe dar. A alma, ou mônada, pode lhe dar percepções intuitivas e agir como a voz da consciência. A mente consciente lhe dá o raciocínio lógico e dedutivo. A mente subconsciente lhe dá reações emocionais. O corpo físico lhe dá reações instintivas e sensações. O corpo emocional, que está ligado à mente subconsciente, concentra-se em como você se sente em cada momento, e pode produzir impressões psíquicas. O corpo mental lhe dá um ponto de vista relativo à lógica daquilo que está acontecendo. O corpo espiritual, que está intimamente ligado à mônada, lhe dá intuição, consciência e orientação divina.

Quando você se identifica excessiva ou debilmente com um corpo ou mente, perde informações valiosíssimas. É da natureza do ego dizer-lhe que a maneira como ele trata a realidade é a melhor. Eu estou aqui para dizer que, segundo o entendimento de Deus, a melhor maneira de tratar a realidade é usar todos os níveis de orientação.

Se, no mundo profissional, você se harmonizasse com seus sistemas de três mentes e quatro corpos na hora de tomar decisões importantes, tenho certeza de que seus negócios alcançariam sucesso muito maior e que você cometeria erros menos dispendiosos. Seu veículo espiritual pode lhe dizer uma coisa, sua mente outra, seus sentimentos ainda outra coisa, e seu corpo físico e instintos uma coisa totalmente diferente. Você se limita quando se concentra apenas num tipo de dado preliminar. Por que não ter acesso a todos os planos de informação e orientação que Deus proporciona?

À medida que você se torna mais e mais equilibrado, descobre que suas três mentes e quatro corpos estão trabalhando em harmonia rumo ao objetivo trifacetado de sucesso em todos os níveis, teo-realização e cumprimento de sua parte no plano divino para a Terra.

O CORPO EMOCIONAL

Um enfoque emocional da vida pode ser estupendo em seus aspectos positivos, pois torna-o bastante sensível à beleza, às artes, à natureza, à música e à dança. Um enfoque via corpo emocional, nos aspectos negativos, muitas vezes faz que você tenha a sensação de estar numa montanha-russa emocional, constantemente atirado de um lado para o outro em face da instabilidade desse corpo.

Você pode aprender a usar o seu poder e vontade pessoais para retirar-se do foco da atenção, pois são os pensamentos que criam os seus sentimentos. Isso pode ser difícil de conseguir, caso você esteja vendo a vida pelo ângulo emocional, já que você está muito habituado a se ligar somente ao corpo emocional. Então é preciso aprender a analisar e tratar logicamente aquilo que você está vivendo. Uma visualização útil para usar quando o corpo emocional passa por uma crise é imaginar uma escada vermelha, que simboliza a vontade. Visualize-se subindo a escada vermelha para fugir do sentimento negativo. Outro meio de fazer isso é fazer imediatamente algumas afirmações ou salmodiar o nome de Deus, visualizando a forma dEle. O objetivo é usar suas faculdades mentais para equilibrar a excessiva identificação emocional que ocorre nesse momento.

Você pode imaginar a bolha dourada de Luz protetora em torno de você. Essa bolha deixa passar o amor e a orientação de Deus e dos mestres ascensionados. Protege-o de sentimentos negativos que existem na mente subconsciente e das energias negativas provenientes de outras pessoas e do mundo exterior. Essa bolha dourada é semipermeável, pois admite as energias positivas, mas afasta as negativas. Então, na sua imagem mental, abra um pequeno orifício na bolha pelo lado de dentro e expulse toda a energia negativa ou sentimentos ruins que ainda podem permanecer dentro da bolha. Depois da expulsão dessas energias, feche novamente o orifício e mantenha-o selado.

Agora imagine a descida de uma Luz branco-dourada que se irradia de sua alma, da mônada e de Deus. Imagine essa Luz preenchendo toda a bolha com energia positiva e sentimentos amorosos. Se você começar cada dia com essa imagem, usando-a como armadura espiritual e mental, vai ficar surpreso por se sentir muito mais equilibrado mentalmente, em paz consigo mesmo e alegre.

Mesmo a Terra tem quatro corpos. E qual é a aparência do corpo sensível do planeta? Tem a ver com o relacionamento do planeta com a água. É só você contrastar uma tempestade torrencial com um lago plácido ao nascer do sol.

Entender o sistema de quatro corpos pode ajudá-lo bastante a compreender tanto as relações românticas quanto as amizades. Se você analisar os relacionamentos com as pessoas às quais você é mais ligado, é possível determinar se pendem para os lados emocional, mental, físico ou espiritual, ou ainda se existe uma combinação disso tudo. Ao compreender isso, você pode evitar impor o seu ângulo de identificação aos relacionamentos.

Em casamentos e relacionamentos românticos, é muito comum o homem tender a se concentrar mais no lado mental, enquanto a mulher é mais emocional. Muitas brigas acontecem porque um não aprecia os dons que o outro traz à relação. Pode-se dizer que cada um dos dois é o eu repudiado do outro.

É o que acontece no relacionamento entre eu e minha mulher. Terri tende a se concentrar mais nos corpos emocional e espiritual. Eu tendo mais a ver a vida pelo ângulo dos corpos mental e espiritual. No início da nossa relação, isso provocou alguns conflitos, porque estávamos tentando impor um ao outro nossa maneira de lidar com a realidade. Embora ambos bebamos da mesma fonte, lidamos com a realidade de formas totalmente diversas. Mas hoje realmente apreciamos os dons um do outro. Terri aprimorou-se em áreas que eu não domino. Eu me desenvolvi em áreas que Terri não domina. Como crescemos juntos, aprendemos a manter um ótimo relacionamento, apreciando os dons que cada um traz ao outro. Essa compreensão do sistema de quatro corpos foi imprescindível para que eu entendesse e verdadeiramente apreciasse nossas diferenças. Na realidade, juntos fazemos um todo muito melhor.

Na verdade, é a alma que aprende quando você trabalha com o sistema de quatro corpos. O que eu quero dizer com isso é que a alma encarna 12 personalidades, ou extensões da alma, na encarnação física. Cada uma dessas extensões da alma é descoberta pela alma simultaneamente, e não em seqüência. Se numa das extensões a alma está tentando aprimorar um problema emocional específico, mas não alcança sucesso, então ela irá trabalhar essa lição por meio de outra personalidade.

Para aprimorar-se na mesma lição, a alma pode se concentrar num homem da civilização maia, numa mulher da Lemúria e noutra mulher que vive na Los Angeles do século XXI. A alma aprende por meio de todas as 12 extensões de alma simultaneamente para atingir a realização que busca. Finalmente, por meio de todas as experiências das 12 extensões de alma, os quatro corpos se tornam suficientemente equilibrados e aprimorados, a ponto de uma das extensões poder aceitar a plena expressão da alma. Chama-se isso de fusão da alma, ou terceira iniciação. O mesmo processo ocorre num plano mais elevado, quando uma extensão da alma se funde completamente com a mônada, no processo da ascensão.

Terri e eu viemos ambos da mesma mônada. Assim, nossa mônada está ganhando uma perspectiva holística pelo fato de estarmos juntos. Djwhal Khul chamou isso de união do místico e do ocultista. Os dois caminhos são opções perfeitamente válidas no retorno ao Criador. Como aprendemos um com o outro, eu estou me tornando cada vez mais um mestre místico e Terri cada vez mais uma mestra ocultista, tudo em benefício da nossa mônada.

Observar o crescimento espiritual do ponto de vista da alma ou da mônada, em vez do da personalidade, é um processo extremamente interessante. Do ponto de vista da alma, os seres terrenos, na condição de extensões da alma, são como os dedos de uma mão. Se um deles não funciona adequadamente, ela simplesmente usa outro dedo que esteja funcionando melhor. Todos os dedos pertencem ao mesmo corpo; portanto, na verdade não importa qual dos dedos a alma utiliza para aprender suas lições.

O CORPO MENTAL

A consciência coletiva na Terra está trabalhando para atingir o desenvolvimento completo do corpo mental. Isso porque atualmente a Terra está no ciclo da raça ariana, cujo interesse está voltado para harmonização mental. (A Atlântida buscava a harmonização emocional; a Lemúria, a harmonização física.) Seres humanos avançados já desenvolveram o corpo mental e agora trabalham no futuro ciclo de Aquário, com o desenvolvimento do corpo espiritual.

Os que se identificam com um enfoque mental muitas vezes se enredam tanto nesse enfoque que prestam pouca atenção às emoções. É o caso do estereótipo do professor universitário que busca apenas a vida intelectual.

Se você dirige sua atenção aos corpos mental e espiritual, pode se tornar um ocultista altamente especializado, mas ser insuficientemente ligado a relações amorosas. No caso de pessoas ligadas ao aspecto mental, é muito comum haver um menor desenvolvimento dos lados psíquico e intuitivo.

O perigo da identificação excessiva com o aspecto mental é a possibilidade de a pessoa se sentir superior à que se concentra no lado emocional. É essencial perceber a equivalência de todos os quatro corpos. O mesmo vale para todos os chakras. Os superiores não são melhores que os inferiores. O ideal é que todos os chakras estejam equilibrados.

O estado de equilíbrio e integração é também um estado de teo-realização. Os que se concentram no aspecto mental vão tentar estudar tudo, considerando a vida interessante e sempre procurando mais conhecimentos. Isso é ótimo, desde que haja equilíbrio em relação aos outros três corpos.

Grandes eruditos muitas vezes esquecem suas necessidades físicas e, em função disso, ficam débeis fisicamente. Caso você se identifique excessivamente com o aspecto mental, certamente precisará usar sua vontade para mudar esse enfoque, equilibrando-o com o amor, as necessidades da criança interior e brincadeiras e momentos de recreação. Para galgar a escada da consciência, evoluir espiritualmente e realizar o seu potencial, é preciso usar todos os quatro corpos. O corpo mental, por si só, tem uma perspectiva limitada.

Um exercício que pode ser útil é fazer com que os corpos mental e emocional conversem um com o outro, ou em voz alta ou no seu diário, para ajudar a gerar um equilíbrio melhor. Então você pode deixar que o corpo espiritual oriente os dois, dando também oportunidade de o corpo físico se manifestar. Os quatro corpos certamente cooperarão de bom grado, desde que cada um deles saiba que tem um posto equilibrado a serviço do plano divino.

Quando surge um problema ou desafio, determine se é físico, emocional, mental ou espiritual, ou ainda uma combinação desses quatro tipos. Verifique se o canal de comunicação entre os quatro corpos está operando com eficiência, e tente descobrir como os quatro corpos podem trabalhar juntos como uma equipe para resolver o problema, em harmonia com os objetivos da alma.

No sistema de quatro corpos da Terra, pode-se considerar o corpo mental como as estruturas feitas pelo homem: pirâmides, arranha-céus e catedrais. De um ponto de vista diferente, o elemento do ar pode ser considerado o corpo mental da Terra, assim como a água é o seu corpo emocional.

O CORPO FÍSICO

O corpo físico é a parte do eu que funciona aqui na Terra. Esse veículo, como os outros corpos, apresenta desempenho coerente com o cuidado que recebe. Se você não lhe dá alimento apropriado, exercício físico, luz solar, ar puro e recreação, certamente terá problemas.

Outro insumo exigido pelo corpo físico é o amor. Com muita freqüência, o corpo físico é negligenciado, não reconhecido como o ser divino que é. É comum as pessoas se esquecerem de agradecer-lhe o maravilhoso serviço que presta.

Talvez você seja uma das pessoas que optou por fazer as lições espirituais da vida com o corpo físico, na forma de doenças e de outras anomalias. Quando isso acontece, o corpo está tentando lhe dizer que você tem algum tipo de desequilíbrio. É uma dádiva e um ensinamento.

Como mencionei acima, o corpo físico é um refletor ou espelho do estado de funcionamento dos outros corpos. Se você tem problemas no estômago, geralmente a origem é algum desequilíbrio emocional. Caso tenha problemas nos pés, a origem está no seu entendimento. Caso tenha dores de cabeça, a causa tem a ver com questões de controle: ou você é controlador demais ou as pessoas o controlam excessivamente.

Quando você aprende verdadeiramente a manter o equilíbrio em todos os quatro corpos, guiando-se pela sua alma (depois pela mônada) e unindo-se a ela, o corpo físico vive literalmente para sempre. Um mestre ascensionado pode viver na Terra por tempo ilimitado, como muitos deles já provaram.

É muito importante garantir que a válvula de tomada de energia no topo de sua cabeça esteja sempre aberta. Pode-se visualizá-la como um funil. Se essa válvula está fechada, o resultado é cansaço e fadiga. Quando os quatro corpos não estão equilibrados, gera-se uma sobrecarga no corpo físico, pois o fluxo correto de energia não está entrando no sistema.

Elementos subconscientes muitas vezes se entranham no veículo físico. Apenas limpar os pensamentos não é o bastante; exercícios físicos e trabalho corporal também ajudam a remover esses elementos. Você precisa trabalhar em todos os níveis para se purificar, e não somente nos níveis espiritual ou mental.

O corpo físico proporciona à alma um ponto focal na Terra, por meio do qual ela pode acumular experiências. Este é um meio de a alma entrar na escola e aprender um conjunto inteiramente novo de lições, que podem acelerar grandemente o crescimento espiritual. Se a alma não está num corpo físico, o crescimento espiritual é muito mais lento. Quando você descobrir a grande demanda que existe por corpos físicos no mundo espiritual, vai respeitar muito mais o corpo que tem.

O corpo físico também proporciona uma base para a alma, a partir da qual ela pode explorar e integrar o que é aprendido em outros níveis. É impossível passar pelo processo de iniciação sem estar num corpo físico.

Você precisa aprender a tratar o corpo físico como o ser divino e o parceiro que é. Ele tem inteligência e pode se comunicar. Ele quer ser útil a você e ao plano divino, contanto que você lhe dê o respeito de um parceiro que você trata de igual para igual.

Os quatro corpos são como instrumentos musicais, cada um tendo diferentes padrões de vibração e tonalidade. É fundamental aprender a combinar esses corpos numa bela sinfonia. Tocar somente um instrumento seria tedioso e monótono. Tocá-los todos juntos em perfeito equilíbrio e harmonia, a serviço da alma e do plano sagrado de Deus, é algo que gera música boa de ouvir. É aquilo a que os mestres se referem como música das esferas.

Não há problema em enfatizar um dos quatro corpos, concentrando-se nele por um curto período de tempo — como quando você escreve um livro, sai de férias, participa de um retiro de meditação ou treina para correr numa maratona. Isso é ótimo, desde que no contexto global de sua vida haja equilíbrio e integração.

O CORPO ESPIRITUAL

O veículo ou corpo espiritual é o meio pelo qual você se percebe a si mesmo como porção individualizada do Criador. É o veículo no qual você começa a adquirir experiência e no qual você também deverá concluir a sua experiência.

No processo de crescimento e evolução, chega um ponto em que o veículo físico é descartado; depois o veículo emocional e, em seguida, o veículo mental, para no fim haver um retorno ao veículo espiritual. Você os descarta um por um, até voltar à essência do seu eu, a sua alma e em seguida, à mônada.

Os outros veículos são meios de atingir essa meta última da ascensão. Para alcançar esse objetivo, os quatro corpos precisam estar equilibrados e integrados apropriadamente na vida cotidiana da esfera terrestre, a serviço do plano sagrado de Deus.

Para se tornar um perito em mecânica, você precisa saber como desmontar um carro e montá-lo novamente, quase de olhos fechados. Como futuro co-criador ao lado de Deus, no nível mais elevado você precisa saber como desmontar os quatro corpos e novamente montá-los em perfeita harmonia e equilíbrio, antes de poder ascender e tornar-se mestre. À medida que você assimila essas lições, o conhecimento é absorvido de volta pelo corpo espiritual. Você então é arremessado à frente, a um plano mais elevado de consciência e expansão espiritual.

O veículo espiritual, seja qual for o nível de consciência em que você o perceba, está em eterna harmonia com Deus. Ao atingir esse nível, não existe mais dor, pois não existe sequer um momento em que você perca contato com Deus. A pessoa sofre nos quatro corpos sempre que estiver em desarmonia com Deus e com as leis divinas.

Desde que permaneça em harmonia com as leis de Deus nesse plano, você jamais sofrerá. O sofrimento é apenas um sinal de que você precisa buscar a verdade e de que violou uma das leis de Deus. Isso não é punição, mas dádiva. Se você não sofre, duvido que vá realmente buscar a Deus. A pequena quantidade de alegria que a personalidade pode obter por meio da vida na Terra é infinitesimalmente pequena se comparada à alegria e amor encontrados em Deus e no caminho espiritual. O sofrimento é como um leve cutucão de Deus para mantê-lo no caminho reto e estreito rumo ao conhecimento de Deus e ao serviço à humanidade. De qualquer modo, é justamente isso que você quer. O sofrimento é como uma salvaguarda que o mantém caminhando na direção correta.

O corpo espiritual engloba todo o potencial que você ainda não é capaz de utilizar. É como uma escada que você sobe ao agir em conjunto com os outros corpos. Outra forma de descrevê-lo é dizer que você usa seus outros corpos para galgar a escada da consciência rumo ao pleno potencial espiritual.

Toda vez que você consegue uma realização, você ilumina o seu corpo espiritual ou corpo de Luz. Um clarividente pode dizer em que ponto da evolução está uma pessoa ao visualizar a quantidade de Luz que essa pessoa irradia de seus corpos físico, mental, emocional e espiritual.

Idealmente, os três corpos se esforçam rumo à meta do corpo espiritual e à alma ou mônada. À medida que a alma se funde no sistema de quatro corpos, ela proporciona mais equilíbrio ainda. A alma (e mais tarde a mônada) é incapaz de dar qualquer outra resposta. É somente o seu ego negativo que o coloca numa situação de desequilíbrio. É por isso que a fusão da alma, ou terceira iniciação, é uma realização tão significativa no processo evolutivo. Significa que você equilibrou suficientemente seus quatro corpos para atingir essa fusão, o que ajuda a criar estabilização ainda maior no relacionamento entre os quatro corpos. Depois da fusão da alma, há mais energia e força vital presente no plano físico.

4

A CONSCIÊNCIA CRÍSTICA E COMO ALCANÇÁ-LA

O perdão é a chave da felicidade.
A Course in Miracles

Há cerca de 40 anos uma mulher chamada Helen Schucman canalizou um conjunto de livros denominado *A Course in Miracles*. Os livros foram escritos por Jesus Cristo e canalizados telepaticamente até Helen, de forma muito semelhante àquela como os livros de Alice A. Bailey foram canalizados até ela pelo mestre Djwhal Khul.

Posso dizer sinceramente que nos últimos 22 anos esses livros tiveram sobre mim um efeito mais profundo do que qualquer outra coisa que estudei. *A Course in Miracles* é basicamente um conjunto de ensinamentos sobre cura pela atitude. A premissa básica desses livros é a existência de duas formas de pensar, de duas filosofias de vida, e somente duas. Toda pessoa deste mundo segue uma ou outra. Há a voz do Espírito, ou do Cristo, e há a voz do ego. Podemos também chamá-las vozes do Eu superior e do eu inferior; vozes do grande "Eu" e do pequeno "eu"; vozes do Espírito Santo e do *glamour*, da ilusão, de maya; vozes do Espírito Santo e do ego negativo.

Quando criança, você é condicionado pela sociedade a perceber e interpretar a vida pelo ângulo negativo do ego. É por isso que tantas pessoas estão tão cheias de sentimentos negativos, revelando falta de paz interior. *A Course in Miracles* ensina uma forma bem sistemática de desfazer o pensamento negativo do ego, começando a pensar, daí em diante, com a mente crística. A Bíblia diz: "Que a mente de Cristo Jesus desça sobre vocês." Jesus, como sabemos, foi um ser humano exatamente como você e eu, que se transformou na encarnação do Cristo ao se tornar um com a consciência crística.

A consciência crística não é somente para os cristãos. A consciência crística, a consciência de Buda, a consciência de Krishna, a consciência de Deus — a consciência de todas as religiões é a mesma coisa. Talvez você tenha absorvido grande quantidade de programação negativa durante sua formação religiosa, e é importante aqui não se deixar enredar pela semântica; todos os caminhos religiosos ou espirituais são excelentes. A nova religião do futuro é aquela que honra e reconhece todas as religiões e caminhos espirituais, pois todas conduzem ao mesmo lugar. A introdução de *A Course in Miracles* afirma o seguinte:

> Este é um curso sobre milagres. Trata-se de um curso necessário. Só o momento em que você decide fazê-lo é voluntário. A existência do livre-arbítrio não implica que você possa definir-lhe o currículo. Implica apenas que pode escolher o que vai estudar em determinado momento. O curso não pretende ensinar o significado do amor, pois isso vai além do que pode ser ensinado. Pretende, sim, remover os obstáculos à consciência da presença do amor, que é a sua herança natural. O oposto do amor é o medo, mas aquilo que tudo abrange não pode ter um oposto.
>
> O curso, portanto, pode ser resumido assim:
>
> Nada do que é real pode ser ameaçado.
> Nada do que é irreal existe.
>
> Nesta obra repousa a paz de Deus.

Para a maioria das pessoas *A Course in Miracles* é um livro bastante difícil de se ler e compreender. Um de meus principais objetivos ao escrever este capítulo é tomar a essência do ensinamento desse Curso e esclarecê-lo. Tenho plena consciência de que durante a minha evolução espiritual um capítulo que explicasse e resumisse o Curso em linguagem simples teria sido de grande valia. Também expandi os ensinamentos do Curso a fim de fazê-los mais universais e aplicáveis a todas as religiões e caminhos espirituais. E adicionei muitas de minhas idéias, para que você possa chegar a um entendimento completo daquilo que realmente significa "consciência crística".

Diz a introdução que um curso de milagres é algo necessário. Isso não significa que todos necessariamente devem estudar esses livros, mas antes que todos devem aprender a pensar com sua mente crística ou divina. Disse o Senhor Sai Baba que "Deus é igual a homem menos ego".

É impossível passar pelas iniciações espirituais e conhecer a Deus sem transcender a mente mesquinha, divisora e medrosa do ego. O currículo está definido; e *A Course in Miracles* é só uma forma de aprender as lições.

O cerne de *A Course in Miracles* está na afirmação de que Deus o criou e que a sua verdadeira identidade é o Cristo. Em outras palavras, todos são filhos e filhas de Deus, feitos à imagem de Deus. Deus é amor; portanto, você é amor. Você não precisa tornar-se amor; amor é aquilo que você já é agora. Só a programação e condicionamento negativos do ego escondem essa percepção de você. É apenas a lama que cobre o diamante. Jesus chegou a dizer que "Tudo o que eu posso fazer, vocês também podem fazer, e ainda mais".

A igreja cristã interpretou equivocadamente a mensagem de Jesus. Sem dúvida Jesus era o filho de Deus, mas você também o é. Ou poderíamos dizer que você é Buda, o Atmã hindu, o Eu Eterno. No Antigo Testamento, os profetas judeus disseram: "Vós sois deuses e não o sabeis." Disseram também: "Vós sois deuses e filhos do Altíssimo." Davi, nos Salmos, disse: "Tranqüilizai-vos e reconhecei: Eu sou Deus."

É por isso que a introdução do Curso diz: "Nada do que é real pode ser ameaçado. Nada do que é irreal existe. Nesta obra repousa a paz de Deus." Sua verdadeira identidade como Cristo, Buda, Atmã ou Eu Eterno não pode ser alterada. Pois foi assim que Deus o criou. Você pode pensar que é algo diferente disso, mas esse ato não muda a realidade. Você é o Cristo, o Buda, o Atmã, o Eu Eterno, quer creia nisso quer não.

Você não tem escolha quanto a isso pelo simples fato de não se ter criado a si mesmo; Deus o criou. O caminho espiritual nada tem a ver com atingir um lugar qualquer. Trata-se somente de um redespertar para aquilo que você é. O segundo passo é a prática do verdadeiro Eu na vida cotidiana.

DE ONDE VEIO O EGO NEGATIVO?

O ego negativo não veio de Deus, mas do mau uso que a humanidade fez do livre-arbítrio. O homem é a única criatura que tem a capacidade de pensar em desarmonia com Deus. A queda, a que a Bíblia se refere, ocorreu quando os seres humanos, na forma de mônadas ou centelhas individualizadas de Deus, resolveram penetrar na matéria. Mas não foi o fato de entrar na matéria o causador da queda, e sim a excessiva identificação com a matéria. Todo o problema começou quando as mônadas passaram a pensar que eram corpos físicos, e não seres divinos que habitavam ou usavam corpos físicos.

Esse conceito de existência como corpo físico gerou a ilusão da separação de Deus, e separação também de seus irmãos e irmãs. Depois veio a percepção do egoísmo, do medo e da morte como "reais". A partir dessas premissas errôneas, desenvolveu-se todo um sistema de pensamento baseado no *glamour*, na ilusão, em maya.

A humanidade passou centenas de encarnações enredada nessa ilusão. O mais impressionante é que *A Course in Miracles* ensina que a queda na verdade jamais chegou a acontecer. Você apenas pensa que aconteceu. A lei básica da mente é que os pensamentos criam a realidade. Seus sentimentos, comportamento e tudo aquilo que você atrai e magnetiza para dentro da sua vida vem dos pensamentos.

Pense no seguinte: o copo d'água está meio vazio ou meio cheio? Você é otimista ou pessimista? Será que você encara o que lhe acontece na vida como ensinamentos, lições, desafios e oportunidades para crescer? Ou encara como chateações, problemas, aborrecimentos, irritações e perturbações? É a forma como você pensa, interpreta e percebe as coisas que vai determinar os seus sentimentos em cada situação.

Você sempre foi o Cristo, o Buda, o Atmã, o Eu Eterno, e sempre foi uma coisa só com Deus. Todo o seu pensamento egoísta e negativo não mudou isso em absolutamente nada.

Uma boa metáfora para isso é o sonho. Quando você desperta de um pesadelo, sente-se aliviado por ter sido só um sonho. Enquanto sonhava, porém, tudo parecia bem real. Bem, então neste instante sagrado, agora, eu lhe rogo que desperte! Desperte da hipnose negativa na qual vem vivendo, pensando que é inútil, indigno de amor, inferior, separado de Deus, impotente. Neste instante sagrado, desperte e perceba que você é o Cristo, o Buda, o Atmã, o Eu Eterno. Você sempre o foi e sempre o será.

Ramana Maharshi, o grande santo indiano, disse que o caminho espiritual é como uma pessoa que o procura pedindo que a ajude a encontrar um colar perdido há 40 anos. Ramana Maharshi pergunta então: "Mas o que é isso que você está usando em torno do pescoço?" A mulher, de repente, percebe que vinha usando o colar o tempo todo. Ora, o caminho espiritual também é assim. Você não precisa encontrar Deus; você já é Deus, e sempre foi. É a voz insana do ego, ou mente divisora, que o mantém enredado no glamour, na ilusão em maya.

Segundo Sai Baba, "a mente gera o grilhão, ou a mente gera a libertação". Muitas pessoas desprezam a mente, como se não fosse algo importante. Mas, como diz Sai Baba, é a mente e a forma como você a controla que vai determinar se você alcança a libertação ou permanece agrilhoado.

Céu e Inferno são lugares, mas antes são estados mentais. Quando o ego é o seu guia e mestre, você está no Inferno. Quando a consciência da alma assume o posto de mestre, então você está no Céu. Buda, em suas quatro nobres verdades, disse que todo sofrimento provém de pontos de vista errados.

Você pode interpretar a vida do ponto de vista negativo do ego, ou então do ponto de vista de Buda ou do Cristo. É importante compreender que você não vê somente com os olhos; você também vê com a mente, por meio de seus sistemas de crença.

A obra principal do caminho espiritual é eliminar todas as crenças egoístas e negativas das mentes consciente e subconsciente, e substituí-las pelos ensinamentos espirituais do Cristo e de Buda. O restante deste capítulo tratará dos detalhes mais específicos de como fazer isso.

O PROBLEMA DA AUTORIDADE

O problema da autoridade tem a ver com a questão central de quem é a autoridade última na vida. O Curso ensina que a autoridade última é Deus, e que foi Deus quem o criou. O ego lhe diz, porém, que Deus não existe, pois você não pode vê-lo com olhos físicos; assim, Ele não é a autoridade última. O ego lhe diz que você é somente um corpo físico, não o Cristo vivente num corpo físico.

O absurdo do ego é bastante óbvio: Deus o criou e você criou o ego; porém, você vem deixando que o ego seja a autoridade última. É tempo de reconhecer e tomar posse de seu poder pessoal e da autoridade sobre si mesmo. É tempo de se assenhorear da mente, das emoções, do corpo físico e do ego.

Não é tarefa de Deus livrá-lo do ego; essa tarefa é só sua. Você o criou, portanto você mesmo pode se livrar dele. Deus poderia fazê-lo, mas seria como dar a vida e depois fazer tudo pela criança. Agindo assim, a criança se tornaria um adulto totalmente incapaz. Do mesmo modo, se Deus fizesse tudo por você, então você seria incapaz e não haveria razão para encarnar nesta escola chamada vida terrena. Deus não precisa aprender essas lições, você precisa. Uma das lições de *A Course in Miracles* é "a minha salvação depende de mim".

Deus já lhe deu tudo. Você se separou de Deus ao ouvir a voz do ego. De fato, você jamais se separou; porém, na sua consciência ou percepção da realidade, você está separado. Essa situação poderá ser facilmente remediada pela mudança dos pensamentos. A Bíblia diz: "Transformai-vos, renovando a vossa mente" e "O homem é aquilo que pensa que é". Lincoln disse: "O homem é feliz quando decide ser feliz." E acho que foi Emerson quem disse também o seguinte: "O homem é aquilo em que pensa durante todo o dia."

É tempo de despertar e destruir esse inferno criado pelo seu próprio pensamento negativo. É tempo de assumir o controle de sua mente subconsciente e parar de deixar que ela o arraste de um lado para outro. Ela existe para servi-lo, e não para ser o seu amo.

COMO SE REALIZA A CURA PELA ATITUDE?

O processo para alcançar a cura pela atitude é, na verdade, bem simples. O que recomendo é o seguinte: imagine-se cercado por uma bolha dourada que o protege do mundo exterior e de outras pessoas, protegendo-o também de sua própria mente subconsciente. Em outras palavras, você pode imaginar que todos os seus pensamentos, sentimentos, impulsos, desejos e imagens estão do lado de fora dessa bolha dourada; tudo o que é considerado conteúdo da consciência fica do lado de fora da bolha.

A idéia, então, é barrar na periferia da bolha todo pensamento, sentimento ou impulso que venha da mente subconsciente. É quase como se houvesse ali um guarda verificando os passaportes. Se o pensamento, sentimento ou impulso é positivo, amoroso, espiritual, equilibrado, crístico, divino, então você pode deixá-lo entrar na bolha e na sua mente. Mas se o pensamento, sentimento, impulso ou desejo for negativo, egoísta, preconceituoso, mesquinho, desequilibrado, derivado do medo, e não de Deus, então basta expulsá-lo da mente. Em *A Course in Miracles*, lê-se: "Não deixe que entre na sua mente nenhum pensamento que não provenha de Deus."

Você precisa compreender que a mente funciona como o corpo físico. Se você quer ser sadio, deve necessariamente comer alimentos de boa qualidade. Se você ingere alimentos ruins ou estragados, vai ficar fisicamente doente. O mesmo vale para a mente. Se você quer ser mental, emocional e espiritualmente sadio, precisa admitir na sua mente apenas pensamentos positivos, divinos. Se você permite a entrada de pensamentos negativos, egoístas, certamente ficará mental, emocional ou espiritualmente enfermo.

Controlar a sua mente não é obrigação de Deus ou dos mestres ascensionados, é obrigação sua. Um dos princípios mais importantes de *A Course in Miracles* é "estar atento a Deus e ao Seu reino". É bem possível que você não esteja atento o bastante em relação à sua dieta mental e emocional. Provavelmente, você vive naquilo que eu chamo de piloto automático, sem estar consciente, atento ou alerta aos pensamentos e sentimentos que deixa entrar na sua mente, oriundos da mente subconsciente e do mundo exterior. Você provavelmente não tem desapego, discernimento e discriminação espirituais suficientes.

Quando você expulsa da mente um pensamento, ele reage como uma planta que não é regada. Definha e morre por falta de atenção. Depois de expulsar da mente o pensamento negativo, a idéia é então sintonizar sua mente, como um aparelho de tevê, no pensamento, sentimento ou imagem oposto: positivo, espiritual, crístico. É como uma nova semente que afunda no solo da mente subconsciente, germinando ali.

A lei mental reza que são necessários 21 dias para firmar um novo hábito qualquer na mente subconsciente. Após 21 dias, pensar com sua mente crística será algo automático. Não será nem mesmo difícil, mas simplesmente um hábito. Você pode até pensar que hábitos são sempre ruins. Mas não necessariamente. A idéia é preencher a mente subconsciente com hábitos positivos, crísticos, livrando-se ao mesmo tempo dos egoístas.

Jesus, no Novo Testamento, aplicou esses princípios quando caminhava com seus discípulos e um deles começou a reclamar. Jesus virou-se e bradou: "Afasta-te de mim, Satanás!" Com isso, dizia não ao ego, ao qual a igreja fundamentalista se refere como Satanás ou diabo.

Nunca é demais ressaltar a importância de estar atento e vigilante. Quando as pessoas do mundo exterior são negativas, a idéia é manter sua bolha dourada intacta e deixar que as energias escorram pela superfície protetora, sem que lhe causem nenhum mal.

VOCÊ PODE SER MESTRE OU VÍTIMA

O espírito o aconselha a agir como mestre; o ego o aconselha a agir como vítima. Ao assumir a consciência de mestre, você reconhece plenamente que a sua realidade é criada por você mesmo. Você é quem cria tudo. Cria seus pensamentos, sentimentos, comportamentos, saúde física — tudo o que você atrai e magnetiza para a sua vida. Isso se baseia na lei hermética: "Dentro como fora; no alto como embaixo."

Aquilo que você pensa e imagina dentro das mentes consciente e subconsciente irá espelhar sua semelhança nas circunstâncias externas. O mundo exterior é um espelho do mundo interior. Lembre que você é co-criador ao lado de Deus, feito à imagem dEle. Deus não é vítima, e você também não.

O microcosmo é semelhante ao macrocosmo. Se você aprende a controlar a mente, aprende a controlar suas emoções. Sentimentos e emoções não acontecem apenas; são criados pelo modo como você pensa.

Há determinadas crenças que provocam determinadas emoções. Quando você aprende a pensar com sua mente crística, todos os sentimentos negativos começam a desaparecer. Esta é a maneira de pensar que lhe trará paz interior, amor incondicional, alegria e felicidade contínuos.

Nada que esteja fora de você faz você pensar ou sentir alguma coisa. É a sua interpretação, a sua crença, a idéia que você tem da situação que o faz sentir-se como você se sente. Por exemplo, na crise do mercado acionário ocorrida em 1929, um pessoa pode ter pulado da janela de um edifício para cometer suicídio. Outra que perdeu um milhão de dólares pode ter dito apenas: "O que se ganha muito fácil, perde-se mais fácil ainda."

Duas pessoas chegam ao local de trabalho; o elevador está estragado e eles têm de subir dez lances de escada. Uma delas reclama e xinga. A outra diz: "Ah, ótimo! Boa oportunidade de fazer um pouco de exercício."

Quando você caminha pela rua, pode ver as outras pessoas como simplesmente outros corpos físicos ou como irmãos e irmãs de uma família espiritual bem mais ampla. Você vê com a mente, não apenas com os olhos físicos.

Seu comportamento também é provocado pelos pensamentos e sentimentos. Você nunca faz nada que não tenha antecedentes em algum pensamento ou sentimento oriundo da mente consciente ou do subconsciente. A idéia é limpar totalmente a mente subconsciente de toda programação negativa. Mais à frente vou usar todo um capítulo para descrever meios e métodos que o ajudem a conseguir isso.

Ao alcançar o domínio sobre aquilo que Djwhal Khul chamou de três veículos inferiores (corpos mental, emocional e físico) e o controle sobre o ego negativo, você se harmoniza com a alma e, no final, funde-se com a alma no momento da terceira iniciação.

A fusão da alma lhe confere o toque de Midas; tudo o que você faz vira ouro, pois você vive em harmonia com as leis de Deus. À medida que continua a evoluir, sua harmonização passa da alma ao espírito, ou mônada. Você se funde totalmente à mônada na altura da quinta iniciação, alcançando a ascensão na sexta iniciação.

Ao atingir esse domínio, você se torna capaz de programar o subconsciente para atrair tudo o de que necessita. A mente subconsciente trabalha de acordo com a lei da atração, do magnetismo e da repulsão. A idéia é programar conscientemente a mente subconsciente apenas com pensamentos positivos, crísticos, que atraiam a você somente coisas positivas do mundo exterior. É provável que você não esteja usando plenamente o incrível poder da mente subconsciente. A reprogramação que lhe permitirá fazê-lo pode ser alcançada pelo processo de negação e afirmação. A idéia é negar os pensamentos negativos e afirmar constantemente os pensamentos espirituais positivos. No capítulo que trata da reprogramação da mente subconsciente, sugiro todo tipo de afirmações e visualizações positivas com que você pode trabalhar para conseguir criar o que quiser na sua vida.

A DOENÇA É UMA DEFESA CONTRA A VERDADE

Você é quem causa a doença ou a saúde de seu corpo físico. A mente subconsciente governa o corpo físico. Isso pode ser claramente provado pelo uso da hipnose. Se a sua verdadeira identidade é o Cristo, então como é que você pode ficar doente? Se Deus não é doente, então, na realidade, você também não pode ser doente.

Você adoece porque acredita na doença e acolhe pensamentos negativos, egoístas. A doença é uma defesa contra a verdade, pois a verdade é que você é o Cristo, e ele não pode adoecer. Se você não se aparta desse pensamento, então a mente subconsciente, que faz tudo o que você ordena, sempre o conservará saudável.

Isso também se aplica ao processo de envelhecimento. Se você não acreditasse que precisa envelhecer, certamente não o faria. Os mestres ascensionados são uma prova disso, pois podem viver indefinidamente no mesmo corpo físico. Saint Germain o fez durante 350 anos na Europa. Thoth o fez durante dois mil anos na Atlântida e no Egito. A imortalidade física é perfeitamente atingível, pois, lembre-se, você é Deus.

É importante ainda comer bem, fazer exercícios físicos e obedecer às leis físicas de Deus, até atingir aquele estado de consciência elevado na sexta iniciação. Muitas almas mais jovens tentam desafiar as leis físicas de Deus em determinado estágio de sua evolução espiritual, quando ainda não são capazes de caminhar sobre a água. Certamente chegarão a esse ponto; porém, enquanto não o fazem, é prudente respeitar de um modo equilibrado as leis de Deus nos planos físico, emocional, mental e espiritual.

O caminho espiritual é um processo. Não acontece de uma hora para outra. Num instante sagrado você pode perceber plenamente que é o Cristo e que é Deus; porém, essa iluminação precisa ser demonstrada e assimilada no plano terreno, e ainda partilhada com os outros.

O caminho espiritual não é uma subida direta até Deus. Envolve, antes, um processo de harmonização ascendente e depois a descida dessa consciência novamente à Terra. O plano sagrado de Deus é criar o Céu na Terra. Você está aqui para servir como ponte entre espírito e matéria. Está aqui para espiritualizar o plano material.

O ENCONTRO SAGRADO

O encontro sagrado é uma belíssima idéia apresentada em *A Course in Miracles*. É a compreensão de que toda vez que você encontra outra pessoa no mundo, trata-se de um encontro sagrado. Cada encontro com outra pessoa é, na realidade, Cristo encontrando Cristo, Deus encontrando Deus. Toda pessoa que você encontra, quer a conheça quer não, é Deus que o visita em forma física.

Esse conceito se aplica a animais, plantas e a minerais também. Há somente um único Ser no universo infinito, e esse Ser é Deus. Deus encarnou num número infinito de formas. Encarnou como você e como eu, como animais, plantas e minerais; como tudo enfim. Tudo tem uma alma.

Sai Baba disse que a forma mais rápida de conhecer a Deus é vê-lo em tudo e em todos, vê-lo no seu irmão e na sua irmã porque Ele é seu irmão e irmã. Isso pode ser claramente demonstrado pela linguagem. Quando você fala, muitas vezes diz: "Eu me sinto assim" ou "Eu vou ao mercado". Por acaso você já parou para pensar no que é esse "eu"? O "eu" é o eu-Deus, ou o Cristo, Buda, Atmã, Eu Eterno. Independentemente de quais palavras você usa numa frase qualquer, o "eu" é o mesmo para todos. O "eu" é a base dos veículos mental, emocional e físico. Deus encarnou como o Eu Eterno em tudo e em todos.

Quando na rua você vê uma pessoa somente como um estranho, você a vê com os olhos negativos do ego. A verdade é que, quer creia quer não, essa pessoa é o Cristo. Se você não o vê dessa forma, está eliminando a possibilidade de encontrar Deus para si mesmo.

Ao ver as pessoas desse modo real você não apenas as está servindo, mas fazendo a si mesmo o maior favor possível, pois o mundo é um espelho do estado da sua consciência. Ao ver seus irmãos como estranhos, você perde contato com o Deus que está em você.

O Senhor Maitreya chamou a isso relações humanas corretas. Jesus Cristo disse que toda a lei poderia ser resumida nesta frase: "Amarás ao Senhor teu Deus de todo o teu coração, de toda a tua alma e de todo o teu entendimento, e amarás teu próximo como a ti mesmo." Eu chegaria a dizer que o próximo é você mesmo. Pois Deus tem somente um filho, e todos são parte dessa única filiação. Todos partilham o mesmo "Eu". A forma como você vê seus irmãos e irmãs é literalmente a forma como está tratando a Deus e a si mesmo.

Imagine que você está caminhando pela rua e, de repente, aparece diante de você o seu mestre espiritual favorito. Pode ser Jesus Cristo, Sai Baba, Djwhal Khul, o Senhor Maitreya, Saint Germain, Kuthumi, El Morya, a Virgem Maria, Moisés, Buda, Quan Yin, seja quem for. Agora pense em como você iria tratar esse mestre ao se aproximar dele na rua, caminhando na sua direção. Bem, se você trata todas as pessoas que encontra na vida de forma diferente, sejam mendigos, balconistas de mercearias, frentistas de postos de gasolina, sogras, maridos ou esposas, então está errando o alvo. Não existe absolutamente nenhuma diferença entre esses mestres e aquelas que chamamos de pessoas comuns.

Jesus quis dizer isso quando falou: "Tudo o que eu posso fazer, vocês também podem fazer, e ainda mais." Nossa identidade é exatamente a mesma. A única diferença é que os mestres alcançam um sucesso um pouco maior do que você na hora de revelar essa identidade. Mas você não deve jamais desistir, pois, como disse o grande Paramahansa Yogananda, "O santo é um pecador que jamais desistiu". Os mestres ascensionados tiveram que passar exatamente pelas mesmas provações com que você depara hoje. *A Course in Miracles* chama esse tipo de percepção de "percepção inocente".

O RESULTADO É INEVITÁVEL

É inevitável que todos os filhos e filhas de Deus acabem voltando para casa no final. Pois como Deus e o Cristo poderiam perder a batalha contra a ilusão e maya? Sempre que se sentir desanimado, faça a seguinte pergunta a si mesmo: Será que Deus e o Cristo podem perder esta batalha? É impossível!

Você não deve jamais esquecer que o ego nem sequer existe de fato. É ridículo irritar-se com ele, pois você na realidade estaria se zangando com algo que nem sequer tem existência. Isso não passa de um sonho mau, do qual você pode despertar assim que decidir fazê-lo. "Nada do que é real pode ser ameaçado. Nada do que é irreal existe. Nesta obra repousa a paz de Deus."

O resultado para todas as almas que fazem essa jornada é voltar para a Divindade. É só uma questão de tempo. Mesmo Hitler no final acabará voltando para casa. Primeiro terá de equilibrar seu karma, mas também ele voltará para casa. O propósito de *A Course in Miracles*, assim como o deste livro, é abreviar o tempo necessário.

Você está vivendo num período da história no qual o que antes demorava 14 anos pode ser feito agora em 14 meses. Jamais na história deste planeta houve maior oportunidade de crescimento espiritual. A chave é comprometer-se inteiramente com seu caminho espiritual, com todo o seu poder pessoal e concentração. A transformação que vai acontecer será assombrosa. Por que adiar para uma futura encarnação o que pode ser feito agora?

PECADOS X ERROS

Não existe algo que se possa chamar pecado; existem apenas erros. A verdadeira definição de pecado é "errar o alvo". Você deve entender que erros são positivos, não negativos. Você não deve se desviar de seu caminho para cometer erros, mas, quando eles acontecem, você aprende com eles. Quando você comete um erro, pode parar para pensar e assimilar uma pepita de sabedoria, aprender a lição, perdoar-se a si mesmo e seguir adiante. No caminho espiritual você pode descer três degraus para cada quatro degraus que subir; é a maneira normal de crescer.

Algumas religiões encaram o pecado como uma mancha no seu caráter, ou então atribuem a você algum tipo de pecado original. Isso é risível. Você não tem pecado nenhum, pois cada pessoa é o Cristo, o Eu Eterno.

Todos os erros são perdoados. *A Course in Miracles* afirma que "O perdão é a chave da felicidade". Deus já perdoou tudo. Você precisa aprender a perdoar a si mesmo e a seus irmãos e irmãs. É importante lembrar que ninguém jamais fez algo a você; você mesmo permitiu tudo o que lhe aconteceu; e se algo lhe aconteceu, você mesmo foi quem atraiu ou precisou dessa coisa para o aprimoramento da alma.

AMOR INCONDICIONAL X AMOR CONDICIONAL

Deus quer que você pratique sempre o amor incondicional. A razão disso é que cada pessoa, na verdade, é o Cristo, ainda que seus pensamentos, sentimentos e comportamento não estejam demonstrando isso. Jesus disse, no Novo Testamento, que é preciso "amar os inimigos". Essa é uma das verdadeiras provas e iniciações do caminho espiritual. Ser mais maduro que os outros, praticar a percepção inocente e o perdão é uma lição que você precisa aprender, pois aquilo que você dá é também aquilo que recebe de volta. Se você deseja Deus, deve dar o próprio Deus; caso contrário, não o conhecerá.

Todos são Deus; entretanto, nem todos realizam Deus nos pensamentos, sentimentos e ações. A Terra é uma escola em que se deve praticar a realização de Deus na vida diária. Grande parte do caminho espiritual consiste em pequenas coisas, tais como a forma de tratar o próximo. O amor condicional impõe alguma condição às pessoas, condição que elas devem satisfazer para merecer o seu amor. O ego lhe diz que, agindo assim, você magoa os outros e ajuda a si mesmo. Mas na verdade você está magoando ao mesmo tempo os outros e a si mesmo.

Um dos princípios básicos de *A Course in Miracles* é o abandono dos pensamentos agressivos. Você está sempre ou amando ou agredindo; não existem pensamentos neutros. Quando você revela um amor condicional, está inconscientemente agredindo, e a outra pessoa, num nível energético, sofre essa agressão. É como uma flecha que lhe perfura a aura. Se ela é fraca ou age como vítima, essa agressão pode atingi-la de maneira bastante adversa, pois você deve lembrar sempre que todas as mentes estão interligadas. Seus pensamentos não estão contidos no seu corpo físico, como por trás de uma cerca. Na realidade, é bem o oposto. No momento em que você pensa em outra pessoa, seja de modo positivo ou negativo, esse pensamento ou sentimento atinge o campo energético dela.

O amor condicional também o isola de Deus. Você não está separado realmente. Está separado, sim, apenas dentro de seu próprio estado de consciência. Para cada situação da vida existe uma resposta apropriada e outra inapropriada. A forma como você responde determina se você percebe ou não percebe a presença de Deus naquele momento. Se você comete um erro, pode parar para pensar, contemplar a pepita de sabedoria, aprender a lição, perdoar e fazer nova opção.

Ao permanecer atento e concentrado, com o tempo você começará a desenvolver o hábito de amar incondicionalmente. Em toda situação da vida, você pode fazer a seguinte pergunta a si mesmo: "Será que eu quero Deus ou o meu ego nesta situação?" Se você fizer sinceramente a si mesmo essa pergunta, achará impossível escolher o ego. A prática conduz à perfeição!

MANDA-CHUVA/SUBALTERNO X EQUANIMIDADE

O ego lhe dirá que você é superior a todos os outros, ou que você é inferior a todos os outros ou, ainda, as duas coisas. Viver assim é de fato viver num estado mental infernal, e é impressionante o número de pessoas que inconscientemente se enredam no jogo do ego. O espírito diz que você é igual aos outros, porque na verdade todos são o Cristo. As pessoas podem estar em estágios diferentes de manifestação dessa verdade; porém, o "Eu" em você é o mesmo "Eu" que vive em mim.

Sempre que você se surpreender comparando-se com qualquer outra pessoa, o ego o está dominando. Você jamais precisa se comparar com outras pessoas; precisa apenas se comparar consigo mesmo. Se você examina somente o progresso que faz dentro de si mesmo, é fácil sentir paz interior.

Sempre que aparecer a dinâmica manda-chuva/subalterno, você pode fazer aquilo que Fritz Perls, que cunhou esses termos, sugere: "Não lhe dê bola." O Curso chama essa atitude de assumir a sua própria grandeza, mas não sua grandiosidade.

O SIGNIFICADO DA CRUCIFICAÇÃO

Em *A Course in Miracles*, Jesus faz um relato fascinante do verdadeiro significado da crucificação. Ele diz que a crucificação não foi mais que uma lição radical de amor e perdão. Ele não estava morrendo pelos nossos pecados, pois não temos pecado nenhum.

O que ele demonstrava é que mesmo nas provações mais difíceis, na qual a pessoa é açoitada, espancada, torturada e crucificada, é possível continuar amando e perdoando. "Pai, perdoa-lhes porque não sabem o que fazem", disse ele. Ele suportou esse desafio terrível para provar à humanidade que é possível perdoar mesmo nas circunstâncias mais extremas. Se Jesus, o Cristo, pôde fazê-lo nessas circunstâncias, então certamente você pode perdoar a sua sogra, o seu chefe, pai ou mãe, amigo ou sócio.

BUSCAR O AMOR OU O ENGANO

O espírito quer que você veja nas pessoas o positivo, o bem e a inocência. O ego, na condição de guia e mestre, faz que você busque e veja o negativo. O ego age assim com vistas a diminuir os outros, a fim de se sentir bem.

A filosofia do espírito é a do vencer ou vencer, e não a do vencer ou perder. E por que é que todos não podem vencer? Não é uma maneira melhor de viver?

Você verá aquilo que está buscando; verá aquilo em que se concentra a sua atenção. Quando você vê defeito e julgamento, está na realidade julgando a si mesmo, enganando a si mesmo; pois aquilo que você vê nos outros é apenas um espelho do seu próprio estado mental. Se você vê Deus, amor e bênçãos, é isso também que você dá a si mesmo. Quer você o veja quer não, essa é a realidade, pois foi isso o que Deus criou.

Uma percepção enganosa não cria a verdade; cria somente a realidade em que você vive. Você pode ver a glória daquilo que Deus gostaria que você visse.

Se vê defeitos, então está criando separação entre você mesmo, Deus e seus irmãos e irmãs. O espírito quer orientá-lo a permanecer num estado de unicidade em todos os momentos, pois tudo é Deus.

No Novo Testamento, Jesus disse: "Não julgueis para não serdes julgados"; "Quem dentre vós estiver sem pecado, seja o primeiro a lhe atirar uma pedra!"; "Por que reparas no cisco que está no olho do teu irmão, quando não percebes a trave que está no teu?" A trave de que fala Jesus é a trave do ego, do eu inferior.

PERCEPÇÃO X CONHECIMENTO

Todas as formas de percepção, segundo *A Course in Miracles*, são uma espécie de sonho. Deus, entretanto, quer nos guiar para que vivamos e experimentemos o sonho feliz da consciência do Cristo, que é um espelho perfeito daquele estado que Jesus chama de conhecimento. Quando vivemos o sonho ou percepção crísticos, diz Jesus, acontece inevitavelmente uma tradução em puro conhecimento.

HARMONIZAÇÃO

Harmonização, ou unificação, é o processo de desvencilhar-se do domínio do ego, voltando à harmonia do espírito. O Espírito Santo e/ou a alma atua como guia, junto com os mestres ascensionados.

ENSINAMENTOS E LIÇÕES X CHATEAÇÕES E PROBLEMAS

É importante perceber que tudo o que acontece na vida é um ensinamento, lição, desafio e oportunidade de crescer. Edgar Cayce referiu-se a isso quando disse que tudo o que acontece é um degrau para o crescimento da alma.

Paul Solomon, que canaliza a Mente Universal, disse que a atitude correta diante de tudo o que acontece na vida é "Não se faça a minha vontade, mas a tua. Obrigado pela lição". Tudo o que acontece na vida é uma dádiva. Isso não aconteceria a você se você não tivesse algo a aprender. Tudo o que lhe sobrevém é o seu karma pessoal, e algo que você mesmo gerou nesta vida ou numa encarnação anterior. Sua tarefa é receber bem esses acontecimentos, tomar posse do seu poder pessoal e lidar de modo correto com a situação.

PODER PESSOAL X IMPOTÊNCIA

Mestres espirituais e seres teo-realizados detêm em todos os momentos da vida o seu poder pessoal. Talvez você tome posse do seu poder apenas numa emergência, ou quando tem de ir trabalhar. Se você não toma posse de seu poder, ele se projeta. É como se você o desse a outras pessoas ou à sua mente subconsciente.

Na minha opinião, há duas chaves para conseguir a saúde psicológica. Uma delas é tomar posse do seu poder pessoal, a segunda é ter auto-estima. Se você não toma posse do seu poder, pode ser controlado por quase tudo no universo. Incluo aqui espíritos desencarnados, outras pessoas, o clima, biorritmos, a Irmandade das Trevas, seu próprio ego, pensamentos, sentimentos, desejos, impulsos, o corpo físico, o karma de vidas passadas e a consciência coletiva.

É evidente que há perigo em não ter o seu poder pessoal. Edgar Cayce disse que sua vontade ou poder é a força mais poderosa deste universo. Certamente você também já ouviu o seguinte ditado: "A mente ociosa é a oficina do diabo." A maioria das pessoas tem consciência, mas não poder pessoal. O uso ampliado do poder pessoal é a autodisciplina, que muitas pessoas também não têm. Você jamais irá progredir no caminho espiritual sem poder pessoal, sem autodisciplina.

Poder é uma atitude ou estado mental que você precisa cultivar toda manhã, ao iniciar um novo dia. Um dos requisitos para assumir seu poder é ser decidido em tudo o que fizer, ainda que tome a decisão errada. Então, pelo menos, você não estará paralisado na indecisão. Como diz um velho ditado, "Ou pesque ou lance fora a isca".

Cayce às vezes se refere ao poder pessoal como raiva positiva. A raiva é o ego; porém, existe na raiva um grande poder pessoal que pode ser canalizado como raiva positiva ou poder pessoal positivo. A Terra é uma escola puxada, e é preciso ser bem enérgico na vida, senão você pode facilmente se deixar vencer. É preciso tornar-se um guerreiro espiritual. A melhor atitude a conservar na vida é o amor enérgico.

No *Bhagavad-Gita*, que é a história de Krishna (o Senhor Maitreya), Arjuna, discípulo de Krishna, está no campo de batalha prestes a combater o exército do mal, quando perde completamente o equilíbrio psicológico e se deixa dominar pelo ego. Arjuna é o comandante do exército do bem, e todos os soldados dependem dele.

Krishna, cocheiro e mestre espiritual de Arjuna, começa a dar uma aula sobre a tolice de se deixar vencer pelo ego, abrindo mão assim do poder e controle sobre as próprias energias. Krishna conduz Arjuna ao campo dos mistérios espirituais — o mesmo que eu mesmo estou tentando neste livro — quando, depois de um longo discurso, diz o seguinte ao discípulo: "Erga-se agora e abandone sua covardia. Erga-se e lute. Essa autocomiseração e comodismo são indignos da grande alma que você é." Esse é meu trecho favorito do *Bhagavad-Gita*.

Arjuna é despertado pelo discurso espiritual de Krishna, que inclui o trecho acima, e acaba recuperando seu poder pessoal e conduzindo seus homens à vitória. A afirmação de Krishna aplica-se ao cotidiano de toda e qualquer pessoa.

PARA TER TUDO, DÊ TUDO A TODOS

Para ter tudo, dê tudo a todos. Essa é uma das mensagens de *A Course in Miracles*, pois aquilo que você tem é na verdade aquilo que você dá. O que você nega aos irmãos é aquilo que nega a Deus e a si mesmo. Para ter tudo, é preciso dar tudo, pois, na realidade, você já tem e é tudo. Você sempre tem e sempre terá. É apenas a sua crença no ego como guia e mestre que o faz pensar o contrário.

EXISTEM SOMENTE DUAS EMOÇÕES

O Curso ensina que existem somente duas emoções — amor e medo. Todas as outras emoções se reduzem a esse cerne básico. O medo provém do ego, o amor provém do espírito. Quando você tem pensamentos agressivos, isso faz que você, pela lei do karma que opera dentro da sua mente, viva no medo. Se você agride, terá medo, pois esperará que outras pessoas o agridam, o que o deixa medroso. Se vive no amor, então, pela lei do karma, também esperará receber amor.

O Curso ensina que a agressão é um apelo ao amor. Você precisa enxergar além e através da agressão, percebendo que a pessoa que agride na verdade vive no medo. O medo é uma indicação de falta de amor, de falta de auto-estima, de falta de permissão para o mergulho na experiência do amor de Deus. Como diz a Bíblia, "O perfeito amor lança fora o medo".

PASSADO E FUTURO X ETERNO AGORA

Uma das idéias mais profundas que tive enquanto estudava *A Course in Miracles* foi o entendimento do que na verdade são o passado e o futuro. Pense no passado. O que significa? É uma lembrança. E o que são lembranças? São imagens da mente. E o que são imagens? Pensamentos. Então, o que isso significa é que o passado está totalmente sob o seu controle, pois não passa de imagens, ou pensamentos, na sua mente.

O mesmo se aplica ao futuro. O futuro não passa de pensamentos e imagens na sua mente. São de natureza positiva ou negativa, o que determina se você está preocupado ou empolgado com o futuro. Isso significa que o seu futuro está integralmente sob o seu controle.

Só o que realmente existe é o agora. Você não precisa virar uma vítima do passado ou de um futuro inquietante, pois tudo está dentro da sua mente. A atitude correta com relação ao passado é contemplar as pepitas da sabedoria que lhe proporcionam os erros e tudo o que você fez bem-feito, e então recuperar as lembranças positivas que decidir conservar, liberando o restante.

Quanto ao futuro, a posição correta é planejá-lo de uma forma criativa e benéfica a si mesmo, deixando o resto nas mãos de Deus. Edgar Cayce disse:

"Por que se inquietar se você pode orar?" Eu faria um acréscimo: "Por que se inquietar se você pode orar, tomar posse de seu poder pessoal e fazer afirmações e visualizações para atrair tudo aquilo de que necessita?"

Neste instante sagrado, eu sou o Cristo, e você é o Cristo. Somos uma coisa só uns com os outros e também com Deus. A queda jamais aconteceu realmente; você apenas acreditou que aconteceu. Você tem e é tudo, pois é Deus. O filho pródigo voltou para casa, pois Deus jamais lhe sonegou nada. Você é e sempre foi aquilo que Deus o fez — um Cristo perfeito. Ele apenas espera que você reclame a sua herança, que sempre foi sua.

OS DOIS RELACIONAMENTOS MAIS IMPORTANTES

Os dois relacionamentos mais importantes de sua vida são os que você mantém consigo mesmo e com Deus. Na verdade, seu relacionamento consigo mesmo é até mais importante que aquele que você mantém com Deus, pois, caso se porte de forma "errada" consigo mesmo, deixando que o ego o controle, então vai projetar essa relação equivocada em tudo na vida, inclusive na sua relação com Deus.

Essa é a causa do Deus irado do Antigo Testamento. É também a causa de conceitos como o pecado original, a idéia de que você é um verme inferior e pecaminoso, e a natureza crítica e farisaica das religiões fundamentalistas.

Essa projeção também ocorreu nas religiões islâmicas, até certo ponto. É o que acontece quando o ego obtém permissão para interpretar as escrituras. É como a brincadeira do telefone sem fio, que vem acontecendo há dois mil anos. Mestres como Jesus, Maomé e Moisés disseram uma coisa e seus discípulos, que não estavam à altura deles, distorceram completamente o que de fato haviam dito. Aqui não existe julgamento; trata-se apenas da afirmação de um fato.

APEGO X PREFERÊNCIA

O ego é atraído pelo apego, mas como disse Buda, "Todo sofrimento provém de nossos apegos". O que ele quer dizer é que, se você abandona todos os apegos, não tem mais de experimentar o sofrimento. Não é a coisa exterior que provoca o sofrimento, mas o apego e a obstinação em relação às coisas exteriores.

O espírito o orienta a ter preferências, e não apegos. O apego é uma atitude que o deixa deprimido, com raiva ou irritado, se as expectativas não são satisfeitas. A preferência é uma atitude que o deixa feliz em qualquer dos casos. Você pode preferir ir ao cinema; mas se não der certo, pode ainda assim ficar feliz em casa. Trata-se de um conceito fundamental. Se você conseguisse se livrar de todos os apegos, imediatamente encontraria a paz interior.

Algumas pessoas espiritualistas acreditam que não podem nem sequer ter preferências. Eu diria que essa é uma crença equivocada. Na vida, é muito importante ter preferências e favorecê-las com todo o seu coração, toda a sua alma, todo o seu entendimento e toda a sua força. Entretanto, se elas não se realizarem, é importante estar preparado para ainda assim ficar contente. Dessa forma, a felicidade torna-se um estado mental, e não uma condição externa ao eu.

A felicidade que muitos buscam baseia-se num determinado ângulo de visão da vida. Você nasce com essa característica, mas a programação negativa do ego bloqueia a consciência do seu estado natural, que é a alegria.

A TRANSCENDÊNCIA DA DUALIDADE

Um dos ensinamentos básicos de todas as religiões orientais é a transcendência da dualidade. Dualidade pode ser outro nome para o ego. O ideal é aprender a ser mentalmente equilibrado, permanecendo num estado de equanimidade em todos os momentos, independentemente dos altos e baixos da vida.

O ideal é manter esse equilíbrio mental sem pensar em lucro ou em perda, prazer ou dor, doença ou saúde, vitória ou derrota, elogio ou crítica, tempo bom ou ruim. Não existe problema em ter preferências, mas caso ela não se realize, sua diretriz pode ser a alegria e a paz interior.

A INICIAÇÃO DE JÓ

A iniciação de Jó é um teste por que passam, em algum ponto da jornada, todos os que buscam o caminho espiritual. É realmente o teste definitivo da sua fidelidade e fé espiritual em Deus.

Jó era um homem justo, homem de Deus, que tinha família e filhos, muitas terras e riquezas materiais. Certo dia Satanás foi ter com Deus e disse: "Com certeza, Jó é um homem justo. Você lhe deu tudo. Mas retire dele a riqueza e vejamos se ele continua justo." Deus respondeu: "Tenho confiança em Jó. Pode tirar-lhe as riquezas." E Satanás o fez. Mas, consternado, notou que Jó continuou justo.

Então Satanás, constrangido, voltou a falar com Deus, dizendo: "Estou impressionado! Porém, vamos tomar-lhe também a mulher e os filhos, para verificar se ele continua assim tão justo." Deus respondeu: "Assim seja." A mulher de Jó o deixou, levou seus filhos e exigiu o divórcio. Mas por estranho que pareça, Jó permaneceu justo. Satanás então ficou realmente chocado. Voltou a procurar Deus, dizendo: "Deixe-me submetê-lo a mais uma provação; se ele a superar eu desisto, reconhecendo que você estava certo desde o começo."

Satanás disse então: "Para levar a cabo essa provação final, deixe que eu lhe tive a saúde física." E Deus respondeu-lhe: "Tudo bem, você pode tomar-lhe a saúde física, mas não poderá matá-lo." Satanás concordou e Jó perdeu a saúde. Teve terríveis úlceras e ficou prostrado. Sentia-se realmente mal. Essa foi a gota d'água. Jó então deixou de ser justo. Foi tomado de raiva, ficou amargo e deprimido. Seus amigos tentavam animá-lo, mas ele não queria mais saber de nada.

A atitude de Jó era a de um homem justo de Deus, uma boa pessoa, mas veja as provações e tribulações que ele enfrentava. Esse estado de coisas durou vários anos.

Finalmente, num momento de serenidade, o redemoinho da Luz desceu até Jó e entrou-lhe no chakra do alto da cabeça. Deus falou com Jó. Contou-lhe que tudo aquilo havia sido um teste de caráter, virtude e retidão diante de Deus. Explicou que qualquer um pode crer em Deus e adorá-lo quando as coisas vão bem; mas, e quando as coisas não vão bem e todo o apoio exterior lhe é retirado?

Jó ouviu a verdade daquilo que Deus dizia, da mesma forma como Arjuna fora despertado por Krishna. Jó fez então uma das afirmações mais comoventes de toda a Bíblia:

Nu saí do ventre da minha mãe
e nu voltarei para lá.
Iahweh o deu, Iahweh o tirou,
bendito seja o nome de Iahweh.

Jó havia readquirido a sua retidão. Recuperou a saúde. A mulher e os filhos voltaram. Readquiriu as riquezas, agora cem vezes maiores. E Jó disse então: "Ainda que eu morra, permanecerei justo diante do Senhor."

Acho que o significado dessa história é evidente. Eu até me arriscaria a supor que um bom número de pessoas que lêem este livro já passaram por alguma forma da iniciação de Jó. Jamais esqueça que aquilo que acontece na sua vida é um teste espiritual do seu caráter e retidão diante do Senhor.

Considere aquilo que Jesus suportou. Por pior que seja a sua situação, você pode desafiar-se a manter a fé e a retidão, sejam os desafios ligados à saúde, finanças, morte, relacionamentos ou problemas mentais ou emocionais. Você pode recorrer ao seu poder pessoal, aos seus ideais e à sua fé, recordando as palavras de Jesus: "Sê fiel até a morte, e eu te darei uma coroa de vida."

OTIMISMO X PESSIMISMO

A atitude espiritual diante da vida é permanecer otimista em todas as situações. Se você mantém uma boa atitude, pode se ver na pior situação e até ficar desanimado por pouco tempo, mas logo recuperará a alegria. No outro lado da moeda, se você mantém uma atitude errada, pode se ver na melhor situação possível e até ficar feliz por pouco tempo, mas logo se sentirá deprimido novamente.

Um dos propósitos da vida é espalhar alegria e felicidade. A doença pode ser contagiosa caso você se sinta uma vítima e tenha baixa resistência. Como é grande o número de pessoas que vivem mergulhadas numa mentalidade de vítima, por que não animá-las, levando-lhes alegria e felicidade? O propósito da vida é espalhar alegria, felicidade, amor, boa vontade e bênçãos aonde quer que você vá, de forma que, quando deixar este lugar, o mundo esteja melhor por sua causa.

PROPÓSITO DO EGO X PROPÓSITO DO ESPÍRITO

O propósito do ego na vida é basicamente hedonista — buscando o prazer, a satisfação de desejos carnais, poder no sentido do manda-chuva, riqueza material e controle sobre os outros, em vez de controle sobre si mesmo. A resposta do espírito é a sentença bíblica: "Que aproveitará ao homem se ganhar o mundo inteiro mas arruinar a sua vida?" (Mt 16:26)

O propósito espiritual da vida é alcançar a libertação da roda do renascimento, conhecer a Deus, tornar-se um mestre ascensionado, ser útil à humanidade. Pois não disse Jesus que "O maior dentre vocês é o servo de todos"? O propósito espiritual da vida é também ser feliz e aproveitar todos os momentos, de uma forma coerente com o crescimento espiritual.

A *Course in Miracles* afirma que o verdadeiro prazer é servir a Deus. Eu sei que para mim isso é verdade. Contanto que esteja servindo a Deus, estou feliz. Para mim, tudo serve a Deus, desde que aquilo que eu faça seja feito com esse intento.

MENTALIDADE DA POBREZA X MENTALIDADE DA PROSPERIDADE

A interpretação que o ego dá à vida é a da falta, a de que nunca há o bastante. O ego ensina que o dinheiro é a raiz de todo o mal, ou que é a resposta para todos os problemas. O ego é odiento por natureza e envia uma mensagem de total falta de valorização de si mesmo, de culpa, de imerecimento da prosperidade. O espírito vê o universo como algo pródigo, onde existe fartura para todos e nenhuma necessidade de competição negativa.

A atitude do espírito é crer que você pode ser a pessoa mais rica do mundo e levar ao mesmo tempo uma vida altamente espiritual. O dinheiro, em si e por si mesmo, é divino. A forma de usá-lo é que determina se ele é bom ou mau. O espírito o orienta a amar o dinheiro e multiplicá-lo o mais possível, para que possa ser usado com o intento de operar mudanças físicas no mundo terreno com propósitos espirituais.

Quanto mais dinheiro você tiver, mais poderá doar a entidades filantrópicas ou criar centros e instituições voltados para as atividades do espírito. Se você tem a mentalidade da prosperidade, sabe que pode ganhar dinheiro, arrumar um emprego, montar um negócio ou criar oportunidades sempre que forem necessárias. Há muitas pessoas neste mundo que, apesar de milionárias, têm uma mentalidade totalmente pobre. São pessoas que provavelmente irão perder a prosperidade que têm hoje em função desse tipo de pensamento.

Quem é mais próspero — uma mulher que vive numa favela com sete filhos, e que tem fé absoluta de que Deus a proverá de tudo o que realmente necessita, ou um multimilionário que é avarento e se preocupa com dinheiro, constantemente ludibriando clientes e concorrentes? Milionários que cultivam a mentalidade da prosperidade podem falar sobre perder toda a fortuna, mas sem se inquietar, pois sabem que podem ganhá-la novamente.

Você é próspero quando sabe verdadeiramente que Deus, seu poder pessoal e o poder da sua mente subconsciente são o seu verdadeiro capital, suas ações e segurança financeira. Você pode arrumar um emprego ou ganhar dinheiro mesmo durante uma recessão quando conta com a ajuda de Deus, o criador do universo infinito, e de seu poder pessoal, aliado ao poder da sua mente subconsciente.

Será que Deus e o Cristo, que são você, podem deixar de vencer qualquer batalha? Como diz a Bíblia, "Se Deus é por vós, quem [ou o que] será contra vós?"; "Eu posso todas as coisas em Deus e em Cristo, que me fortalece". Com esse poder e fé, você pode gerar tudo aquilo de que necessita. Você é próspero porque seu poder está em Deus e na aplicação das leis de Deus em seu próprio benefício.

MORTE X VIDA ETERNA

O ego acredita na morte porque acredita que você é o seu corpo físico, e não a alma que habita o corpo físico. O ego tem razão numa coisa: que o corpo físico vai morrer. O único problema é que você não é esse corpo físico. Você é o Cristo e o Eu Eterno que vive no corpo físico.

O corpo físico é o seu templo e o instrumento pelo qual você se comunica neste plano terreno. Quando a missão do corpo se encerra, você imediatamente se transporta a outra dimensão da realidade. A natureza dessa dimensão será determinada pelo aprimoramento que a alma alcançou nesta vida. A morte é uma ilusão, assim como tudo o que o ego diz é ilusão.

RAIVA E DEPRESSÃO X PAZ INTERIOR

O sentimento de raiva provém da interpretação que o ego dá à vida, e geralmente é provocado por uma de quatro atitudes. A primeira atitude equivocada que provoca raiva e depressão é o apego e o vício. Quando seus apegos não são satisfeitos, isso provoca raiva e irritação. A segunda causa da raiva e depressão é o fato de a pessoa não perceber que aquilo que está acontecendo com ele é uma lição, uma dádiva, um teste espiritual. Em terceiro lugar, se você não gera a sua bolha protetora, expõe-se como vítima à energia negativa de outra pessoa. A quarta causa de raiva e depressão se baseia numa definição de raiva que aprendi com Paul Solomon. Ele definiu a raiva como perda de controle e tentativa de recuperá-lo. Sempre que você perde seu poder pessoal, seu autodomínio e o controle sobre si mesmo, e cai naquilo que chamo de mentalidade de vítima (ou subalterna) por dar ouvidos à voz do ego, o ego deixa de bancar o subalterno e passa a bancar o manda-chuva (expressando raiva) para retomar o controle. Esse tipo de raiva é realmente uma perda de controle que o faz sentir-se como se estivesse retomando o controle.

Há muito poder na raiva e, idealmente, essa energia, em vez de bloqueada, precisa ser transformada em poder pessoal e canalizada para atividades benéficas. Quando isso é feito corretamente, chama-se raiva positiva.

A depressão é um estado da consciência gerado pela simples desistência. Sempre que você desiste de algo, fica deprimido. Dentre todas as atitudes negativas do ego, desistir é, provavelmente, a pior e a mais perigosa. Se você cede a esse jogo negativo do ego, todas as defesas da mente consciente contra ele são postas abaixo, e o ego é capaz de conquistar o controle total.

A coisa mais importante na vida é jamais desistir. Como repete muitas vezes o *I Ching*, "A perseverança leva ao sucesso". Você precisa ter tenacidade espiritual e aquilo que Cayce chamou de "sofrimento paciente", se for necessário.

Não há necessidade de sofrer na vida; entretanto, se realmente você se vir sofrendo, pode simplesmente continuar orando, afirmando e visualizando aquilo que quer. Continue buscando fortalecer-se e procurando uma resposta. Pois é a própria Bíblia que diz: "Buscai e achareis. Batei e vos será aberto." Deus ajuda aqueles que também se ajudam. Deus fará a parte dEle, mas você precisa fazer a sua parte. Juntos, Deus, seu poder pessoal e o poder de sua mente subconsciente formam uma equipe imbatível.

SER GRATO X DESPREZAR A VIDA

O ego tem sempre a atitude de desprezar as pessoas e a vida. A atitude espiritual é aquela de constante gratidão e reconhecimento, humildade e reverência. E pode ser resumida na frase bíblica: "Pela graça de Deus eu sigo."

A Bíblia também diz: "Depois do orgulho vem a queda." Há tanto o que agradecer em cada dia! Tudo o que você tem a fazer é ver as notícias para conferir todas as coisas terríveis que estão acontecendo pelo mundo, sentindo quão maravilhosamente você é abençoado.

Se você tem deficiências e limitações no momento, a melhor atitude espiritual é concentrar-se naquilo que você pode fazer e não naquilo que não pode. Sempre me comovi com São Francisco, que foi o mestre ascensionado Kuthumi numa vida anterior. Ele aparentemente conviveu com terríveis problemas de saúde durante toda a vida, e assim mesmo tornou-se um dos santos cristãos mais reverenciados.

Madre Teresa de Calcutá sofreu de terríveis problemas cardíacos e ainda assim passou a vida servindo, ajudando os outros. Todos neste planeta têm um ponto fraco. Para alguns, é um problema físico, para outros, um problema emocional, para outros, ainda, um problema mental, espiritual, ambiental ou financeiro. Você está aqui para, com valentia, vencer esses dragões e reconhecer a graça que Deus derramou sobre a sua cabeça. Lembre que mesmo as coisas ruins que lhe acontecem são na verdade dádivas e provas espirituais, bênçãos disfarçadas.

Deus nunca lhe dá mais do que você pode suportar. Você pode mudar sua atitude e receber as lições e desafios com um sorriso e com ânimo. Quando chega um desafio, você pode se mostrar maior que ele, em vez de se deixar vencer. Agradeça a Deus pela lição e ore para que Ele o ajude a aprendê-la.

SENTIR-SE REJEITADO X ACEITAÇÃO

O ego quer que você interprete o final de uma amizade ou relacionamento como uma situação em que alguém ganha e alguém perde; daí, há um que rejeita e um que é rejeitado. Essa não é a interpretação espiritual. Não há vencedores e perdedores, mas só vencedores. Se um relacionamento termina, a atitude espiritual é crer que simplesmente ele não foi criado para durar mais; então os dois podem sair como vencedores. Eu estou bem e você está bem, no perdão e amor incondicional

CULPA X INOCÊNCIA

O ego tenta fazê-lo sentir-se culpado pelos erros — ou pecados, como ele tenta chamá-los. A atitude espiritual é crer que você é instantaneamente perdoado. Não há necessidade de lançar o próprio passado na cara, como um castigo. Não há necessidade de se punir a si mesmo. A idéia é reconhecer que você cometeu um erro e aprender com ele. A atitude espiritual declara que você é sempre inocente. O Curso sugere que, quando você comete um erro de algum peso, deve orar ao Espírito Santo e/ou à sua própria alma ou a Deus, para que as conseqüências e resultados desse erro sejam desfeitos. O Espírito Santo terá satisfação em fazer isso por você, e então você não tem mais que se inquietar por conta disso.

RENDIÇÃO PESSOAL X PODER E RENDIÇÃO PESSOAL SIMULTÂNEOS

A atitude do ego é ou tomar posse do poder e controlar, jamais rendendo-se a Deus, ou render-se totalmente a Deus, enjeitando toda responsabilidade e poder. A atitude espiritual é assumir o seu próprio poder e render-se simultaneamente. É essencial tomar posse do seu poder, senão você será dominado pela mente subconsciente. É também fundamental render-se a Deus e à alma, ou mônada, que assume o posto de mestre.

Ao fazer os dois simultaneamente, as três mentes começam a funcionar como uma só mente em perfeita integração, equilíbrio e harmonia.

SENSIBILIDADE DO EGO X ATITUDE ESPIRITUAL EQUILIBRADA

A sensibilidade é aquela tendência a se sentir magoado, rejeitado, humilhado ou inferior em momentos em que não existe razão visível para tal. Isso ocorre por causa da falta de poder pessoal e da auto-estima, da ausência da bolha protetora, ou por não haver relacionamentos corretos com o eu e com Deus.

Quando você é dominado pelo ego, há uma tendência a projetar nos outros motivos que na verdade não estão ali. Um bom exemplo disso pode ser visto na vida de Jesus Cristo. Tudo o que ele fez foi amar e curar pessoas, mas mesmo assim muitos quiseram crucificá-lo. Seus egos interpretaram Jesus como alguém que os agredia; mas na verdade, não era esse o caso, pois ele era a própria encarnação do amor. Ao interpretar os atos de Jesus como agressão, sua mentalidade de vítima fez com que se sentissem humilhados ou na defensiva, obrigando-os a contra-atacar.

Você certamente conhece pessoas assim, que se retraem na defensiva ou ficam magoadas mesmo quando não são agredidas. Tal pessoa precisa ser tratada com mais amor e tato, até que esse conceito gerado por ela mesma possa ser remodelado de uma forma mais completa.

É importante perceber que, quando você está equilibrado, não pode se magoar, pois evita que qualquer agressão o alcance. Você responde em vez de reagir. Mostra-se mais desapegado. Não permite que os outros determinem as suas emoções. Não admite venenos mentais ou emocionais no seu sistema, da mesma forma como não ingere venenos físicos.

Você continua comunicando seus sentimentos, mas o faz como observação e como manifestação de preferências, e não como quem se coloca na posição de vítima, revidando as agressões. Você certamente não quer que os outros ajam como programadores das suas emoções; quer, em vez disso, programar as próprias emoções.

Ninguém pode obrigá-lo a pensar, a sentir ou a comportar-se de qualquer forma que você não queira. Você não é efeito, mas causa. Não é vítima, mas mestre e co-criador ao lado de Deus. Você pode simplesmente decidir sentir-se bem, e já que seus pensamentos geram os sentimentos, você imediatamente se sente bem.

Como são os seus pensamentos que criam a realidade, por que você iria querer criar qualquer coisa que não fosse alegria, felicidade, amor incondicional e paz interior? Quando você pensa com a mente crística, e não com a mente egoísta, é exatamente isso o que acontece.

SEGURANÇA X INSEGURANÇA

O ego cria insegurança porque o ensina a buscar segurança fora de si mesmo, em pessoas, posses, casas, dinheiro, família e por aí afora, enquanto a única segurança verdadeira, a única segurança que não lhe pode ser tirada, é aquela que se baseia no seu poder pessoal, em Deus, no poder de sua mente subconsciente e nas leis divinas.

SOLIDÃO X ESTAR SOZINHO

O ego faz que você se sinta só porque o faz buscar sua inteireza em outra pessoa, em vez de encontrá-la primeiro dentro de si mesmo e no seu relacionamento com Deus. Você nunca está realmente sozinho quando exibe uma atitude espiritual, pois é inteiro dentro de si mesmo e uma coisa só com Deus.

Isso também ocorre quando você mantém um relacionamento apropriado com a sua criança interior. Nesses circunstâncias, a criança interior recebe a proporção correta de firmeza e amor. Assim, a criança interior sente-se amada e protegida. A solidão é sinal de que você caiu num estado de consciência subalterno ou inferior, e está buscando preencher esse espaço com outra pessoa, em vez de fazê-lo com o próprio eu e com Deus, que é aquilo de que você realmente necessita.

O mesmo vale para o sentimento de abandono. Se você é inteiro em si mesmo e uno com Deus, e se a sua criança interior recebeu cuidados apropriados antes de você se ligar à outra pessoa, então o sentimento de abandono não vai acontecer quando essa pessoa o deixar.

O ciúme ocorre quando você cultiva um sentimento de falta de plenitude e ausência de relacionamentos corretos consigo mesmo e com Deus, e depois mede forças com um competidor conhecido ou desconhecido. A atitude espiritual é declarar suas preferências nos relacionamentos e entregá-las nas mãos de Deus. Se o relacionamento deve prosperar, isso certamente irá acontecer; caso contrário, certamente não deveria mesmo durar.

Além disso, quando você se une a outra pessoa mantendo um estado de consciência baseado em relações corretas com o eu e com Deus, problemas relativos a traição, infidelidade e compromisso não podem surgir da mesma forma, em função da integridade das pessoas envolvidas. Se surgirem, e se um dos parceiros não estiver sentindo a santidade do vínculo, provavelmente isso significa que vocês dois não devem ficar realmente juntos.

A COURSE IN MIRACLES

A Course in Miracles compõe-se de uma apostila de exercícios, de um manual do professor e do livro-texto propriamente dito. A apostila de exercícios traz uma lição por dia para o período de um ano inteiro. A idéia é fazer somente uma lição por dia. Você pode seguir num ritmo mais lento, mas não mais rápido. As lições iniciais têm como objetivo derrubar o antigo e negativo sistema de crença do ego, enquanto as lições mais avançadas pretendem moldar um padrão de consciência crística. Recomendo que você comece pelas lições e leia o manual do professor, que vem em linguagem simples e fácil, enquanto o livro-texto é razoavelmente complicado. A maioria das pessoas, segundo pude verificar, não tem paciência ou determinação para lê-lo até o fim. Entretanto, é algo que realmente compensa o esforço. Se você de fato não conseguir perseverar, pode simplesmente concentrar-se nas lições, que lhe proporcionarão uma base teórica bastante boa. Ao ler primeiro as lições, você realmente vai facilitar bastante a leitura do texto.

OUTRAS SUGESTÕES

Há mais a aprender sobre esse duelo entre pensamento egoísta *versus* pensamento espiritual. Tenho várias sugestões. A primeira delas é ler os livros de Gerald Jampolsky. Ele escreveu alguns livros em linguagem simples e direta sobre os ensinamentos de *A Course in Miracles*: *Love is Letting Go of Fear, Teach only Love* e *Say Good-bye to Guilt*.

Marianne Williamson também escreveu dois livros e produziu várias fitas muito boas sobre *A Course in Miracles*. Recomendo todos eles.

Não me considero um seguidor ortodoxo de *A Course in Miracles*, pois estou envolvido com práticas muito variadas. Além disso, tento expor seus ensinamentos dentro de um formato mais psicológico que espiritual. Há muitas pessoas hoje dedicadas ao *A Course in Miracles*, e cada professor organiza e apresenta o material de maneira diferente. Em algumas áreas, tento integrar o Curso em vez de me identificar com ele. *A Course in Miracles* é como a luz no final do túnel, mas 98% das pessoas do planeta ainda não estão no final do túnel de sua evolução; portanto considero necessária uma ponte, uma ajuda, e é isso o que eu tento fazer neste capítulo.

Na página seguinte, há um gráfico que criei, denominado Modelo de Centralização Psicológica. No centro do gráfico está o que eu chamo de eu espiritual centrado em si mesmo. Irradiando-se desse eu espiritual, como raios de sol, estão as qualidades crísticas, espirituais ou búdicas.

Acima do eu espiritual centrado em si mesmo encontram-se as qualidades do ego que se julga superior, o manda-chuva. Abaixo do eu espiritual estão as qualidades egoístas subalternas, de inferioridade. Este é um modelo útil como objeto de meditação e consulta na vida diária.

Nas páginas subseqüentes apresento uma lista detalhada de atitudes e qualidades espirituais, contrapostas a atitudes e qualidades egoísticas e negativas. Essa lista também é útil como fonte de consulta quando seu ego estiver anormalmente ativo.

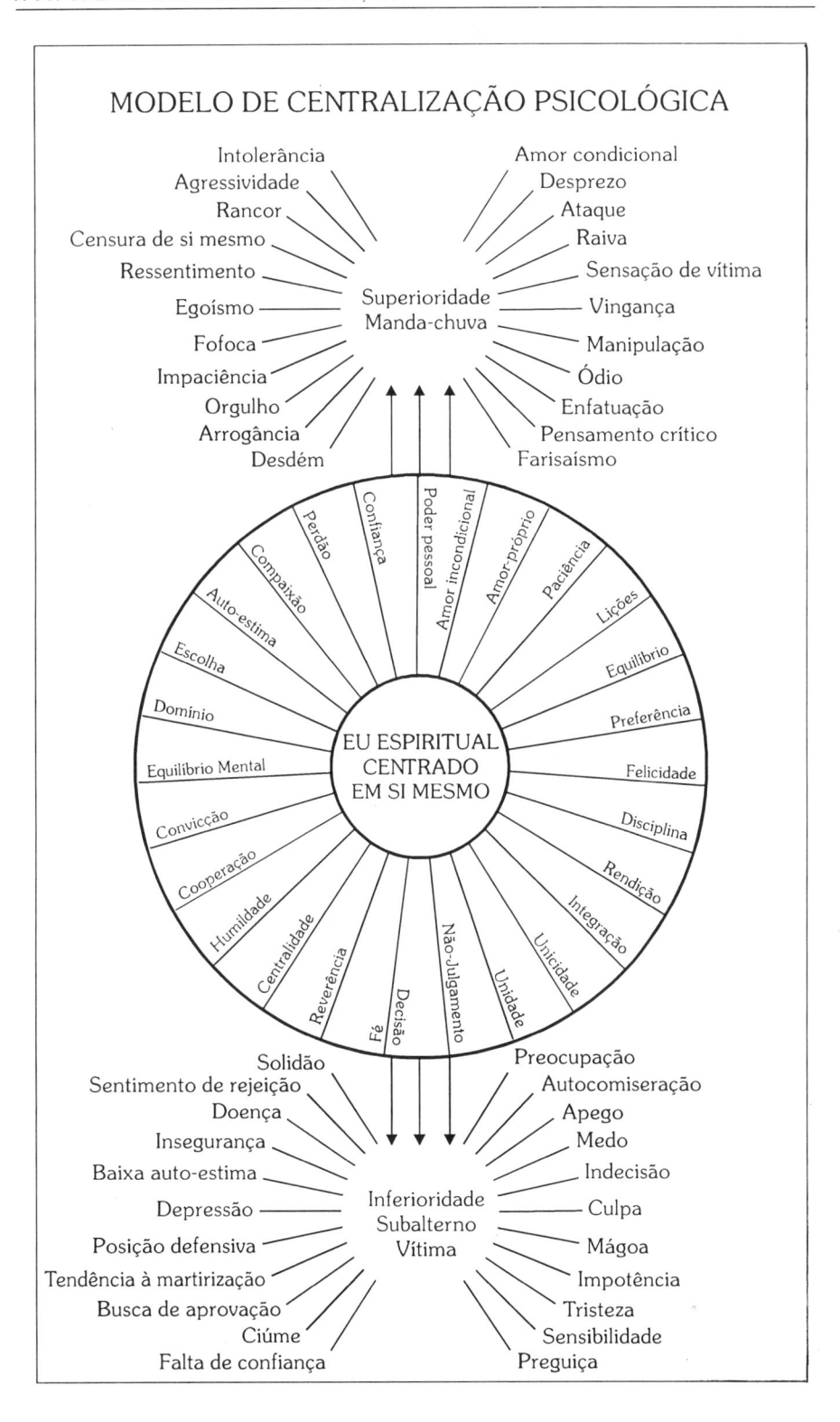

MODELO DE CENTRALIZAÇÃO PSICOLÓGICA

Superioridade / Manda-chuva:
Intolerância, Agressividade, Rancor, Censura de si mesmo, Ressentimento, Egoísmo, Fofoca, Impaciência, Orgulho, Arrogância, Desdém, Amor condicional, Desprezo, Ataque, Raiva, Sensação de vítima, Vingança, Manipulação, Ódio, Enfatuação, Pensamento crítico, Farisaísmo

EU ESPIRITUAL CENTRADO EM SI MESMO:
Perdão, Confiança, Poder pessoal, Amor incondicional, Amor-próprio, Paciência, Lições, Equilíbrio, Preferência, Felicidade, Disciplina, Rendição, Integração, Unicidade, Unidade, Não-Julgamento, Decisão, Fé, Reverência, Centralidade, Humildade, Cooperação, Convicção, Equilíbrio Mental, Domínio, Escolha, Auto-estima, Compaixão

Inferioridade / Subalterno / Vítima:
Solidão, Sentimento de rejeição, Doença, Insegurança, Baixa auto-estima, Depressão, Posição defensiva, Tendência à martirização, Busca de aprovação, Ciúme, Falta de confiança, Preocupação, Autocomiseração, Apego, Medo, Indecisão, Culpa, Mágoa, Impotência, Tristeza, Sensibilidade, Preguiça

Atitude do Ego	Atitude do Espírito
Agressão, medo	Amor!
Egoísmo	Equilíbrio entre egoísmo e altruísmo
Rancor	Perdão
Manda-chuva/subalterno	Igualdade
Competição	Cooperação
Julgamento	Discernimento espiritual
Culpa	Inocência
Farisaísmo	Opiniões pessoais desapegadas
Luta contra o universo	Aceitação dos desafios
Chateações, problemas	Lições, desafios
Pessimismo	Otimismo
Insegurança, descrença em si mesmo	Autoconfiança
Impotência, falta de controle	Poder pessoal, autodomínio
Raiva, depressão	Lições, invulnerabilidade emocional
Atitude defensiva, mágoa	Amor
Necessidade, dependência	Preferência, desejo
Vítima; efeito	Mestre; causa, tomador de decisões, criador
Autocomiseração	Responsabilidade
Guerra	Escola
Aprendizado por meio do karma, escola dos duros golpes	Evolução pelo estado de graça — a maneira mais fácil!
Controle subconsciente	Controle consciente
Impaciência	Paciência
Sofrimento	Alegria e felicidade
Reage	Responde
Vulnerabilidade	Invulnerabilidade
Pecado	Erros
Apego	Desapego envolvido
Preguiça/adiamento	Disciplina
Ciúme	Inteiro e completo, desapegado
Lei da selva	Cada um colhe o que semeia
Exige	Solicita
Melancolia/mau humor	Bom humor o tempo inteiro
Autopunição	Auto-estima e perdão
Erros/negativos	Erros/positivos
Cúpula sobre a luz	Luz!
Sensibilidade do ego	Amor-próprio imutável
Precisa pôr o ego à prova para conquistar valor	Valor/herança espiritual
Lama sobre o diamante	Diamante!
Dar é perder	Dar é ganhar
Roubar é ganhar	Roubar é perder
Rejeição	Permanece centrado em si mesmo completo; entende quando as coisas não devem durar
Centrado em si mesmo	Espírito de equipe
Intimidação	Usa o poder corretamente
Piloto automático	Gera vida conscientemente

Liberal demais/repressor demais	Equilíbrio, integração, moderação
Governado por lembranças do passado e medo do futuro	Centrado no agora/presente
Solidão	Encontra inteireza em si mesmo
Estranho	Irmãos e irmãs
Constrangimento	Ausência de julgamento
Altruísmo exagerado (martírio)	Equilíbrio entre egoísmo e altruísmo
Fofocas	Fica calado se julga
Busca aprovação ou controle	Declara preferências e aceita
Preocupa-se com a opinião dos outros	Direcionamento interior, não-conformismo
Preocupação, ansiedade	Fé, confiança no eu, no poder superior e nas leis do universo
Indecisão	Decisão
Inveja	Alegria com a fartura dos outros
Apego às lições das outras pessoas	Responsabilidade apenas pelas próprias lições
Comparações	Direcionamento interior/segurança
Não-merecimento	Merecimento
Doença	Saúde perfeita
Sexualidade (sem amor)	Sexualidade (com amor, carinho, intimidade e prazer)
Mentalidade da pobreza	Mentalidade da prosperidade
Arrogância e orgulho	Humildade, reverência e gratidão
Soturno, sério, envolvido demais	Humor, objetividade, perspectiva
Busca o defeito	Anima os outros
Rebelde ou conformista	Direcionamento interior
Maldições	Bênçãos
Dispersivo	Concentrado, objetivo
Medo de fracasso ou sucesso	Bem-sucedido
Agressividade	Convicção
Rudeza	Delicadeza
Montanha-russa emocional	Estabilidade emocional
Desorganização	Organização
Tédio	Entusiasmo
Abandono	Completo, inteiro em si mesmo
Tristeza e angústia	Equilíbrio mental; alegria; aceitação
Decepção	Desapego envolvido
Motivos e desculpas	Honestidade consigo mesmo, amor enérgico
Honestidade imatura	Honestidade espiritual
Verga sob tensão ou lição	Suporta tensão ou lição
Precisa ocupar o centro do palco ou se esconde de medo	Toma o centro do palco, posição neutra ou bastidor
Amor condicional	Amor incondicional
Resposta inadequada	Resposta adequada
Rejeição	Aceitação
Lições como castigo	Lições como dádivas
Zona de guerra; mundo cão	Escola de evolução espiritual
Poder total, rendição nenhuma ou total, poder nenhum	Poder mais rendição

Limitado	Ilimitado ou sem limites
Intolerante	Tolerante
Conflito	Paz
Ilusões	Verdade
Hipócrita	Honesto, coerente
Desespero	Esperança
Tacanho	Horizontes largos
Descrente	Confiança e fé em si e nos outros
Age na defensiva	Age abertamente; nada a defender

5

A PSICOLOGIA DA ALMA COMPARADA À PSICOLOGIA TRADICIONAL

A matéria é o veículo para a manifestação da alma neste plano de existência, e a alma é o veículo de um plano superior, para a manifestação do espírito.
Djwhal Khul
por Alice A. Bailey

Dediquei-me à psicologia tradicional enquanto mergulhava nos estudos espiritualistas. Meus dois pais, minha madrasta e minha irmã também atuam no campo da psicologia. Cresci e convivi com a psicologia, respirei-a, fiz dela meu ganha-pão e dediquei-me a ela durante toda a minha vida. Em virtude disso, tenho uma série de opiniões bem definidas sobre todo esse campo do conhecimento.

Embora eu pratique a psicologia da alma, que talvez também possa se denominar psicologia espiritual ou transpessoal, tenho bastante respeito pela psicologia tradicional. Aprendi muito com a minha instrução tradicional, e sou grato pela base que ela proporciona. O problema é que o campo da psicologia tradicional é bastante limitador. Segundo a entendo, a psicologia tradicional cabe num gráfico horizontal que vai de um a cem. Podemos considerar o zero como o nível mais baixo de consciência, e o cem o nível de um mestre ascensionado. A psicologia tradicional pode levá-lo até o nível 30; porém, jamais poderá levá-lo além disso, mesmo que você faça cinco sessões por semana nos próximos 50 anos. O problema é que a psicologia tradicional é 98% vazia de espiritualidade.

Nos meus estudos de graduação, mestrado e doutorado, pude notar que a matéria é apresentada por meio de centenas de diferentes teorias psicológicas, sem absolutamente nenhuma orientação quanto a quais delas são corretas ou falsas. Isso porque nenhum dos professores o sabia. Cada qual tinha sua teoria favorita. A tarefa do aluno era desenvolver alguma compreensão de todas elas e escolher, independentemente, aquela de que mais gostasse. É assim que você acabava fazendo terapia.

O problema é que nenhuma delas é realmente verdadeira. São todas o que eu chamaria de lascas de verdade. Se você pudesse reunir todas elas, talvez conseguisse uma meia verdade. O problema é complexo porque cada teórico acha que é dono de toda a verdade.

No meu primeiro livro, falei dos três níveis da auto-realização. Há o nível da personalidade, o nível da alma e o nível monádico. A psicologia, no seu ponto máximo (e mesmo isso é discutível), pode ajudá-lo a atingir a realização no plano da personalidade. São os 30% de que falei acima. A psicologia tradicional não pode ajudá-lo a conquistar a realização no plano da alma ou monádico (espiritual), pois nem sequer reconhece a existência da alma ou espírito.

Das centenas de teorias diferentes que estudei na escola, só consigo pensar em três que tinham um enfoque espiritualista. São as teorias de Carl Jung, Abraham Maslow e Roberto Assagioli. Vou começar pelo último.

Roberto Assagioli foi um psicólogo italiano que desenvolveu a psicossíntese. Esta é uma das poucas formas de psicologia tradicional que considero realmente digna de estudo, embora ela jamais tenha sido mencionada em todos os livros que estudei durante minha vida acadêmica. Praticamente não se ouve falar desse estudioso no campo da psicologia nos níveis de graduação e pós-graduação, exceto nas escolas transpessoais.

Abraham Maslow, embora mencionasse o valor da vida espiritual, escreveu muito pouco sobre o assunto. Ficou famoso por estudar pessoas saudáveis, e não doentes — o que considero um avanço importante na área.

Carl Jung foi o único psicólogo tradicional famoso que incluiu um aspecto espiritual no seu trabalho. Foi verdadeiramente um grande catalisador nessa área. Reconheceu o ideal do eu e rompeu com a fixação freudiana na sexualidade. Era mestre no terreno dos sonhos e acreditava na reencarnação, embora na verdade não divulgasse o fato.

Respeito grandemente seu trabalho e recomendo a leitura de suas obras. O problema é que, embora Jung tenha sido um grande catalisador nessa área, mesmo seu trabalho foi bastante limitado se comparado ao entendimento mais pleno da psicologia espiritual que conhecemos hoje.

Uma das bases da psicologia da alma é a existência de duas formas de pensar o mundo. Você pode analisá-lo a partir do ponto de vista da mente egoística negativa, ou pelo ângulo da mente da alma ou espiritual. A psicologia tradicional tenta curar dentro da teia do ego negativo. Porém, a cura verdadeira não pode ocorrer a não ser que esse ego negativo seja plenamente transcendido. O próprio Sai Baba disse: "Deus é igual a homem menos ego."

As teorias tradicionais da psicologia não fazem absolutamente nenhuma referência à idéia de que o pensamento cria a realidade. Não percebem que existem duas formas diametralmente opostas de interpretação da realidade. Por definição, é impossível enxergar isso porque não há a integração do aspecto da alma. Assim, a psicologia tradicional vê a vida através de um conjunto de lentes usado pelo ego negativo.

A psicologia tradicional pode ser capaz de ajudá-lo a enxergar melhor com essas lentes; porém, você jamais será realmente capaz de ver a não ser que substitua essas lentes antigas pelas lentes da consciência crística. O ego negativo infiltrou-se em todos os aspectos da sociedade — religião, medicina tradicional, sistema penitenciário, e todas as instituições do planeta, incluindo a psicologia.

Agora vem o problema maior. Há dezenas de milhares de pessoas se formando em cursos universitários e desenvolvendo trabalhos de pós-graduação, ganhando diplomas e licenciaturas — pessoas que são desqualificadas para ministrar terapia ou ensinar psicologia nas escolas. É gente que, na sua maioria, nem sequer pisou no caminho na iniciação, e não se pode compreender verdadeiramente a psicologia a não ser que se integre a alma.

A psicologia tradicional acha que as emoções negativas são inevitáveis e parte normal da vida. Ensina a mentalidade da vítima. Não tem nenhum conhecimento dos chakras, da alma, do espírito, do ego negativo, da intuição, da mente superior, da mente abstrata ou do objetivo real da vida. Em sua maior parte, nem sequer compreende como a mente subconsciente funciona realmente, nem de que forma pode ser reprogramada.

Não estou dizendo que a psicologia tradicional não tem valor. Tem de fato algum valor inicial. Pode levar a pessoa à realização no plano da personalidade, o que já é grande coisa, algo nada desprezível. O problema é que a maioria das formas de psicologia tradicional não conduz sequer a esse ponto.

O verdadeiro problema surge porque muitas pessoas que buscam ajuda acabam atoladas na psicologia tradicional por anos a fio, sem avançar muito além de seu primeiro ano de tratamento. E não podem fazê-lo porque a teoria com que (ou em que) estão trabalhando não impõe ao terapeuta a consciência de levá-los adiante. Como pode um terapeuta levar alguém à iluminação e à autorealização quando ele mesmo nem sequer passou pela primeira iniciação?

O problema, para a pessoa comum, é que não existem muitos orientadores espirituais disponíveis. Uma pessoa religiosa pode pensar em buscar aconselhamento na igreja ou templo. E isso provavelmente seria ainda pior que a orientação tradicional, pois a religião tradicional está tão contaminada pelo ego negativo quanto o campo da psicologia.

A verdade aqui é que precisamos de mais orientadores espirituais ligados à Nova Era. Muitos deles não são formados; em outras palavras, não passaram pela escola tradicional. As pessoas em geral acham isso inaceitável e, de fato, ela muitas vezes é aconselhada a evitar esses terapeutas. Entretanto, acho que eles, em sua maioria, são mais bem qualificados como orientadores do que os psicólogos profissionais tradicionais, que não têm nenhuma ligação com a alma. Essa posição vai totalmente contra as opiniões da média das pessoas materialistas, que não conseguem sequer imaginar tal possibilidade. As pessoas espiritualistas que tomam a rota tradicional estão, na minha opinião, extremamente contaminadas intelectualmente ao terminar os estudos.

São poucas as pessoas que não ficam confusas e perplexas diante de todas as teorias psicológicas que lhes são apresentadas. Vou examinar brevemente algumas das principais, comparando-as com a psicologia da alma.

Em resumo, não existe nada de errado em consultar um terapeuta tradicional por algum tempo. Isso pode ser de grande valia quando se pretende assumir o controle da própria personalidade, caso encontre o terapeuta correto. Mas em algum momento você vai precisar se desvencilhar dele e buscar um mestre espiritual que possa orientá-lo pelo resto do caminho, pois senão jamais vai superar aqueles 30%.

A psicologia tradicional, idealmente, pode ser encarada como uma torta; cada corrente de psicologia é uma fatia da torta que carrega um pequeno fragmento da verdade. Sugiro o ecletismo e a integração de todas elas. Depois, basta adicionar a psicologia da alma, que representa os 70% restantes, e você terá uma compreensão mais verdadeira daquilo que Djwhal Khul chamou de psicologia esotérica.

Esse é o verdadeiro futuro da psicologia. A psicologia, como é praticada hoje, está ainda num estágio infantil, ou naquilo que poderíamos chamar de idade das trevas. Daqui a 20 ou 30 anos haverá uma completa revolução na área.

Assim como a alma não está integrada ao estudo da psicologia nos níveis de graduação e pós-graduação, o mesmo vale para todas as formas de instrução — política, sociologia, esporte — e para cada faceta da sociedade. A humanidade busca criar um mundo que separe as realidades espirituais da vida, mantendo-as isoladas do mundo cotidiano. Um bom exemplo disso foi o comunismo. Era uma teoria política privada de Deus; foi por isso que fracassou.

Na verdade, nosso sistema político é somente um pouquinho melhor do que isso. Os políticos falam de Deus; porém, a política é completamente dominada pelo ego negativo. Veja a corrupção, as campanhas negativas, a legalização do suborno e o total e completo bipartidarismo dos membros dos partidos Democrático e Republicano. O Deus deles é o que é bom para o partido, e não o que é bom para o mundo e para as pessoas.

O expurgo da alma no campo da psicologia não é um evento isolado. Não há sequer um campo de estudo ou instituição no planeta em que isso já não tenha sido feito da mesma forma, incluindo a religião. O reino dos homens separou-se do reino de Deus. Mas jamais haverá o mínimo senso verdadeiro de felicidade, paz interior, iluminação ou compreensão antes da fusão desses dois reinos.

Este capítulo é uma tentativa de combinar a psicologia do reino de Deus com a psicologia da humanidade. Quando isso for atingido, as pessoas poderão curar-se completamente a si mesmas dentro de meses, em vez dos anos exigidos pela psicologia tradicional.

LIMITAÇÕES DAS FORMAS TRADICIONAIS DE TERAPIA

A maioria dos leitores deste livro tem um conhecimento razoavelmente avançado; portanto, não vejo necessidade de mergulhar nos detalhes de cada forma de terapia tradicional para explicar o seu ponto de vista. O que me proponho fazer aqui é passar pelas diversas formas de terapia com o que chamaria de "espada do discernimento", a partir do ponto de vista da alma, como tentativa de elucidar os pontos fortes e as limitações de cada método. Tentarei ir diretamente ao cerne do ensinamento essencial, sem perder tempo com informações periféricas.

PSIQUIATRIA

Comecemos este nossa análise pelos diferentes modos de terapia hoje disponíveis, contrastando-os com a psicologia da alma. A psiquiatria é um pesadelo. Detesto ser tão rude, e não pretendo ser crítico; porém, se tenho a intenção de usar com eficácia a espada do discernimento, preciso falar a verdade.

O psiquiatra é um médico que recebe, na verdade, bem pouco treinamento em psicologia. A forma de terapia adotada pela média dos psiquiatras é um Valium: "Tome dois comprimidos e venha se consultar comigo três vezes por semana a um custo de 200 dólares por sessão." Normalmente, o psiquiatra é instruído na terapia freudiana, que exige de três a cinco sessões por semana durante um período de 20 anos. O que eu estou dizendo pode parecer engraçado, e é, mas existe muita verdade em tudo isso.

A única forma de terapia pior que essa é quando os doutores agarram alguém para um tratamento com eletrochoques, com o objetivo de arrancá-lo da depressão. Dizer que isso é bárbaro é o maior dos eufemismos; mas ainda hoje, meus amigos, é uma forma de terapia usada.

Numa enfermaria psiquiátrica comum, os pacientes ficam tão dopados que seriam necessários anos e anos só para purificar seus corpos físicos, sem falar no terreno mental. O cuidado que recebe é o mesmo dispensado a um prisioneiro, na melhor das hipóteses. Muitos desses pacientes têm experiências espirituais válidas, que os médicos interpretam como alucinações. Na verdade, são os próprios médicos que sofrem alucinações, enquanto os pacientes muitas vezes se harmonizam com realidades espirituais genuínas. O cuidado dispensado aos doentes mentais na nossa sociedade é uma caricatura das mais bizarras. A mentalidade dos médicos está tão poluída que eles acreditam poder realmente curar a mente, a psique e a alma com drogas. Em suma, eles não têm a mínima noção das realidades internas da vida.

BEHAVIORISMO

O behaviorismo é a segunda pior forma de terapia. Representa a absoluta adoração da ciência material. Vê as pessoas como nada mais que ratos de laboratório. Não existe o que se chama de livre-arbítrio. A escola afirma que as pessoas são totalmente moldadas pelo ambiente. Reforços positivos e negativos governam tudo. De todas as fatias da torta, o behaviorismo só detém a porção mais débil da verdade.

É verdade que o ambiente afeta as pessoas, especialmente nos estágios iniciais da evolução. Mas deixar de enxergar qualquer aspecto de uma realidade interior e dizer que seres humanos não diferem de animais é bastante perturbador, para dizer o mínimo. Sinto dizer que essa é a escola de psicologia dominante em todas as universidades dos Estados Unidos.

Somente os departamentos clínicos, aqueles que lidam com o aconselhamento, rompem essa hegemonia. Todos os departamentos de pesquisa são dominados pelo behaviorismo. O psicólogo que o inventou, B. F. Skinner, na verdade mantinha seu filho numa caixa e tentava criá-lo dessa forma. É possível conceber uma coisa dessas?

PSICOLOGIA HUMANISTA

Arrisco-me a dizer, intuitivamente, que 70% dos clínicos praticam essa forma de terapia. A psicologia humanista é a "adoração" dos sentimentos. Você vai à terapia para "pôr para fora os sentimentos". Você pega um porrete e esmaga o travesseiro, que representa o cônjuge ou os pais, expressando sua raiva e chorando à vontade.

O terapeuta fica tão orgulhoso de seu paciente quando este extravasa as emoções! A chave é a palavra "catarse". Se você me perdoa a metáfora grosseira, é como um vômito emocional. Ora, o impressionante nessa forma de terapia é que você realmente se sente melhor ao deixar a sessão; isso é um fato. O único problema é que, como não existe a compreensão de que os pensamentos é que criam a realidade, a mente reconstrói tudo de novo no dia seguinte. Trata-se de uma teoria psicológica do tipo feminino, que acaba fazendo do paciente uma vítima da mente subconsciente e do corpo emocional. Falo aqui por experiência própria.

Não vejo nada de errado na catarse, e sou o primeiro a admitir o valor desse processo. Você não pode, porém, basear toda a terapia só em cima disso, como o faz a psicologia humanista. É preciso também instruir-se acerca de como os pensamentos criam os sentimentos, e é essencial uma integração do aspecto espiritual da vida.

Um exemplo extremo desse tipo de terapia, para dar um exemplo mais concreto, foi uma ex-cliente minha. Ela se consultou comigo durante cerca de seis meses e quando "se formou" estava num estado excelente, sentindo-se muito bem. Ela continuou assim por mais ou menos um ano, até que um dia recebi uma ligação urgente dela. Estava péssima. Ela veio me ver imediatamente, e então perguntei-lhe qual era o problema. Ela me disse que havia passado por um período incrivelmente bom durante o último ano, até cerca de um semana antes, quando um amigo lhe perguntou se ela queria participar de um trabalho em grupo chamado "final de semana da ira". Ela resolveu ir e descobriu que a idéia do fim de semana era que cada pessoa fizesse uma catarse pessoal, expressando sua ira.

As pessoas xingavam e amaldiçoavam, num vozerio ensurdecedor, até que finalmente chegou a vez de minha cliente. O "problema" é que ela não sentia ira nem raiva nenhuma; sentia-se bem feliz e em paz. Eu a ensinei a tomar posse de seu poder e a ser a causa de sua própria realidade. Instruí-a na ciência da cura pela atitude, ensinando-a a ver a vida pelo ângulo da consciência de Cristo, e não através da lente da consciência egóica negativa. Por não ser dominada pelo ego, ela não acumulava muita raiva. Estava feliz e equilibrada mentalmente. As pessoas do grupo consideravam tal coisa impossível, e então todos a agrediam até que finalmente ela não suportou mais e começou a chorar. Eles não a deixaram em paz enquanto ela não ficou realmente com raiva.

Quando ela veio me ver, estava bastante confusa. Expliquei-lhe o que havia acontecido e por quê; disse-lhe também que ela precisava ser um pouco mais seletiva quanto aos tipos de trabalho em grupo de que participaria daí em diante, em face de sua orientação espiritual. Ela logo assimilou a lição e ficou ainda melhor que antes, e um pouco mais sábia.

Os grupos de encontro dos anos 60, que ainda existem, também são resultado desse tipo de psicologia. A idéia nesse caso é partilhar os seus sentimentos a qualquer custo. Não importa se você é hostil ou se agride ou magoa alguém. Contanto que esteja pondo para fora os seus sentimentos, tudo é maravilhoso. Trata-se sem dúvida nenhuma de uma forma atlante (fundada nas emoções) de terapia. Pode trazer algum benefício durante um curto período para os que são controlados pelo corpo mental e concentrados neste, desde que se encontre a pessoa ou grupo certo. Caso contrário, seu valor é bastante limitado.

PSICOLOGIA COGNITIVA

Se a psicologia humanista é atlante, a cognitiva é baseada na raça-raiz ariana, em função de sua harmonização mental. A psicologia cognitiva é singular porque é a *única* forma de psicologia tradicional a ensinar que os pensamentos criam a realidade. Há muitas boas idéias e ferramentas nessa forma de terapia, e sem dúvida ela traz alguns resultados. O problema é que a alma está ausente do sistema; além disso, a escola também não avança até a compreensão de que as emoções são geradas pelos pensamentos. Ela diz realmente que é você quem causa a sua realidade, mas não chega ao ponto de perceber que você não precisa ter emoções negativas se não quiser.

Essa forma de psicologia é definitivamente um passo à frente na direção correta. Pode ser especialmente boa para os que estão excessivamente polarizados nas emoções e precisam desenvolver o corpo mental. Contudo, eu não preferiria nenhuma das formas de terapia tradicional a um orientador espiritual que tenha uma boa compreensão global.

Em certo sentido, dou essas recomendações a pessoas que podem não se dispor a procurar um conselheiro espiritual, por ainda não estarem nesse nível de evolução na vida; nesse caso, devem procurar alguém que trabalhe somente no plano da personalidade, e não no espiritual.

Para uma pessoa que já é espiritualizada, mas ainda se sente vítima do corpo emocional, ler alguns livros de psicologia cognitiva pode ser uma decisão bem acertada. Infelizmente, este é um sistema pouco ensinado em faculdades e universidades tradicionais.

PSICOLOGIA FREUDIANA

A psicologia freudiana vem recebendo com o passar dos anos cada vez menos atenção, embora no passado fosse muito importante. Muitos psiquiatras parecem atraídos por elas. Sigmund Freud, definitivamente, tem seu lugar na história, pois foi um homem que propôs alguns princípios importantes; entretanto, era bastante obcecado pelo plano do segundo chakra.

Suas teorias também eram totalmente apartadas do espírito. A pessoa que consulta um analista freudiano, na minha opinião, fica bastante confusa. Cria-se uma forte co-dependência entre terapeuta e paciente, e o terapeuta tende a inserir toda a sua filosofia freudiana na realidade do paciente. Se ao começar ele não tinha problemas sexuais e outros problemas com seus pais externos e internos, certamente os terá ao sair. Também terá bem menos dinheiro na conta bancária.

A psicologia freudiana não é desprovida de valor, mas em minha opinião pode apenas levar uma pessoa do nível um ao dez numa escala de um a cem. Se certa pessoa freqüentar o consultório do psicólogo cinco vezes por semana durante 50 anos, jamais vai ultrapassar o nível dez, pois é da natureza da teoria não passar daí.

TERAPIA JUNGUIANA

A terapia junguiana, é claro, foi criada pelo famoso psicólogo suíço Carl Gustav Jung. Ele foi contemporâneo de Freud e aluno deste por algum tempo, mas se afastou do mestre em função da fixação freudiana na sexualidade como causa de tudo.

De todas as formas de psicologia tradicional, eu daria as melhores notas à junguiana. Pode levá-lo além dos 30% de que falei, pois tem raízes na espiritualidade. Jung tinha uma vaga compreensão do Eu Eterno, mas algo bem distante do entendimento de alguém como Djwhal Khul. Mas Jung estava no rumo certo.

Ele tinha uma excelente compreensão dos sonhos. Em sua biografia, confidenciou a crença na reencarnação, embora não a propalasse. Acreditava firmemente em Deus, o que foi para mim um alívio quando tive de estudar todas as terapias tradicionais na escola.

A melhor maneira de avaliar sua contribuição é dizer que ele foi um fantástico catalisador nessa área. É bem fácil enredar-se na psicologia junguiana, pois as pessoas que realmente se aprofundam nela agem quase como membros de um culto, embora eu tenha certeza de que Jung reviraria no túmulo diante dessa idéia. Falo por experiência própria, pois meus pais eram terapeutas junguianos e eu vi o que os dois tiveram de sofrer ao lidar com a Sociedade Junguiana em Los Angeles.

Todos sabemos o que acontece quando as pessoas fundam organizações em torno de um determinado conjunto de ensinamentos. Não se trata de uma crítica a Jung, mas antes de um comentário sobre o que se fez com seus ensinamentos. É coisa que acontece a todos os mestres espirituais, incluindo Jesus e Buda.

As limitações da psicologia junguiana residem no fato de que ela não é completa, embora se mova na direção correta e tenha orientação muito marcadamente espiritualista. Por exemplo, não existe nela a percepção da diferença entre o pensamento negativo do ego e o pensamento espiritual. Há, de fato, o conceito errôneo da necessidade de a pessoa carregar a sua sombra. Muitas pessoas se enredam nesse falso ensinamento.

Se Deus o criou, então você foi feito à imagem dEle, que é Luz e amor. Se você tem um lado negativo, uma sombra, esta tem origem no uso equivocado do livre-arbítrio ou no fato de pensar com a mente egoísta, e não com a mente crística. O ideal não é assumir essa sombra, ou ego negativo, mas antes morrer para ela. Como diz Sai Baba, Deus é igual a homem menos ego.

Você sente a negatividade porque pensa negativamente. Se você pensar com sua mente crística, vai ter só alegria, felicidade, amor incondicional e paz interior. Quando você se sente negativo, sempre poderá creditar essa sensação a um pensamento negativo oriundo do ego negativo. Se você morrer para o ego negativo, morre também para a criação de uma realidade negativa para si mesmo.

Outras limitações da psicologia junguiana são o fato de ela não ensinar afirmações, visualizações ou a maneira como reprogramar a mente subconsciente. Não existe um trabalho com a criança interior e nenhuma atenção à oração ou meditação. Jung não pregou o amor incondicional. Você não vai conhecer Deus se não conhecer o amor incondicional. Repito que eu não quero aqui fazer uma crítica a Jung, pois tenho o maior respeito pelas contribuições que ele fez à área da psicologia. Alguém que permaneça concentrado na psicologia junguiana certamente progredirá, mas não trilhará todo o caminho. Vejo muitas pessoas enredando-se na escola junguiana, impondo limitações a si mesmos. Eu recomendaria a qualquer pessoa a leitura de seus livros. Chego mesmo a apoiar quem segue o caminho da terapia junguiana, desde que a pessoa também estude e trabalhe outras teorias e práticas.

Se você comparar os ensinamentos de Jung com os de Paramahansa Yogananda, de Sai Baba ou de Djwhal Khul, poderá verificar que não pertencem à mesma linha. Jung não era um mestre espiritual plenamente realizado. Se o seu objetivo é a auto-realização e a ascensão, então você precisa seguir um mestre que seja plenamente realizado e ascensionado. O que eu estou querendo dizer é que você pode integrar Jung no seu eclético caldo de estudos, mas não deve se identificar completamente com ele.

Vejo que há um grande número de pessoas identificadas totalmente com ele e, na minha opinião, elas perdem tempo com isso. Por outro lado, é possível que elas precisem justamente disso por algum tempo, no estágio corrente do seu processo evolutivo, como degrau que os leve ao próximo plano. Estou apenas sugerindo que, quando estiverem prontos para o próximo plano, eles devem reconhecê-lo e descartar a velha escola, dando então o passo seguinte, pois ele os conduzirá àquilo que Jung não lhes pôde ensinar — o estado de bem-aventurança, incessante alegria, amor incondicional, iluminação e ascensão.

PSICOLOGIA DA GESTALT

A gestalt é outra escola de psicologia tradicional bastante interessante. Falo por experiência própria, pois fiz terapia gestaltista durante vários anos quando era mais jovem. Fritz Perls, o fundador, era um homem bastante dinâmico. e muitas mentes brilhantes se beneficiaram de suas teorias. Não se trata de uma psicologia de tipo mais feminino, em oposição a um tipo mais masculino, como a psicologia cognitiva. A psicologia da gestalt não vê nenhuma estrutura inerente na mente. A terapia gestaltista tem muito mais a ver com *experimentar* tudo primeiro, antes de lidar com a mente. Tende a ser um pouquinho "antimente".

Essa escola de pensamento foi, provavelmente, uma reação necessária contra a excessiva ênfase que algumas outras teorias davam à mente. A coisa que mais me agrada na psicologia da gestalt é o que Fritz Perls disse: "Quando o manda-chuva ou o subalterno surgir em sua mente, não lhe dê bola." Foi uma afirmação bastante perspicaz, pois sem compreender completamente o que estava dizendo, ele falava sobre transcender o ego negativo; nenhuma outra forma de psicologia tradicional jamais tratou dessa questão.

A terapia gestaltista usa bastante a técnica da dramatização, que pode se revelar uma ferramenta bastante eficaz. Ao lidar com um sonho, por exemplo, em vez de falar sobre ele, você é instado a dramatizá-lo. Certa vez sonhei com uma tarântula e fiz a bobagem de contar ao meu terapeuta gestaltista. Ele me fez perambular pelo consultório como se eu fosse uma aranha!

Estou querendo ser engraçado aqui, mas na verdade assimilei muita coisa da terapia gestaltista, em comparação com outras formas que experimentei. Esta é sem dúvida uma boa metodologia para quem é bastante intelectual e sisudo.

Suas limitações também são bem evidentes. Na minha opinião, esta é uma escola de abordagem excessivamente feminina: há a necessidade da busca de um equilíbrio masculino/feminino. Um exemplo disso é sua atitude "antimente," que não vê absolutamente nenhuma estrutura na psique. Foi até o extremo oposto se comparada a outras terapias. Talvez seja uma oscilação oportuna do pêndulo, mas, em última análise, para alcançar a auto-realização, é preciso estar inteiramente equilibrado. A psicologia da gestalt também não integra o aspecto espiritual do eu.

As pessoas dizem que Perls era ele mesmo uma pessoa bem comum e às vezes até sórdida. Definitivamente, ele não acreditava no amor incondicional; provavelmente seria algo constringente demais para sua teoria. Perls deu porém uma grande contribuição, e se esse tipo de terapia for usado cientificamente em busca dos ajustes necessários para alcançar a auto-realização no plano da personalidade, pode ser de grande valia.

Todas essas diferentes terapias levam à auto-realização no plano da personalidade. Meu reparo é que nenhuma delas leva à auto-realização no nível da alma e, depois, no plano espiritual.

CARL ROGERS

Carl Rogers foi considerado um dos grandes psicólogos humanistas. Sua escola é chamada de terapia centrada no paciente, bastante não-diretiva. Ele acreditava que o paciente tinha todas as respostas, e o psicólogo devia simplesmente dar-lhe atenção positiva incondicional e praticar a "audição ativa".

Agrada-me essa idéia da atenção positiva incondicional. Ele basicamente praticava e ensinava o amor incondicional, e merece elogios, pois foi um avanço importante no campo da psicologia.

Porém, essa idéia de que o paciente tem todas as respostas e a atitude de permitir que ele conduza as sessões foi um grave erro, na minha opinião. A maioria dos pacientes, por definição, é totalmente dominada pelo corpo emocional, pelo ego negativo e pela mente subconsciente. Creio que o terapeuta é um professor, e existem coisas bem definidas que o paciente precisa aprender a fim de aprumar a vida.

A prática da audição ativa sugerida por Rogers implicava que o psicólogo repetisse tudo o que o paciente dissesse. Se ele dissesse "Estou de saco cheio da minha mulher", Rogers diria depois: "Então você está irritado com sua esposa!" Não seria mau se ele fizesse esse tipo de coisa poucas vezes numa sessão, mas os terapeutas são incentivados a fazer isso constantemente, o que me deixaria maluco.

Esse tipo de terapia é uma oscilação do pêndulo para o lado oposto ao das escolas em que o psicólogo fala demais, dá conselhos demais e não ouve o bastante. Para mim, as teorias originais de Rogers avançaram demais rumo ao outro extremo. Uma nota marginal interessante, da qual muitas pessoas não têm ciência, é o fato de Rogers, nos últimos anos, ter-se encaminhado rumo à psicologia transpessoal, que é o nome tradicional da psicologia espiritual.

ALFRED ADLER

A psicologia adleriana é praticada por aqueles que se consideram psicólogos sociais. Adler tinha algumas boas idéias. Via o objetivo da vida como uma luta em busca do conhecimento e da perfeição, o que é certíssimo. Via também o objetivo da vida como uma migração do ponto de vista centrado no eu rumo a um ponto de vista mais útil socialmente. Ele tinha convicção da necessidade de o indivíduo assumir seu próprio poder e desenredar-se dos complexos de inferioridade e superioridade.

Adler estava nitidamente encaminhando-se para fora do sistema de pensamento ligado ao ego negativo, cujo cerne é o egoísmo e a separação. Só posso elogiá-lo por isso. O único problema é que ele não foi longe o bastante. Dentro de uma compreensão espiritualista completa, o propósito da vida é migrar de um ponto de vista centrado no eu rumo a um ponto de vista centrado na alma, e não apenas rumo ao ponto de vista social. É por isso que sua teoria permanece no plano humanístico e não dá o passo que a levaria ao plano da alma.

A psicologia adleriana não é muito ensinada nas escolas, e isso é uma pena, pois ele tinha muitas idéias boas. Parece que nenhum dos bons teóricos é ensinado nas escolas. Segundo minha própria estimativa, a escola tradicional é 90% behaviorismo e psicologia humanística — embora nos últimos anos isso possa estar mudando.

PSICOLOGIA DE SISTEMAS FAMILIARES

Existe uma forma de psicologia denominada sistemas familiares, na qual são treinados muitos conselheiros conjugais, familiares e infantis. É uma teoria interessante, pois a família é vista como se formasse uma única personalidade, em si mesma e por si mesma. Qualquer mudança de comportamento da parte de um membro da família repercute em todo o sistema familiar.

Em vez de lidar com a psique de cada pessoa, o terapeuta familiar busca fazer ajustes no sistema familiar como um todo. Por exemplo, se uma criança tem um problema, o terapeuta pode nem sequer tratar a criança, mas fazer ajustes na relação conjugal dos pais. Esse ajuste pode então curar a criança.

Há alguma validade nisso. O problema é que novamente estamos diante de um caso de extremismo, pois a técnica não dá atenção suficiente à psique das pessoas envolvidas.

Cada teoria carrega uma lasca de verdade da torta inteira, mas todas elas caem num ou noutro extremo. Sugiro, então, que você permaneça no centro da torta, sem demandar nenhum dos extremos. Assim é possível integrar todos os diferentes pontos de vista. Só então você terá uma compreensão mais equilibrada de tudo.

ANÁLISE TRANSACIONAL

A análise transacional foi desenvolvida pelo médico Eric Berne. Divide a personalidade em pai (mãe), adulto e criança. É um modelo bastante simplista, mas se você está dando os primeiros passos no caminho da auto-realização no nível da personalidade, pode ser um modelo bastante útil para o início da integração da personalidade. Gosto realmente desse modelo, mais do que a divisão freudiana em id, ego e superego, pois trata-se de uma compreensão muito mais clara.

A FALSA TEORIA HOLÍSTICA

Eu mesmo cunhei esse termo: a falsa teoria holística da psicologia. Acho que é desconhecida da maioria das pessoas, seja por estarem enredadas na teoria mesma, seja por terem na mente toda uma pilha de teorias esparsas. A falsa teoria holística, como eu a defino, é a crença de que você precisa equilibrar os aspectos luminoso e sombrio de si mesmo.

Muitos, diante disso, podem menear a cabeça e dizer: "Isso me soa bem. Acho que devemos mesmo fazer isso." Bem, eu estou aqui para dizer que você *não* deve fazer isso. Sim, você está aqui neste mundo para equilibrar as partes feminina e masculina de si mesmo. Sim, está aqui para equilibrar os aspectos celestial e terreno de si mesmo. Está aqui também para equilibrar seus chakras e seus quatro corpos, bem como todos os outros aspectos de si mesmo. Sem dúvida é verdade que você precisa equilibrar e integrar o ego e o espírito.

Mas há uma coisa que você não precisa equilibrar, e esse é um ponto fundamental que poucas pessoas neste mundo compreendem: você não está aqui para equilibrar a consciência do ego negativo e a consciência do Cristo. Está aqui, sim, para livrar-se do ego negativo e morrer para ele. É por isso que Sai Baba diz que "Deus é igual a homem menos ego [negativo]". Isso é também a essência de *A Course in Miracles*, dos ensinamentos de Buda e, na verdade, dos ensinamentos de todos os mestres auto-realizados.

As vítimas da Falsa Teoria Holística acham que precisam equilibrar tudo, e que se abrirem mão de qualquer coisa, esta voltará para atormentá-los em algum outro nível. Isso não é verdade. Lembre que os pensamentos é que criam a realidade, e o ego negativo é, em essência, medo, egoísmo e separação.

Você não está aqui para equilibrar medo e amor. Pois a própria Bíblia diz: "O perfeito amor lança fora o medo." Você não está aqui para equilibrar separação e unidade. Está aqui, sim, para viver na unidade. Não está aqui para equilibrar sentimentos de inferioridade com alta auto-estima. É o ego negativo que cria ódio, vingança, ciúme, falta de amor-próprio, falso orgulho, depressão e baixa auto-estima. Deus o criou, e sua verdadeira identidade é a mônada, o Eu Eterno, a Presença do Eu Sou. Pois é a Bíblia mesma que diz: "Vós sois deuses e não o sabeis."

Será que Deus sente ódio, vingança, ciúme, falta de amor-próprio, falso orgulho, depressão? É claro que não. De onde vêm então essas qualidades, se foi Deus quem o criou? Vêm do pensamento errôneo cultivado pela humanidade. Elas existem por causa do uso da mente divisora, fundada no medo, em vez da mente crística, fundada no amor. Lembre-se das palavras da Bíblia: "Que a mente de Cristo Jesus desça sobre vocês."

Para realizar a consciência do Cristo, é preciso livrar-se da consciência do ego negativo. Como diz *A Course in Miracles*, "Não existem pensamentos neutros". Em seus pensamentos, você ou é egoísta, ou espiritualizado, ou uma mistura de ambos. O ideal, obviamente, é ser espiritualizado.

Quando você atinge esse estado de consciência, torna-se amoroso, alegre, feliz, mentalmente equilibrado e tranqüilo durante todos os momentos. O próprio Buda disse: "Todo sofrimento vem dos nossos apegos." Deus não sofre; portanto, por que é que você deve sofrer se foi criado à imagem e semelhança dEle? Você está aqui para se tornar a Luz, para se tornar amor, para conhecer Deus.

Como diz Sai Baba, você não vai atingir a teo-realização a menos que morra para o ego negativo, que é medroso, divisor e egoísta. Ao morrer para a maneira de pensar do eu inferior, ao renascer para a maneira de pensar do Eu superior, então você começa a compreender Deus.

Esse é o currículo principal do caminho espiritual, independentemente da rota ou mestre específico que decidir seguir. Ao contrário do que possam dizer outras pessoas, você não precisa de emoções negativas. Elas são criadas pela mente. Não vêm de fora de você ou dos seus instintos. Vêm de suas interpretações, percepções e crenças acerca da realidade.

Cada pessoa vê o seu próprio filme. Disse Buda, nas quatro nobres verdades, que todo sofrimento provém de "pontos de vista errados". Você tem de pensar com sua mente divina, que é Luz. É por isso que esse processo se chama iluminação. Não se chama "escurecimento". Não estamos aqui para equilibrar felicidade e sofrimento. Estamos aqui, sim, para viver em felicidade e Luz, em todos os momentos. É o domínio sobre aquilo que Djwhal Khul denominou "aquele que habita o limiar", que é a encarnação do glamour, da ilusão, de maya e do ego negativo.

Espero ter proporcionado a você um vislumbre do futuro. A psicologia transpessoal é a nova onda. Em anos vindouros ela irá revolucionar completamente o campo da psicologia.

6

ARMADILHAS E CILADAS NO CAMINHO DA ASCENSÃO

O glamour não é afastado quando se dá muita atenção a ele.
Desaparece, sim, pelo poder da meditação clara e firme, e quando
se deixa de dar atenção ao próprio eu.
Djwhal Khul
por Alice A. Bailey

Nas minhas viagens pela vida como mestre espiritual, psicólogo espiritualista e discípulo do caminho, tomei ciência de muitas das armadilhas e ciladas que se encontram no caminho espiritual. Considero-me até especialista no assunto, pois caí na maioria delas.

Recomendo, convicto, a meditação sobre a lista que apresento a seguir. Embora breve em palavras, é profunda em intuições. Meu propósito ao partilhar esses problemas possíveis é poupar ao maior número de pessoas o sofrimento, karma negativo e atrasos no caminho da ascensão provocados pela ignorância dessas lições. O caminho espiritual é bastante fácil num plano e incrivelmente complicado em outro.

O ego negativo e as forças das trevas espalham glamoures e ardis em cada passo do caminho. Cometer erros e cair nessas armadilhas é normal. Minha preocupação é evitar que as pessoas que buscam o caminho fiquem enredadas nas ciladas por longos períodos, ou mesmo vidas inteiras.

1. Abrir mão de seu poder pessoal, concedendo-o a outras pessoas, à mente subconsciente, ao ego negativo, aos cinco sentidos, ao corpo físico, ao corpo emocional, ao corpo mental, à criança interior, a um guru, aos mestres ascensionados, a Deus. Não seria perda de tempo refletir sobre isso, pois há muita sabedoria nessa curta frase.

2. Amar os outros, mas não a si mesmo.

3. Não reconhecer o ego negativo como fonte de todos os problemas.

4. Concentrar-se em Deus, mas deixar de integrar e criar de modo correto sua criança interior.

5. Não comer corretamente e não fazer exercícios físicos suficientes, o que resulta em doença física e limitação nos outros níveis.
6. Mergulhar profundamente na vida espiritual mas não reconhecer o plano psicológico, que precisa ser compreendido e dominado.
7. Desejos materiais.
8. Exercer poder sobre os outros depois de alcançar o sucesso.
9. Desligar-se demais das coisas da Terra, o que prejudica o corpo físico.
10. Tentar escapar da Terra, em vez de criar o Céu na Terra.
11. Enxergar as aparências, em vez da verdadeira realidade que está por trás de todas as aparências.
12. Tentar tornar-se Deus, em vez de perceber que você já é o Eu Eterno, como todas as outras pessoas o são.
13. Não perceber que você é a causa de tudo.
14. Servir os outros totalmente antes de se tornar auto-realizado dentro de si mesmo.
15. Pensar que existe algo que se possa chamar de raiva justificada. A raiva é uma armadilha perigosa.
16. Tornar-se um extremista, e não ser moderado em todas as coisas.
17. Pensar que precisa ser asceta para tornar-se um ser espiritual.
18. Tornar-se sisudo demais, deixando de ter alegria, felicidade e diversão suficientes na vida.
19. Ser indisciplinado e deixar de perseverar incessantemente em suas práticas espirituais.
20. Abandonar as práticas e estudos espirituais quando se envolve num relacionamento.
21. Priorizar o relacionamento em detrimento do eu e de Deus. Essa é outra armadilha traiçoeira.
22. Deixar que a criança interior governe a sua vida.
23. Ser crítico demais e duro demais consigo mesmo.
24. Deixar-se enredar pelo *glamour* e ilusão dos poderes psíquicos.
25. Tomar posse de seu poder pessoal, mas não aprender ao mesmo tempo a submeter-se a Deus; ou submeter-se a Deus, mas não aprender a assumir ao mesmo tempo seu poder pessoal.
26. Abrir mão de seu poder pessoal quando estiver fisicamente cansado.
27. Esperar que Deus e os mestres ascensionados resolvam todos os seus problemas.
28. Viver no piloto automático e relaxar a vigilância.
29. Entregar seu poder a entidades que você canalizar.
30. Ler demais e não meditar o bastante.
31. Deixar que a sexualidade o domine, em vez de dominá-la.
32. Identificar-se excessivamente com seu corpo mental ou emocional, sem atingir o equilíbrio.
33. Pensar que precisa ser um canal para outras vozes ou ver ou experimentar toda espécie de fenômenos mediúnicos a fim de se tornar espiritualizado ou ascender.

34. Forçar a elevação da kundalini.
35. Forçar a abertura dos chakras.
36. Pensar que o seu caminho espiritual é o melhor.
37. Julgar as pessoas em função do nível de iniciação que alcançaram.
38. Partilhar seu nível "avançado" de iniciação com outras pessoas.
39. Contar aos outros o "bom trabalho espiritual" que você faz, em vez de simplesmente recolher-se na sua humildade.
40. Pensar que as emoções negativas são algo imprescindível.
41. Isolar-se dos outros e achar que isso é ser espiritualista.
42. Considerar a Terra um lugar terrível.
43. Entregar seu poder à astrologia e à influência das estrelas.
44. Apegar-se demais às coisas.
45. Viver desapegado demais com relação à vida; não se esforçar rumo ao desapego envolvido.
46. Viver preocupado demais com o eu; e não se dedicar o suficiente a servir os outros.
47. Enredar-se nas numerosas teorias equivocadas da psicologia tradicional, pois cada uma delas não passa de uma fina fatia da torta inteira.
48. Ser místico demais ou ocultista demais, e não se esforçar para integrar os dois lados.
49. Desistir em meio a grandes adversidades. Essa é uma das piores armadilhas. Você jamais deve desistir! Jamais deve desistir! Nunca, jamais deve desistir!
50. Achar que o sofrimento que o está incomodando — seja em que nível for — não irá passar.
51. Concentrar-se demais no nível de iniciação que alcançou, ou aguardar com ansiedade exagerada o momento da ascensão, em vez de se preocupar com o trabalho que precisa ser feito.
52. Deixar-se enredar pelos poderes espirituais ou pela obtenção dos Siddhas, em vez de reconhecer que o amor é, dentre todos, o maior poder espiritual.
53. Denegrir outros grupos espiritualistas ou metafísicos, em vez de buscar o trabalho conjunto e a unificação, mesmo que esses grupos não estejam inteiramente sintonizados com todas as suas crenças.
54. Deixar-se enredar no dogma da religião tradicional.
55. Pensar que precisa de um sacerdote que aja como intermediário entre você e Deus.
56. Usar suas crenças espirituais para gerar divisão, elitismo ou uma condição especial indevida.
57. Tornar-se fanático demais por suas crenças.
58. Achar que você pode alcançar a iluminação por meio de drogas ou algum tipo de pílula; essa é a pior forma de ilusão.
59. Achar que outras pessoas não precisam trabalhar no caminho espiritual como você.
60. Priorizar seu relacionamento com os filhos em detrimento das relações consigo mesmo e com Deus.
61. Enredar-se em todas as atrações deste mundo material realmente fascinante.

62. Envolver-se demais no amor a uma só pessoa, em vez de expandir seu amor para englobar muitas pessoas, e todos os outros enfim, num senso incondicional.

63. Enredar-se na dualidade, em vez de buscar equilíbrio mental, paz interior e equanimidade em todos os momentos; se você não transcende a dualidade, continuará vítima da montanha-russa emocional, sacudindo-se de um lado para o outro entre os altos e baixos da vida. A alma e o espírito pensam com uma consciência transcendente, que não tem ligação com essa lufa-lufa cotidiana.

64. Ser pai ou filho, mãe ou filha no relacionamento, em vez de assumir a condição de adulto.

65. Pensar que precisa sofrer na vida.

66. Ser um mártir do caminho espiritual.

67. Precisar controlar os outros.

68. Ter ambição espiritual.

69. Precisar de simpatia, amor ou aprovação.

70. Ter necessidade de ser um mestre.

71. Ser hipersensível ou, no outro lado da moeda, duro demais.

72. Assumir responsabilidades no lugar dos outros.

73. Ser um salvador.

74. Servir por motivos egoístas e pensar que está acumulando mérito espiritual.

75. Pensar que é espiritualmente mais avançado do que realmente o é; por outro lado, pensar que é menos avançado do que realmente o é.

76. Ser famoso.

77. Dar importância indevida à busca da paixão ou da alma gêmea, e não perceber que a alma e a mônada são aquelas que, na verdade, você está procurando prioritariamente.

78. Pensar que precisa de um relacionamento romântico para ser feliz.

79. Precisar ver-se no centro do palco; ou, no outro lado da moeda, preferir sempre se esconder pelos cantos.

80. Trabalhar e esforçar-se demais, exaurindo-se fisicamente; ou, no outro lado da moeda, distrair-se demais e não se ocupar dos assuntos do Pai.

81. Buscar orientação em médiuns e não confiar na própria intuição.

82. Trabalhar, neste plano ou no plano interior, com mestres que não sejam ascensionados e tenham compreensão e concepção limitadas da realidade.

83. Fazer do caminho espiritual um simples interesse, e não o "fogo devorador".

84. Perder tempo demais na frente da tevê, lendo romances fúteis, assistindo a filmes violentos.

85. Gastar quantidades imensas de tempo e energia por falta de organização e administração adequada do tempo.

86. Pensar que discutir com os outros é algo que sirva a você ou a outras pessoas.

87. Tentar vencer ou estar certo, em vez de se esforçar pelo amor.

88. Enfatizar demais a intuição, o intelecto, o sentimento e o instinto, em vez de perceber que tudo isso precisa ser equilibrado e integrado, cada qual na

sua devida proporção; a cilada, aqui, é identificar-se excessivamente com um deles.

89. Devotar-se a um guru que o diminui, em vez de se dedicar ao Eu Eterno que é você mesmo.

90. Tentar permanecer aberto todo o tempo, em vez de saber como abrir e fechar seu campo de acordo com a necessidade.

91. Não saber dizer não às pessoas, à criança interior ou ao ego negativo sempre que for necessário.

92. Pensar que a violência ou qualquer tipo de agressão contra os outros vá lhe trazer aquilo que você deseja, ou que sirva a Deus de algum modo.

93. Culpar a Deus ou irritar-se contra Ele ou contra os mestres ascensionados por causa dos próprios problemas.

94. Quando suas orações não forem atendidas, pensar que Deus e os mestres ascensionados não estão respondendo às suas preces.

95. Comparar-se com outras pessoas, em vez de se comparar com o próprio eu.

96. Pensar que ser pobre é ser espiritualizado.

97. Comparar-se e competir com os outros por causa do nível de iniciação e ascensão.

98. Assumir o papel de vítima diante de outras pessoas ou de seu próprio corpo físico, emocional ou mental; desejos, cinco sentidos, ego negativo, eu inferior.

99. Estudar demais e não manifestar seus conhecimentos no mundo real.

100. Pensar que seu mau humor é a verdadeira realidade de Deus.

101. Pensar que o valor reside em fazer e alcançar coisas.

102. Pensar que você não precisa se proteger espiritual, psicológica e fisicamente.

103. Pensar que *glamour*, ilusão, maya, ego negativo, medo e separação são reais.

104. Usar açúcar, estimulantes artificiais, café e refrigerantes para obter energia física.

105. Tentar fazer tudo sozinho e não pedir a ajuda de Deus; ou, no outro lado da moeda, pedir a ajuda de Deus e não se ajudar a si mesmo.

106. Amar um pouco menos as pessoas porque elas o estão tratando mal ou dando um exemplo negativo de egoísmo; não distinguir a pessoa de seu comportamento.

107. Perder a fé na realidade viva da alma, a mônada, Deus e os mestres ascensionados, e na capacidade que eles têm de ajudá-lo se você perseverar e fizer sua parte.

108. Pensar que outras pessoas podem atingir a ascensão, mas não você, ou pelo menos não nesta vida.

109. Tentar atingir a ascensão para fugir dos problemas.

110. Pensar que a Terra é uma prisão, e não reconhecê-la como um dos sete céus de Deus.

RESUMO

Penso que a lista acima proporciona um bom material para reflexão. O eu inferior, os poderes do glamour, da ilusão e de maya e o ego negativo são por natureza incrivelmente traiçoeiros e ardilosos. Como disse o mestre Yoda, nos filmes da série *Guerra nas Estrelas*, "Não subestime o poder do lado escuro da força". Uma vez emaranhado nele, pode ser bem difícil encontrar a saída. Manter a clareza da mente é algo que exige enorme vigilância, autodisciplina, devotamento e devastadora honestidade. Se o ego não conseguir fazer que você se sinta um subalterno, certamente tentará fazê-lo sentir-se um manda-chuva, idéia ainda mais sedutora.

Tudo o que existe no universo divino é governado por leis — físicas, emocionais, mentais e espirituais. Aprendendo a compreender essas leis e tornando-se obediente a elas, você trilha o caminho da ascensão. Posso assegurar-lhe que essas intuições podem ser úteis para evitar o sofrimento e aprender pela graça.

7

OS RELACIONAMENTOS ROMÂNTICOS VISTOS COM OS OLHOS DA ALMA

*A comunicação representa para o relacionamento
o mesmo que a respiração para o viver.*
Virginia Satir

É bastante importante compreender que os relacionamentos românticos e as relações humanas em geral são bem diferentes quando vistas com os olhos da alma. Para começar, eu gostaria de definir alguns dos termos comumente usados em círculos metafísicos, tais como paixões gêmeas, pares monádicos e almas gêmeas. Há grande confusão quanto ao verdadeiro significado desses termos.

PAIXÕES GÊMEAS

Segundo Djwhal Khul, a relação entre paixões gêmeas é um relacionamento romântico com uma extensão de alma de seu próprio grupo de alma. Cada mônada gera 12 almas e cada alma então gera 12 extensões de alma, que encarnam no universo material. Cada pessoa é uma das 12 extensões de sua alma. Essa relação com outra das extensões é algo que não se verifica muito freqüentemente; na verdade, é uma ocorrência bastante rara. A alma geralmente não gosta que isso aconteça, pois o relacionamento tende a ser uma atração tão forte que as duas pessoas podem se perder uma na outra. É algo que ocorre ocasionalmente, mas não é tão freqüente quanto a maioria das pessoas fantasia.

PARES MONÁDICOS

Pares monádicos são ocorrências mais comuns. Trata-se da relação com uma das outras 144 extensões de alma da mônada. A mônada cria 12 almas, que por sua vez geram cada uma 12 extensões de alma, ou personalidades, que encarnam no mundo material. O número total de extensões de alma das 12 almas de sua mônada, portanto, é 144.

Djwhal Khul contou-me num sonho que eu e minha mulher, Terri, somos da mesma mônada. (Não somos da mesma alma.) Também nos foi dito que somos as duas únicas extensões da alma de nossa mônada a viver na Terra neste período.

Isso suscita algo importante. O fato de a mônada ter 144 extensões de alma não significa que todas estão encarnadas no planeta Terra. Há milhões de outros planetas na nossa galáxia, e em outras galáxias também, todos eles possíveis locais de encarnação. É preciso, aqui, que você expanda seus horizontes.

É também importante entender que quando você está na terceira iniciação, a alma começa a chamar suas extensões de alma de volta ao mundo espiritual, para poder concentrar-se em suas extensões espiritualmente mais avançadas.

Foi-nos dito, a mim e à minha mulher, que três quartos de nossas extensões de alma já estavam de volta ao mundo espiritual. Isso não significa que já estejam altamente desenvolvidas, mas, ao contrário, que provavelmente não são as mais avançadas, no sentido espiritual. Se três quartos não estão encarnadas, aproximadamente 36 ainda estão encarnadas, e muitas delas estão nas Plêiades e em outros planetas que desconheço. Assim mesmo, encontrar um par monádico é algo que não acontece com freqüência.

É ainda importante perceber que mesmo encontrando uma paixão gêmea ou par monádico, isso não garante um relacionamento romântico muito intenso. Um "par" como esse pode ser formado por duas pessoas inteiramente opostas em todos os aspectos. A única garantia é de uma ligação muito forte de um com o outro. A ligação é espiritual, e não necessariamente uma que funcione num plano psicológico ou físico.

Portanto, você não precisa se preocupar em tentar achar a sua paixão gêmea ou par monádico. Se isso acontecer, tudo bem, mas não é algo que se deva procurar. O que você realmente deve procurar é a pessoa correta; as informações ocultas sobre essa pessoa se revelarão por si mesmas. É impressionante o número de pessoas que se enredam na busca de sua paixão gêmea. Elas podem, na verdade, estar desprezando parceiros maravilhosos, que estão bem diante delas.

ALMAS GÊMEAS

Um relacionamento de almas gêmeas é aquele em que você está envolvido com alguém com o qual você tem uma ligação espiritual. Essa ligação pode ou não decorrer de vidas interiores, que os dois passaram juntos. O que caracteriza realmente a relação é que as almas dos dois estão ligadas. Uma pessoa pode ser a alma gêmea de outra com quem não trava um relacionamento romântico. Eu tenho uma ligação de alma gêmea com minha irmã e até mesmo com minha mãe.

É bastante importante ter esse tipo de amizade, especialmente se você não estiver romanticamente envolvido. Muita gente tem belas ligações de alma gêmea com um gato ou com um cachorro. Os bichos de estimação atuam como uma espécie de pólo ou ponto de equilíbrio. Quando você está só, sem um relacionamento, é bom ter um animal com esse objetivo. O animal pode atuar também como degrau intermediário no processo de manifestação de um relacionamento.

OUTROS TIPOS DE RELACIONAMENTOS

A quarta categoria de relacionamentos engloba relações com pessoas com quem você partilha muitas coisas bonitas, mas nas quais não existe uma ligação no plano da alma. As pessoas que vivem esse tipo de relacionamento e que são orientadas a permanecer nele, mesmo não sendo uma relação que envolva almas gêmeas, devem saber que isso é perfeitamente normal. Será importante, porém, manter amizade com almas gêmeas.

OS DOIS RELACIONAMENTOS MAIS IMPORTANTES

O relacionamento mais importante de sua vida não é o que você mantém com o seu parceiro. As relações mais importantes da vida são as que a pessoa mantém consigo mesma e com Deus. A primeira e mais importante é a que você mantém consigo mesmo. Se você não age corretamente consigo mesmo, certamente irá projetar esse relacionamento errado em tudo o mais na vida, incluindo Deus. Na realidade, o eu e Deus são a mesma coisa. Porém, antes de poder realizar plena e verdadeiramente esse conceito, é preciso agir corretamente consigo mesmo.

O relacionamento com o parceiro vem em terceiro lugar. Se isso não ficar claro, você certamente irá passar por algum tipo de sofrimento. O perigo aqui é buscar completar-se em outra pessoa, em vez de procurar sentir-se completo consigo mesmo e com Deus. Não fazendo isso, você transforma seu relacionamento numa espécie de vício amoroso.

A INICIAÇÃO ABRAÂMICA

A iniciação abraâmica é aquela que você deve buscar caso pretenda evoluir nesta vida. Tem a ver com a história que o Antigo Testamento relata sobre Abraão (El Morya), homem que queria desesperadamente um filho. Ele e sua mulher tinham algo como 80 ou 90 anos quando Deus os abençoou com um filho, que recebeu o nome de Isaac.

Com o nascimento do filho, Abraão começou a passar todo o tempo com Isaac, esquecendo-se de Deus. Essa situação perdurou por um tempo bastante longo, até que, finalmente, num momento de silêncio, Deus falou a Abraão com voz imperiosa, dizendo-lhe que teria de sacrificar seu único filho em holocausto. Abraão disse: "O quê? Meu único filho?" E Deus lhe respondeu: "Você ouviu a minha ordem. Obedeça-me."

Abraão viveu em total conflito durante três dias. Finalmente decidiu que Deus tinha precedência sobre seu filho. Levou Isaac ao altar sobre a montanha, pegou sua faca e estava prestes a desferir o golpe mortal no menino quando um anjo apareceu, segurou-lhe o braço e disse: "Não estendas a mão contra o menino! Não lhe faças nenhum mal! Agora sei que temes a Deus, pois tu não me recusaste teu único filho" (Gên 22).

Qual é o significado espiritual dessa história? O que é que você precisa colocar sobre o altar de Deus? O que é que você põe à frente de Deus e do caminho espiritual? Algumas das possibilidades são um filho, um relacionamento, drogas, álcool, açúcar, cigarro, comida, sexo, poder, fama, dinheiro, coisas materiais, segurança e por aí afora. Pois os dez mandamentos não proibiram a adoração de ídolos e falsos deuses? Tudo o que você coloca por primeiro na vida, esse é o Deus que você adora.

Para ser capaz de superar a quarta iniciação, você precisa renunciar a tudo o que não faz parte do propósito da alma; isso significa abrir mão totalmente dos apegos e vícios. Você não está adorando falsos deuses? Se pretende acelerar seu crescimento espiritual, precisa colocá-los sobre o altar de Deus. Muitas dessas coisas ainda permanecerão na sua vida, mas então estarão nos devidos lugares. Trilhar o caminho espiritual significa viver neste mundo mas não ser deste mundo. Podemos chamar isso também de "desapego envolvido".

A VISÃO DA ALMA SOBRE A AUTO-ESTIMA

Se você não ama o seu próprio eu, não é possível ter um relacionamento amoroso sadio com outra pessoa. O ideal é que você ame sua criança interior, sentindo e recebendo o amor de Deus. Se isso não é firmado de antemão, você acaba buscando amor, valor, aprovação e aceitação em outra pessoa.

A VISÃO DA ALMA SOBRE A FELICIDADE NOS RELACIONAMENTOS

Felicidade é um estado mental, não o estado de um relacionamento romântico. É preciso entender a felicidade como algo que você tem todo o tempo, independentemente daquilo que o seu parceiro faz. Não se deve jogar a responsabilidade da própria felicidade sobre os ombros do parceiro. Isso é responsabilidade de cada um.

Essa lição está relacionada com o fato de você ter preferências ou apegos acerca daquilo que o parceiro faz. Se você tem preferências, pode ser feliz independentemente de tudo o mais. Mas se tem apegos, às vezes se sentirá como um perdedor.

A VISÃO DA ALMA SOBRE O AMOR

Para a alma, só existe um tipo de amor: o incondicional. Segundo o ponto de vista da alma, jamais é aceitável agredir o parceiro. Você não deve esquecer nunca que o parceiro, na verdade, é Deus que o visita em forma física. Agredir o parceiro, ou qualquer pessoa, é agredir a Deus e, portanto, a si mesmo. Você pode ser honesto e partilhar seus sentimentos, desde que os partilhe de uma forma amorosa e respeitosa. O parceiro merece respeito, ainda que seu comportamento não o mereça.

A VISÃO DA ALMA SOBRE A COMUNICAÇÃO

O ponto de vista da alma a respeito da comunicação pode ser resumido numa citação da famosa terapeuta familiar Virginia Satir: "A comunicação representa para o relacionamento o mesmo que a respiração para a vida." Você precisa comunicar ao parceiro o que está sentindo, senão seguramente o relacionamento não dará certo.

A VISÃO DA ALMA SOBRE RELACIONAMENTOS HOMOSSEXUAIS

Do ponto de vista da alma, não existe absolutamente nenhum tipo de julgamento quanto aos relacionamentos homossexuais. Não são pecaminosos, como alguns ensinamentos religiosos tradicionais querem fazer crer. Não existe explicação do motivo por que os homossexuais sentem o que sentem, e na verdade isso não importa. O que importa mesmo é observar a seguinte máxima: "Acima de tudo o mais, sê verdadeiro contigo mesmo." É perfeitamente aceitável e normal, aos olhos de Deus, escolher esse caminho. Àqueles que têm dificuldade para aceitar isso, sugiro que meditem cuidadosamente na afirmação de Jesus: "Não julgueis para não serdes julgados."

A VISÃO DA ALMA SOBRE A SEXUALIDADE

Do ponto de vista da alma, a sexualidade é bela e divina. E pode ser usada a serviço do ego e do eu inferior, ou então da alma e de Deus.

O ego usa a sexualidade para tratar as outras pessoas como um pedaço de carne, não reconhecendo a alma dentro daquele corpo. O ego a utiliza com objetivos mesquinhos, buscando a própria satisfação. A alma quer que você use a sexualidade como um meio de comunicar amor e intimidade no plano físico. Quer que você a utilize com vistas ao prazer mútuo, e não apenas ao prazer egoísta. A alma também quer que você use a sexualidade com moderação, reconhecendo que a sexualidade é somente uma forma de energia relacionada com o segundo chakra. Essa mesma energia pode ser elevada aos outros chakras, com objetivos ligados ao amor, à criatividade, à comunicação, à intuição espiritual e à teo-realização.

As práticas tântricas são um caminho que possibilita o uso espiritual da sexualidade, a arte de ao mesmo tempo fazer amor e sublimar a energia numa espécie de meditação. Você não deve deixar que o eu inferior concupiscente governe a sua vida nesse particular; ao contrário, seja você mesmo o senhor da sua sexualidade, colocando-a a serviço do amor e da fusão da alma.

A VISÃO DA ALMA SOBRE O RELACIONAMENTO IDEAL

O relacionamento ideal é aquele no qual ambos os indivíduos têm relações corretas consigo mesmos e com Deus. As duas pessoas estão sãs e completas em si mesmas. São ambas a causa de suas próprias realidades, e não as vítimas. Ambos os indivíduos colocam em primeiro lugar o caminho espiritual. A razão de estarem juntos é que, assim, podem crescer mais rápido, sentindo mais amor e alegria ao partilhar o caminho. Os dois juntos podem ser de grande valia ao plano sagrado de Deus para a humanidade.

A VISÃO DA ALMA SOBRE PARCEIROS COMO MESTRES

Seu parceiro é mestre em tudo o que faz. Mesmo quando se comporta erroneamente, está lhe dando a oportunidade de praticar a consciência do Cristo e demonstrar qualidades que sua alma quer que você desenvolva. Você é constantemente ensinado a tomar conta de seu poder, a ser amoroso, a perdoar, praticando a humildade, oferecendo a outra face, sendo a causa das próprias emoções. Nos relacionamentos, as pessoas recebem constantemente ensinamentos sobre paciência, proteção emocional, honestidade, comunicação correta, desapego, altruísmo, amor incondicional, considerando as experiências como lições, permanecendo centrado em si mesmo e assim por diante.

Não esqueça jamais que você realiza ou deixa de realizar Deus pela maneira como responde a todas as situações da vida, momento a momento. Vivendo numa caverna, é fácil permanecer na consciência do Cristo. Mas será que você pode permanecer na consciência crística mesmo mantendo um relacionamento, vivendo numa grande cidade — no mundo dos negócios, como diria Jesus?

A VISÃO DA ALMA SOBRE O DIVÓRCIO

Divórcio não é pecado. Às vezes o divórcio é a melhor coisa do mundo: depende da situação. Muitas vezes meus serviços como psicólogo espiritualista foram usados para ajudar as pessoas a se separarem, embora elas não tenham percebido isso quando vieram me procurar. Porém, você jamais deve romper um relacionamento antes de assimilar as lições dessa experiência a dois. Caso contrário, provavelmente, você terá de passar de novo pelas mesmas situações num novo relacionamento. Será um outro corpo físico, outra extensão de alma e personalidade, mas a mesma psicodinâmica.

A ALMA E O EQUILÍBRIO DOS QUATRO CORPOS NUM RELACIONAMENTO

Vivendo dentro do sistema de quatro corpos — físico, emocional, mental e espiritual —, é essencial estar ciente do corpo com que você se identifica predominantemente, e também da identificação predominante do parceiro. Muitos problemas potenciais podem ser resolvidos pela compreensão disso. É muito importante evitar insistir na superioridade do tipo de corpo a que você dá prioridade.

A psicodinâmica mais comum é a identificação da mulher com seu corpo emocional e do homem com seu corpo mental, embora haja exceções. A identificação com o corpo espiritual pode mitigar essa disparidade. Porém, o homem precisa aprender a aceitar os sentimentos da mulher, que, por sua vez, precisa aceitar também a característica intelectual do homem. O relacionamento é um excelente artifício para ensinar as pessoas a se tornarem mais completas.

A VISÃO DA ALMA SOBRE JULGAMENTO E PROTEÇÃO NUM RELACIONAMENTO ROMÂNTICO

É essencial que ambos os parceiros aprendam a não julgar um ao outro. Não há problema em fazer comentários afetuosos; mas cuidado com julgamentos ou humilhações! Se o seu parceiro resolve julgá-lo, você precisa manter ativa a bolha de proteção, deixando que a negatividade dele passe sem deixar seqüelas.

É importante que você aprenda a não deixar que seu parceiro seja (ou não pensar que o parceiro é) a causa da sua própria realidade. Você precisa aprender a ser a causa de seus próprios sentimentos e a não deixar que o parceiro seja a causa desses sentimentos. Você mesmo é quem cria a sua realidade, você mesmo é o programador da sua mente subconsciente, ainda que esteja casado ou envolvido num relacionamento romântico. Em primeiro lugar, sempre, devem vir os relacionamentos consigo mesmo e com Deus.

A VISÃO DA ALMA SOBRE OS RELACIONAMENTOS PAI-FILHA/MÃE-FILHO

Quando você deixa de trabalhar internamente para firmar relacionamentos corretos consigo mesmo e com Deus, acaba formando relações do tipo pai-filha ou mãe-filho. O ideal é moldar relacionamentos mutuamente independentes, de adulto para adulto, e não relações dependentes.

Se primeiro você não se sentir completo interiormente nem encontrar sua unicidade com Deus, então acabará buscando essas coisas no parceiro. Isso provoca a união de duas metades, e não de duas pessoas completas. Não existe aqui julgamento, mas somente uma lição que você deve assimilar.

Se psicologicamente você é uma filha ou um filho, então, pelas leis da energia, irá atrair pessoas que querem ser mães ou pais dentro do relacionamento. Se psicologicamente você é um pai ou uma mãe, o único tipo de pessoas que poderá atrair são as filhas ou filhos psicológicos.

Caso você seja saudável e completo em si mesmo e uno com Deus, irá atrair uma pessoa completa, que percebe a própria unicidade com Deus. Muitas pessoas buscam desesperadamente um relacionamento. O problema é que, em muitos casos, um relacionamento externo é a última coisa que elas necessitam; o que realmente precisam é um melhor relacionamento consigo mesmas e com Deus.

VOCÊ NÃO PRECISA DE UM RELACIONAMENTO

Você não precisa de um relacionamento na vida para ser bem-sucedido e feliz, e para conhecer a Deus. A atitude correta é fazer disso um desejo, não uma necessidade; uma preferência superforte, não um apego. Portanto, caso não o encontre, ainda assim você pode ser feliz.

Se a sua felicidade depende de encontrar um relacionamento, e não de seu eu interior e de Deus, então você está adorando um falso deus. Tudo o que você põe em primeiro lugar na vida, isso é o que você adora. Mas não está escrito na Bíblia que não se devem adorar falsos deuses?

Não existe problema em buscar um relacionamento, e mesmo em orar pedindo a ajuda de Deus para encontrá-lo; porém, caso não o encontre, você pode ser feliz assim mesmo. O paradoxo da vida é que, quando você verdadeiramente abre mão e aceita sua felicidade plena, com ou sem um relacionamento, é então que geralmente o encontra.

A chave para achar o seu verdadeiro par, na minha opinião, é concentrar-se totalmente no caminho espiritual e no serviço à humanidade. Um total compromisso com Deus e com o seu caminho espiritual atrairá a você o parceiro espiritual ideal.

SINCERIDADE, CONFIANÇA, COMPROMISSO

É da maior importância manter-se sincero em todos os momentos de uma relação. Para ser sincero com o parceiro, é preciso primeiro ser sincero consigo mesmo. O relacionamento é como um jardim de belas flores que também tenha ervas daninhas. Se as ervas daninhas não são arrancadas constantemente, podem tomar conta do jardim e destruir as flores.

A falta de sinceridade pode provocar uma crise de confiança e comunicação. É uma violação do compromisso que você firmou com o parceiro. O verdadeiro compromisso não é somente ser monogâmico, mas também comprometer-se a lidar com as questões que forem surgindo. Cumprir o compromisso é partilhar seus sentimentos a respeito das coisas que o incomodam, em vez de afastar-se e retrair-se, julgando, ou romper o relacionamento. O verdadeiro compromisso implica ser sincero sobre o que acontece dentro de você mesmo. Você deve esse comportamento ao parceiro, a si mesmo e a Deus.

A VISÃO DA ALMA SOBRE AS BATALHAS ENTRE EGOS

Em todos as relações, há momentos em que o seu ego ou eu inferior é instigado, possibilitando o surgimento de batalhas entre egos. O ponto de vista da alma nesse caso (e isso pode ser uma surpresa) é calar. Quando um casal se deixa enredar pelo ego, só o que acontece é um magoar o outro emocionalmente. Os dois dizem coisas que de fato não querem dizer, numa tentativa vã de revide.

O jogo do ego negativo não é o amor, mas ver quem está "certo". É fundamental que você pergunte a si mesmo se quer estar certo ou demonstrar amor. É impossível fazer as duas coisas. Se você quer amor, então precisa livrar-se do ego. Quando ambos os parceiros se deixam dominar pelo ego, às vezes a melhor coisa a fazer é buscar isolar-se e acalmar-se, encontrar novamente o equilíbrio e harmonizar-se com o eu e com Deus. Só então você pode retomar a comunicação.

Uma das coisas que eu e minha mulher fazemos, e que se mostrou extraordinariamente útil, é dar as mãos, olhar um nos olhos do outro e invocar nossa alma e nossa mônada antes de começar a conversar. Imaginem um grande tubo que se estenda para cima a partir do alto da sua cabeça, penetrando o mundo espiritual. Convidem sua alma ou mônada (ou um santo ou mestre ascensionado específico) a pousar no alto de sua cabeça, no seu terceiro olho ou mesmo no chakra do coração. Assim que sentirem essa ligação dentro de si, os dois podem se comunicar um com o outro nesse estado de consciência, que é, claro, totalmente oposto ao ego negativo.

Essa técnica simples é o meio mais importante que eu e minha mulher temos usado para firmar nosso relacionamento num padrão voltado para a alma e para a mônada.

A ALMA E A ASSIMILAÇÃO DAS LIÇÕES

Uma das lições fundamentais dos relacionamentos é concentrar-se em suas próprias lições, e não naquelas que você julga que seu parceiro precisa aprender. Muitas pessoas se preocupam tanto com todas as lições que o parceiro não está assimilando que acabam deixando de aprender as próprias. Acho que, nesse particular, minha frase favorita de Jesus em toda a Bíblia é a seguinte: "Por que reparas no cisco que está no olho do teu irmão, quando não percebes a trave que está no teu?" (Mt 7:3). Você não é responsável pelas lições do parceiro, mas somente por suas próprias lições.

A ALMA E A DOENÇA PSICOLÓGICA

Se o seu parceiro está fisicamente doente, você obviamente não vai querer pegar a doença. Faz todo o possível para aumentar sua resistência: toma vitamina C, dorme bastante, exercita-se, toma banhos de sol, mantém uma atitude mental positiva, e acaba não pegando a doença. Não existem doenças contagiosas. O que existe são pessoas com baixa resistência.

O mesmo se aplica ao plano psicológico. Se o parceiro tem uma "doença" psicológica — tendência a julgar, raiva, depressão, preocupação, falta de amor-próprio, falta de fé, insegurança —, o ideal é que você não pegue a doença, mas mantenha uma firme resistência psicológica. Consegue-se isso mantendo uma postura de poder pessoal e auto-estima, usando a bolha de proteção, lançando mão de uma atitude positiva, da meditação, da oração, de leituras espirituais, da elaboração de um diário, de exercícios físicos e de um bom regime alimentar. Se você conserva essa resistência psicológica, a energia negativa não se intromete na sua programação subconsciente. Você estabelece um exemplo e, portanto, ajuda o outro a sair do desequilíbrio.

Caso contrário, você pode pegar a doença psicológica. O mundo é como um hospital controlado pelos pacientes: o propósito da vida é ser um curador e mestre divino, para poder estabelecer um bom exemplo.

A ALMA E OS DIFERENTES PONTOS DE VISTA

É impossível que duas pessoas vejam as mesmas coisas da mesma maneira o tempo todo. Lembre que você vê com a mente, e não apenas com os olhos. Vê por meio dos sistemas de crença, pois são os pensamentos que criam a realidade. Quando você e seu parceiro discordam quanto à percepção de uma situação qualquer, o ideal é não permitir que isso crie divisão, mas sim concordar em discordar, mantendo o amor e a união. Isso é possível desde que você não deixe o ego se intrometer. Que belo campo de provas não é o relacionamento, capaz de ajudá-lo a livrar-se de seu ego!

A ALMA E O RELACIONAMENTO COM OS PAIS

É ponto da maior importância resolver o seu relacionamento com os pais. Se não o faz, acaba projetando questões mal resolvidas sobre o parceiro. A solução implica a recuperação do seu poder, reencontrando o amor ao eu e a Deus e perdoando seus pais, amando-os incondicionalmente, em vez de culpá-los ou julgá-los pela forma como o criaram. Eles lhe proporcionaram exatamente as lições que você precisava aprender. É bom lembrar que foi a sua alma que escolheu esses pais.

A ALMA E O "FENÔMENO DOS ELEVADORES DESCOMPASSADOS"

Há um problema nos relacionamentos que denomino "fenômeno dos elevadores descompassados". Ele ocorre quando uma pessoa cresce espiritual e psicologicamente num ritmo muito mais rápido que a outra. Até certo ponto, isso não causa problemas, mas se a diferença na velocidade dos elevadores fica grande demais, o relacionamento corre perigo.

Nos relacionamentos, é muito freqüente um dos parceiros estar desenvolvido numa área e o outro numa área oposta. Isso é bom contanto que haja algum tipo de equilíbrio. Se a separação se tornar forte demais, porém, o relacionamento pode já não valer a pena, especialmente se está retardando um dos dois.

O CONTRATO DO RELACIONAMENTO ESPIRITUAL

Às vezes, quando muita água já passou debaixo da ponte, pode ser bastante útil os dois escreverem juntos um contrato de relacionamento espiritual para a renovação do relacionamento. Isso pode ser feito só entre os dois, ou com a ajuda de um conselheiro experiente ou de um amigo.

A idéia é fazer uma lista das lições que estão sendo aprendidas tanto individual quanto coletivamente no relacionamento, examinando como estão afetando o vínculo amoroso. Relacione os princípios, meios e idéias com que estão comprometidos a trabalhar. Ao colocar tudo isso no papel, o casal imprime um efeito indelével nas mentes subconsciente e consciente.

Depois de redigir o contrato, os dois parceiros o assinam e executam algum tipo de ritual espiritual, talvez queimando uma cópia ou colocando-a sobre um altar. Nisso vocês podem ser criativos. Eu sugiro uma segunda lua-de-mel e a reafirmação do romance. É essencial que as duas pessoas vivam à altura dos compromissos firmados no contrato.

8

RECURSOS USADOS PARA CURAR AS EMOÇÕES

*Existem somente duas emoções: amor e medo
Escolhei a qual delas servireis.*
A Course in Miracles

As atitudes geram os sentimentos. Com a mente do ego, você gera sentimentos fundados no medo; com uma atitude espiritual, gera sentimentos fundados no amor. Você tem a capacidade de escolher a forma como se sente, pois são os seus pensamentos e atitudes que causam as emoções.

Criei um processo de seis passos para ajudá-lo a tornar clara essa escolha. Esse processo é especialmente útil quando você, sentindo-se irritado num relacionamento ou em outra circunstância da vida, tem dificuldade para identificar a razão do que está acontecendo:

PROCESSO DE SEIS PASSOS PARA ESPIRITUALIZAR O EU EMOCIONAL

Primeiro passo: Descreva o incidente por escrito. Pode ser um engarrafamento na estrada ou o parceiro que gritou com você. O primeiro passo é só anotar objetivamente o que aconteceu.

Segundo passo: Descreva por escrito e objetivamente sua reação ao incidente ou à pessoa. Por exemplo, sua reação ao engarrafamento pode ter sido impaciência e aborrecimento. Sua reação ao parceiro pode ter sido uma postura defensiva e raiva. Apenas descreva objetivamente como você reagiu, se foi uma reação apropriada ou não.

Terceiro passo: Este é o passo fundamental. Decida-se a encarar o incidente como se fosse o seu mestre. Ele lhe está ensinando uma lição que você precisa aprender; é um instrumento que Deus usa para lhe dar a oportunidade de crescer espiritualmente. Sua reação negativa sempre deriva do fato de não encarar a situação como um ensinamento, uma oportunidade de crescimento. O engarrafamento é o seu mestre. A raiva do parceiro é seu mestre.

Quarto passo: Faça uma lista de todas as qualidades psicológicas e espirituais que você está tendo a oportunidade de aprender. No exemplo do engarrafamento, talvez você esteja aprendendo a ser paciente; ou a ter preferências em vez de apegos; ou a encarar o que acontece como lições; ou a submeter-se.

Talvez a primeira coisa que o incidente lhe ensine seja como não se portar. Algumas pessoas dão bons exemplos; outras dão maus exemplos; você pode aprender com as duas. Você tem a sensação de ser objeto da raiva de alguém, portanto seu parceiro lhe ensina a não fazer o mesmo. Outras lições possíveis são permanecer centrado em si mesmo; tomar posse do seu poder pessoal; manter ativa a bolha de proteção, para que a reação "manda-chuva" do parceiro não lhe traga prejuízos; ser a causa das próprias emoções, não deixando que o parceiro provoque essas emoções; evitar deixar que o parceiro o coloque na posição de subalterno; comunicar-se com o outro de maneira firme e amorosa, e não de modo defensivo e agressivo; debater em vez de brigar; responder em vez de reagir; ser mestre, e não vítima; dar apoio a si próprio; aprender a fazer boas escolhas com relação a quando falar e a quando calar; buscar primeiramente amor e valor em si mesmo e em Deus, em vez de procurá-los primeiro no parceiro; evitar pegar a doença psicológica do outro, e agir como médico em vez de tornar-se paciente; ser espiritualista, e não egoísta; encarar as circunstâncias como lições; desapego, objetividade; perdão, amor incondicional; preferências, desapego; invulnerabilidade; transcendência do ego; paciência; como dar um bom exemplo.

Manter relacionamentos corretos consigo mesmo e com Deus é de importância primordial, e deve vir antes mesmo de seu relacionamento com o parceiro.

Sugiro que você use essa lista de qualidades ao examinar futuras lições. Muitas das lições já constarão da lista, lições que são repetidas vezes sem conta.

Quinto passo: Depois de fazer uma lista de todas as maravilhosas lições que você aprendeu, mentalmente ou em pessoa agradeça ao outro a oportunidade de absorver esses ensinamentos, abençoando-o. Tome a firme resolução de, quando for testado novamente no dia, semana ou mês seguinte, estar mentalmente forte e preparado para responder adequadamente. É importante que você se dê conta de que será testado novamente, ou pela mesma pessoa ou incidente, ou por um novo incidente — mas a lição será semelhante.

Sexto passo: Caso você tenha realmente aprendido com a experiência, jamais será obrigado a ter de novo esses sentimentos negativos.

Use esse processo de seis passos para dominar os seus sentimentos sempre que se vir numa situação emocional emaranhada. Colocar as idéias no papel é algo que o ajuda a enxergar mais claramente o que está acontecendo.

CATARSE E IDENTIFICAÇÃO COM EMOÇÕES NEGATIVAS

Esse processo de seis passos para dominar as emoções e a discussão anterior sobre a cura pela atitude podem ser considerados métodos masculinos, yang ou de desidentificação para lidar com as emoções. Eles são o oposto dos métodos femininos, yin ou de identificação, que apresento abaixo.

Certamente, você vai preferir se identificar continuamente com suas emoções espiritualizadas de amor, alegria e felicidade, mas eu acho que há situações adequadas para também se identificar com sentimentos negativos e expressá-los.

O MÉTODO DA LIBERAÇÃO

Lidar com emoções é uma habilidade que se pode comparar ao potencial de andar sobre a água: embora você saiba que não é um ser limitado, colocar esse conceito em prática é outra história. O mesmo vale para a manipulação dos sentimentos. Você sabe qual é a maneira ideal de pensar, mas colocá-la em prática em todas as áreas da vida exige muito esforço, assim como pôr o corpo físico em forma, livre de toxinas, exige trabalho e autodisciplina.

Emoções egoístas e fundadas no medo surgem especialmente durante períodos de crise. E o que é que você faz com todos esses sentimentos? A primeira coisa a fazer é tentar curar-se pelas próprias atitudes, usando o processo de seis passos, apresentado acima, para dominar as emoções. Isso, sem dúvida, será de grande valia.

Mas o que acontece se continuam aparecendo muitas emoções negativas? Eu vejo duas alternativas: você pode sufocá-las ou identificar-se com elas e expressá-las. Às vezes é extremamente importante optar pela primeira alternativa. Por exemplo, às vezes você está no trabalho, no supermercado ou no banco, e simplesmente não é certo chorar rios de lágrimas ou gritar. Esse é o momento de assumir o seu próprio poder, pôr em prática o autocontrole e sufocar temporariamente suas emoções, até que surja um momento mais apropriado para lidar com elas.

Depois é a vez da segunda alternativa. Ao chegar em casa, no carro ou em outro lugar seguro, você pode desabafar. Em outras palavras, pode expressar seus sentimentos, sejam bons ou maus. Algumas vezes, quando você se sente vencido ou simplesmente já não tem o controle da situação, tanto no plano da mente como no das atitudes, é realmente necessário recorrer a esse tipo de desabafo.

Do ponto de vista espiritual, é importante escolher o tempo e o local apropriados para a catarse, a fim de evitar magoar a si mesmo ou outras pessoas no processo. Digamos, por exemplo, que você esteja sentindo muita raiva e precise de fato pôr para fora essa emoção. Em vez de descarregá-la nos filhos, nos colegas de trabalho ou no parceiro, você pode gritar dentro do carro ou pegar um bastão de beisebol e espancar o travesseiro na cama, ou ainda esmurrar um saco de areia. Uma boa catarse faz que você libere e descarregue muitos sentimentos negativos. A catarse também pode gerar transformações, intuições e compreensão.

Contanto que você já esteja descansado, a melhor coisa a fazer depois da catarse é escrever no diário para possibilitar a cura pela atitude. A nuvem carregada já terá passado, e assim sua mente estará bem mais clara e capaz de fazer uma boa reprogramação das atitudes, abrindo-se também às intuições e ao entendimento que podem advir do processo de escrita.

MÉTODO DA ENTREGA

O segundo método yin ou de identificação para lidar com as emoções negativas é zerar o cronômetro e criar um intervalo de tempo para se entregar completamente. Talvez você esteja realmente, por exemplo, sentindo pena de si mesmo. Parece impossível resolver esse problema tomando certas atitudes, por desidentificação ou através de outros métodos masculinos; então marque 30 minutos no relógio e mergulhe totalmente na autocomiseração. Vá fundo. Grite, chore, fique furioso e realmente se entregue. Descarregue tudo! Quando se esgotar o tempo preestabelecido, pare. Depois se ocupe das obras de Deus.

Você provavelmente já usa esse método de vez em quando. Pode usá-lo com a comida, devorando aquela sobremesa e depois dizendo: "Amanhã de manhã vou me encher de coragem e começar a fazer um regime." Às vezes você simplesmente não tem força ou energia suficiente naquele momento e, quem sabe, essa opção seja adequada. O importante é não deixar que o mau humor o domine sem tomar nenhuma atitude.

O MÉTODO DA ACEITAÇÃO

O terceiro método é simplesmente suportar a tensão dos sentimentos negativos que está experimentando. Talvez você já tenha tentado curar-se com atitudes, mas ainda não tenha sido capaz de superar os sentimentos negativos que o afetam. Com esse método, você apenas concorda com o fato de que eles o estão incomodando, mas não lhes concede o poder da mente consciente.

Você então se dá conta de que a cura é um processo. Assim como a cura de uma doença física, a cura emocional também exige tempo. Se você quebra uma perna, a vida continua e seu corpo continua funcionando. O mesmo vale para o plano emocional. Você pode estar sofrendo uma grande dor emocional, mas tem de continuar funcionando eficientemente na vida diária. Nesse estado, as mentes consciente, subconsciente e superconsciente não estão em consonância; é preciso suportar a tensão até que elas todas estejam alinhadas emocionalmente.

Às vezes, se você não estiver pondo em prática essa filosofia, você simplesmente convive com o sofrimento emocional durante longo tempo. Quanto maior o grau de apego, mais severa será a lição.

Suponha que você vá dar uma importante palestra para duas mil pessoas na semana que vem, mas esteja se sentindo nervoso e inquieto. Por mais que tente, parece que você não consegue se livrar do medo. O método indicado talvez seja simplesmente aceitar o medo, mas deixar claro que você não vai deixar que esse sentimento o desequilibre e arruíne a palestra. Você então suporta a tensão e dá a palestra, ainda que conviva com o nervosismo diante da platéia durante todo o tempo. É como alguém que é obrigado a conviver com uma dor física. Ele a aceita e pára de lutar contra ela, mas não abre mão de seu poder nem permite que o fato arruíne a sua vida.

O MÉTODO SECUNDÁRIO DE COMUNICAÇÃO

O quarto método de identificação trata da manipulação de sentimentos negativos em relacionamentos. Quando começam a surgir sentimentos negativos no relacionamento com o seu parceiro, a melhor coisa a fazer é isolar-se um pouco e tentar entrar em sintonia consigo mesmo e com Deus. Ou seja, tentar equilibrar-se para conseguir uma visão correta das coisas.

Muitas vezes, porém, não há tempo para tanto ou, mesmo que haja, ainda assim você não consegue resolver todos os sentimentos negativos que está experimentando. O apropriado aqui, do ponto de vista espiritual, é lançar mão daquilo que se denomina "método secundário de comunicação".

O método primário é aquele em que você se comunica livre da influência do ego. O método secundário de comunicação é aquele em que você partilha os sentimentos negativos e egoístas com o parceiro, de uma maneira responsável, calma, racional e afetuosa. Em outras palavras, você partilha suas mágoas ou ressentimentos de um modo amoroso, dizendo ao parceiro que você tem consciência de que cria os próprios sentimentos, que está assumindo a responsabilidade pela sua própria realidade e que está se comunicando de um modo afetuoso, não agressivo, para que o parceiro não se sinta ameaçado.

Você diz ao parceiro que está partilhando os sentimentos negativos na esperança de que, juntos, vocês dois possam ajudar um ao outro a ter lucidez dentro de si mesmos e no relacionamento. Às vezes o parceiro pode ajudá-lo a resolver suas atitudes e sentimentos, enquanto, trabalhando sozinho no diário, você não conseguia sair do lugar. É fundamental conhecer esse método de comunicação, pois é literalmente impossível manter a lucidez da mente em todos os momentos da vida.

Seu parceiro provavelmente ficará bastante impressionado pelo fato de você assumir a responsabilidade e não culpá-lo, comunicando-se de maneira afetuosa, respeitosa.

Se você acha que seus sentimentos são uma dádiva de Deus à humanidade e que a maneira correta de viver é fazer tudo o que esses sentimentos lhe ordenam, em minha opinião você se comporta de forma irresponsável. Os sentimentos nascem das atitudes. Se as atitudes são egoístas, então todas as emoções serão egoístas, baseadas no medo e na agressão. Se você deixa que os sentimentos dominem a sua vida, o que acontece se sentir vontade de esmurrar alguém ou roubar algo, ou ainda xingar uma pessoa? Por acaso essa é uma maneira responsável de viver? É assim que Deus gostaria que os homens vivessem nesta Terra? Não se deixe seduzir por essa falsa filosofia.

Você só pode confiar nos seus sentimentos depois de se desidentificar do ego, colocando a mente sob controle. Então os sentimentos serão um guia perfeito. É muito importante deixar que sua vida seja dirigida pela mente e pela intuição, que é na verdade a orientação do Eu superior.

CARTA À MENTE SUBCONSCIENTE

Uma carta pode ser outra ferramenta útil na hora de lidar com as emoções. A idéia é escrever uma carta à mente subconsciente, com a compreensão de que você é o senhor da personalidade. De modo firme mas afetuoso — modo muitas vezes chamado de "amor enérgico" —, explique ao subconsciente como serão as coisas daí em diante. Escrevendo uma carta, aja como um programador de computador. A carta é um método de programação mais fluente do que o uso de afirmações criadas com fins específicos. Eu considero esse método extremamente benéfico.

Se quiser, pode dialogar com a mente subconsciente e ver o que ela tem a dizer em resposta às suas ordens firmes e amorosas. Isso pode ser feito no seu diário. A mente subconsciente será um excelente servo, desde que você esteja no comando e a trate com amor. A idéia é formar uma equipe: você serve o superconsciente e o subconsciente o serve. Um por todos e todos por um.

DIÁLOGO

Outro método útil para resolver conflitos emocionais é o diálogo. É um método semelhante ao anterior, só que você o executa com a pessoa com quem está tendo problemas. Escreva uma carta a essa pessoa, e depois, no diário, deixe que ela lhe responda. Dê seqüência a esse processo, até desatar todos os nós. Este é um método que pode se mostrar extremamente proveitoso.

O diálogo também pode ser feito no plano intrafísico, com a criança interior, com o pai crítico ou permissivo, com o pai firme e amoroso, com o Eu superior, com o corpo físico, com a mente subconsciente, com Deus, com o ego, com a atitude espiritual e assim por diante. Você, a mente consciente, conversa por carta com qualquer um desses aspectos de si mesmo, e depois deixa que ele lhe responda. Crie um diálogo e veja o resultado. Lembre-se apenas de que você é o comandante-chefe da personalidade.

É possível dialogar com qualquer subpersonalidade ou forma-pensamento dentro da mente subconsciente. Cada pensamento, sentimento, impulso, desejo e emoção tem vida própria. É possível isolar cada subpersonalidade ou complexo particular, a fim de dialogar com ele. Você pode, por exemplo, dialogar com a parte que quer parar de fumar, ou com a parte que quer viajar à Europa. As possibilidades são infinitas. O importante é perceber que cada parte tem o seu oposto. A parte que quer fumar cigarro tem uma contraparte que não quer fumar cigarro. A parte que quer ir à Europa tem um pólo oposto que não quer ir à Europa.

Ao dialogar com qualquer parte específica, não esqueça de conversar com ambos os lados da polaridade, para conseguir uma visão plenamente equilibrada da questão que está analisando.

AGENDA DE EMOÇÕES NEGATIVAS

Outro método bastante útil para aprimorar, purificar e espiritualizar o seu eu emocional é abrir uma agenda de emoções negativas. Basta carregar na bolsa ou no bolso uma caderneta e uma caneta. Sempre que tiver um sentimento negativo, é só fazer uma breve anotação do sentimento e do incidente. Mais tarde, quando tiver um tempo livre, você pode voltar ao diário e usar o processo de seis passos para descobrir que crença equivocada o levou a sentir-se daquele modo.

Se você não tem uma agenda para anotar emoções negativas, provavelmente vai esquecer muitas das lições com que se defronta durante o dia. Se quer realmente aprender a purificar e espiritualizar seu corpo emocional, essa é a melhor maneira de fazê-lo.

Levando essa idéia um passo à frente, você pode repassar o dia e reviver cada uma das experiências da forma como gostaria que ela tivesse acontecido. Como o cérebro não pode distinguir entre eventos que acontecem na imaginação e outros que acontecem na realidade, essa é uma forma de programar no subconsciente uma experiência positiva, em substituição à negativa.

AGENDA GERAL

O propósito de uma agenda é incutir mais consciência e disciplina nas áreas da vida em que essas qualidades forem necessárias. Você pode abrir muitos tipos diferentes de agendas. Pode abrir uma agenda de exercícios, na qual anote a data, o quanto se exercitou e como se sentiu em relação ao esforço físico feito naquele dia. Outro tipo é a agenda de meditação, na qual você anota a data, o quanto meditou e quaisquer sentimentos ou intuições que teve. É importante fazer isso porque é fácil esquecer o que você recebe num estado alterado de consciência, que pode ser semelhante ao sonho — e você sabe como é fácil esquecer os sonhos.

Outro exemplo é uma agenda para anotar tudo o que diz respeito à alimentação, na qual você anota tudo o que come durante o dia. Ao ter de anotar, você fica mais consciente do que come, e essa é a razão de manter a agenda. Saber que você vai anotar tudo é um bom motivo para alimentar-se corretamente. É possível abrir uma agenda para cada área da vida em que você esteja tentando conseguir maior domínio e autocontrole. Você pode dar notas percentuais a si mesmo, com base em como se sai na manifestação dessa atitude ou qualidade particular. Montei as agendas com 21 dias porque é esse o período necessário para gravar um novo hábito na mente subconsciente.

Esses tipos de agendas podem ajudá-lo a concentrar a atenção. Tentar guardar tudo na mente é extremamente difícil, e assim você perde concentração e disciplina. O crescimento espiritual pode ser comparado ao controle de suas contas. Se você tentasse guardar todas as contas, comprovantes de pagamento e movimentação bancária na mente seria impossível manter esses dados organizados. O mesmo vale para a vida espiritual. Tentar guardar todas as informações sem alguma forma de contabilidade espiritual é loucura, e o uso das agendas é uma excelente ferramenta para organizar idéias, além de favorecer o domínio de qualquer área da vida que precise de atenção.

DIÁRIOS

Recomendo que você tenha dois diários. No primeiro você escreve quando não estiver pensando com clareza, ou simplesmente quando tiver vontade. Ao escrever no seu diário, você pode se fortalecer e alcançar a cura pelas atitudes. Como são os pensamentos que criam a realidade, se você muda a forma de ver as coisas, mudam também seus sentimentos; a cura pelas atitudes é o processo de passagem do pensamento egoísta para o pensamento espiritual.

Ao escrever no diário você também reprograma suas mentes consciente e subconsciente. Esta é uma técnica que o ajuda a atingir a harmonização com o Eu superior e a ter intuições e compreensão, também favorecendo a catarse.

O que você não deve fazer é justamente reforçar os mesmos padrões de comportamento no papel, sem movimento ou mudança. É melhor escrever no diário, tomando a atitude de querer alcançar o autodomínio, poder pessoal e perfeita harmonização espiritual.

O segundo diário é usado para armazenar as várias modalidades, agendas e práticas psicológicas nas quais você esteja trabalhando. O propósito disso é reunir todo esse material num único caderno de forma organizada. A seguir apresento algumas seções importantes que você pode abrir no diário.

LIÇÕES IMPORTANTES DO DIA

A seção das "Lições Importantes do Dia" precisa ser atualizada toda noite antes de dormir, ou de manhã, logo que você acorda. Repasse o dia e descreva as pepitas de sabedoria que assimilou. Essa pepita pode ser algo que você fez bem feito, ou uma lição que aprendeu com uma experiência negativa. Estabelecer esse hábito é bastante importante, e terá eficácia muito maior se você o fizer no diário, pois o ato de anotar tem um impacto bem maior nas mentes consciente e subconsciente do que apenas pensar.

Muitas pessoas levam suas vidas sem aprender com os erros, assim, o progresso espiritual é retardado, perpetuando-se a escola dos duros golpes. Aprenda constantemente com aquilo que você faz bem feito ou mal feito, tirando proveito dos pontos fortes dia após dia. Por mais que o ontem tenha sido bom, é importante tornar o hoje ainda melhor. Aproveite suas vitórias, mas jamais se satisfaça até que o objetivo último e divino seja alcançado.

Agenda de embasamento psicológico n.º 1 (período de 21 dias)								
Instruções: toda manhã e noite, anote a porcentagem que indica em que ponto você está no processo de desenvolvimento e expressão das qualidades assinaladas. M = manhã N = noite								
Dia	Poder pessoal		Auto-estima		Equilíbrio		Harmonização com a atitude espiritual	
	M	N	M	N	M	N	M	N
1								
2								
3								
4								
5								
6								
7								
8								
9								
10								
11								
12								
13								
14								
15								
16								
17								
18								
19								
20								
21								

Agenda de embasamento psicológico n.º 2 (período de 21 dias)								
Instruções: toda manhã e noite, anote a porcentagem que indica em que ponto você está no processo de desenvolvimento e expressão das qualidades assinaladas. M = manhã N = noite								
Dia	Poder pessoal, mestre, causador		Consciência crística (eu e outros)		Equilíbrio e integração		Harmonização com o Eu superior	
	M	N	M	N	M	N	M	N
1								
2								
3								
4								
5								
6								
7								
8								
9								
10								
11								
12								
13								
14								
15								
16								
17								
18								
19								
20								
21								

Agenda de embasamento psicológico n.º 3 (período de 21 dias)										
Instruções: toda manhã e noite, anote a porcentagem que indica em que ponto você está no processo de desenvolvimento e expressão das qualidades assinaladas. M = manhã N = noite										
Dia	Lições		Preferências		Paciência		Perdão		Invulnerabilidade emocional	
	M	N	M	N	M	N	M	N	M	N
1										
2										
3										
4										
5										
6										
7										
8										
9										
10										
11										
12										
13										
14										
15										
16										
17										
18										
19										
20										
21										

Agenda de embasamento psicológico n.º 4 (período de 21 dias)									
Instruções: toda manhã e noite, anote a porcentagem que indica em que ponto você está no processo de desenvolvimento e expressão das qualidades assinaladas. M = manhã N = noite									
Dia	Fé e confiança		Amor incondicional		Decisão		Ser a causa		Não julgar	
	M	N	M	N	M	N	M	N	M	N
1										
2										
3										
4										
5										
6										
7										
8										
9										
10										
11										
12										
13										
14										
15										
16										
17										
18										
19										
20										
21										

Agenda de embasamento psicológico n.º 5 (período de 21 dias)

Instruções: toda manhã e noite, anote a porcentagem que indica em que ponto você está no processo de desenvolvimento e expressão das qualidades assinaladas. M = manhã N = noite

Dia	Pai crítico		Pai excessivamente permissivo		Pai firme e amoroso		Amor condicional		Auto-estima imutável e incondicional	
	M	N	M	N	M	N	M	N	M	N
1										
2										
3										
4										
5										
6										
7										
8										
9										
10										
11										
12										
13										
14										
15										
16										
17										
18										
19										
20										
21										

METAS E PRIORIDADES

Uma seção essencial no seu diário é aquela intitulada "Metas e prioridades". Você jamais vai chegar a lugar nenhum se não souber aonde está indo. Nessa seção, faça uma lista de todas as metas nos planos físico, psicológico e espiritual. Relacione todas as coisas que pretende realizar nesta vida. Faça uma lista das qualidades psicológicas que quer desenvolver, das habilidades que deseja aprimorar, do objetivo e propósito último e das experiências que pretende viver na Terra.

Uma minimeditação útil que você pode experimentar para favorecer esse processo é imaginar que 75 anos já se passaram e que sua alma se transportou ao mundo dos espíritos. Imagine-se repassando esta vida. Desse ponto de vista, o que é que você quer ver? Que tipo de vida você quer se ver vivendo? Que tipo de realizações quer se ver concretizando? Que frase quer ler na sua lápide?

Essa experiência realmente acontecerá no futuro. Você tem a oportunidade de criar agora uma vida da qual poderá se orgulhar depois. É bem fácil desperdiçar tempo e energia. Será que você está usando seu tempo e energia para realizar o potencial que Deus lhe deu? Em caso negativo, é preciso formar uma imagem mais clara exata e daquilo que você quer alcançar

PLANO E PROJETO DE VIDA

O segundo passo, depois de esclarecer metas e prioridades, e elaborar um plano, um projeto de vida. Este é um planejamento conjetural para os próximos 50 anos, ou pelo tempo que você espera viver neste plano terreno.

O projeto de vida começa com a meta última da auto-realização. A partir daí você distribui suas metas numa agenda, indicando aproximadamente aquilo em que você vai concentrar esforços em cada ano. A priorização é uma das partes desse processo. Em que você pretende se concentrar no ano que vem? E nos próximos cinco anos? Dez anos? Quinze anos?

Você pode anotar, por exemplo, o ano em que pretende se casar, ter um filho, visitar a Europa, estudar meditação ou cura, formar-se na universidade, ir à Índia, ler determinados livros, fazer determinados cursos, executar determinados serviços ou fazer determinadas contribuições. Esse plano pode ser conjetural, de forma que seja possível alterá-lo constantemente segundo você julgue adequado Com ele, sua vida ganha um norte que o conservará no rumo correto.

É fácil desviar-se do caminho. Há muitas tentações e energias diferentes puxando-o para diversas direções. Sem um mapa psicológico e espiritual, provavelmente você se desviará do curso.

CICLOS

O passo seguinte é aprimorar ainda mais esse processo. A idéia, aqui, é tomar as metas e prioridades dos próximos 12 ou 24 meses e montar uma agenda para alcançá-los.

Você pode se convencer, por exemplo, de que na próxima primavera as metas serão aprimorar a forma física, escrever um livro e manter o *status quo*. Depois, a meta do verão pode ser passar mais tempo com a família, ir ao Havaí e concentrar-se em ganhar dinheiro. De março até a próxima primavera, você pode querer se esforçar por praticar meditação e estudar técnicas de cura.

Fixar assim metas de curto prazo para si mesmo ajuda-o a concentrar mais, a ser mais disciplinado e motivado. À medida que a vida for mudando, talvez você tenha de fazer ajustes, mas sempre é possível estabelecer um novo ciclo de metas de curto prazo.

É também extremamente útil, ao considerar esse conceito de ciclos, separar uma de suas seções no diário para examinar os ciclos passados que o levaram ao atual estado de consciência. Certamente foram determinadas iniciações, ou pontos de mutação, que o conduziram à sua posição atual. Compreender os ciclos passados ajudará você a criar aquilo que é adequado ao ciclo presente e aos ciclos futuros. Alguns possíveis exemplos de pontos de mutação passados são a conclusão do curso de segundo grau, o recebimento de um prêmio, entrar no time de basquete, encontrar o primeiro namorado ou namorada, a primeira experiência religiosa, o nascimento de um filho. Cada um desses pontos de virada marcaram o início de uma nova fase na sua vida. O que eu estou sugerindo é que você, descrevendo-os por escrito, adquira uma consciência muito mais nítida desses estágios. Creio que você vai achar esta técnica bastante útil.

UMA ROTINA SEMANAL

O próximo passo é aprimorar ainda mais o processo, criando uma rotina semanal. (Ver o diagrama abaixo.) Não estou dizendo que você tem de fazer todas as coisas sugeridas nessa rotina; o diagrama tem por objetivo fornecer-lhe uma visão geral de alguns tipos de coisas que talvez você possa incluir na sua rotina semanal.

É de fundamental importância, na minha opinião, que cada pessoa adote uma rotina ou regime. Se não o fizer, jamais irá desenvolver-se espiritualmente ou em outro plano qualquer. O perigo da rotina é torná-lo excessivamente yang, constrangendo a vida a ponto de não haver mais espontaneidade. Por outro lado, você também não deve ser yin demais.

Ser yin demais é ser excessivamente elástico e flexível, deixar que tudo aconteça sem nenhuma intervenção da sua parte. Não existem regras inalteráveis para a elaboração de uma rotina. Algumas pessoas têm mais necessidade de organização do que outras. As rotinas se assemelham aos aparelhos que você usa para endireitar os dentes; elas o orientam na direção rumo à qual você precisa seguir. A rotina deve ser seguida, quer você tenha ou não vontade de fazê-lo. Isso não quer dizer que você deva ficar neurótico e comportar-se como escravo absoluto da rotina.

Repetindo, a rotina funciona mais como um plano conjetural, que pode ser violado em caso de emergências ou ocasiões especiais. O propósito é ajudá-lo a

Administração do tempo: rotina semanal

Segunda-feira	Terça-feira	Quarta-feira	Quinta-feira	Sexta-feira	Sábado	Domingo
Despertador Sonhos Afirmações Meditação Oração Escrever no diário Organização Bom café da manhã (suplementos alimentares) Trabalho (serviço) Almoço Exercícios físicos Sesta Relaxamento Bom jantar Ler, ouvir fitas Escrever no diário Meditação Orações Ligar despertador Dormir	Despertador Sonhos Afirmações Meditação Oração Escrever no diário Organização Bom café da manhã (suplementos alimentares) Trabalho (serviço) Almoço Exercícios físicos Sesta Relaxamento Bom jantar Ler, ouvir fitas Escrever no diário Meditação Orações Ligar despertador Dormir	Despertador Sonhos Afirmações Meditação Oração Escrever no diário Organização Bom café da manhã (suplementos alimentares) Trabalho (serviço) Almoço Exercícios físicos Sesta Relaxamento Bom jantar Ler, ouvir fitas Escrever no diário Meditação Orações Ligar despertador Dormir	Despertador Sonhos Afirmações Meditação Oração Escrever no diário Organização Bom café da manhã (suplementos alimentares) Trabalho (serviço) Almoço Exercícios físicos Sesta Relaxamento Bom jantar Ler, ouvir fitas Escrever no diário Meditação Orações Ligar despertador Dormir	Despertador Sonhos Afirmações Meditação Oração Escrever no diário Organização Bom café da manhã (suplementos alimentares) Trabalho (serviço) Almoço Exercícios físicos Sesta Relaxamento Bom jantar Diversão Prazer Dormir	Planejamento Pagar contas Fazer coisas na rua Limpeza da casa Compras Estudo Prazer Exercício físico Diversão Prazer Bom jantar Recreação Diversão Prazer Dormir	Dormir até tarde Bom café da manhã Recreação Diversão Prazer Bom jantar Organizar as coisas Ler Escrever no diário Meditação Orações Ligar despertador Dormir

atingir as metas e prioridades que você definiu com clareza. Exercícios eventuais não vão lhe proporcionar boa forma física, assim como uma meditação eventual não lhe dará os frutos do espírito.

A maioria das pessoas realmente não sabe viver sem uma rotina. Se você lhes tira o emprego ou a escola, ficam perdidas e desmotivadas. A maioria das pessoas busca nos outros os exemplos de estrutura de vida e rotina. O ideal é ter poder pessoal e autodisciplina que permitam que você estabeleça e siga uma rotina semanal com metas e prioridades próprias.

Não torne a rotina difícil demais, senão não conseguirá segui-la. Por outro lado, não torne excessivamente fácil. Você vai verificar que a rotina estará mudando constantemente, acompanhando as mudanças da própria vida; e não existe problema nisso. Mas sempre mantenha uma rotina que o ajude a imprimir bons hábitos na mente subconsciente.

Depois de algum tempo você já terá desenvolvido os bons hábitos de exercitar-se, consumir alimentos saudáveis, meditar e assim por diante. Seguir uma rotina também lhe trará muito mais eficiência no uso do tempo, tornando-o portanto mais produtivo. Ao estabelecer uma rotina, você tem a consciência de que está alcançando suas metas, e assim o tempo livre fica muito mais prazeroso.

UMA ROTINA DIÁRIA

Ora, se você quer realmente aprimorar-se, pode dar mais um passo à frente e montar também uma rotina diária. Isso é algo que faço e que realmente me agrada. Toda noite, antes de ir para a cama, programo o dia seguinte, incluindo ligações telefônicas, pacientes, coisas a fazer, disciplinas espirituais, dieta, suplementos vitamínicos e minerais, horário das refeições, exercícios físicos, pensamentos e atitudes que estou tentando gravar, etc.

Como já memorizei minha rotina semanal, só anoto no papel na noite anterior a programação de minha vida emocional, física e espiritual. Ao fazer isso, sinto-me mais organizado e eficiente, e assim durmo melhor. De manhã, posso partir direto para a ação, pois as atividades internas e externas já estão esboçadas.

Quando concebo coisas novas, anoto-as por escrito; e quando termino uma tarefa, risco-a do papel. Dessa forma, não preciso depender de coisas gravadas na minha mente, o que permite que eu seja mais criativo e menos preocupado. Fazer essa organização antes de dormir também serve como uma espécie de artifício de programação. Verifico que, até certo ponto, tenho a energia que programei para ter; se me organizo na noite anterior para um grande dia, serei mais capaz de enfrentar os desafios.

PLANO DE BATALHA

O plano de batalha é uma das seções mais úteis do diário. Nunca é demais recomendá-lo. Aqui você examina de perto qualquer área da vida que atualmente você esteja aprimorando, montando também uma lista de tudo o que pode ser feito para atingir a meta. Caso esteja passando por problemas de saúde, faça uma lista de tudo o que pode fazer para melhorar. Se quiser mais clientes, contatos profissionais ou dinheiro, faça uma lista de toda e qualquer ferramenta interna e externa que puder imaginar.

Digamos, por exemplo, que você esteja sofrendo algum tipo de infecção sistêmica e que seu sistema imunológico esteja fraco. A seguinte lista traz alguns poucos exemplos daquilo que você poderia anotar no seu plano de batalha:

Tomar posse do seu poder pessoal
Orar pedindo a cura
Afirmar e visualizar a saúde
Comer legumes cozidos no vapor
Beber bastante água; tomar vitamina C
Tomar um composto de ervas que reforce o sistema imunológico; tomar remédios homeopáticos
Fazer acupuntura
Deitar-se ao sol
Caminhar
Fazer exercícios de respiração profunda
Fazer sessão de hidromassagem
Manter atitude mental positiva
Dormir o mais possível
Escrever no diário
Ter fé

Ao criar essa lista, você ataca o problema, em vez de deixar que ele o ataque. Caso se sinta uma vítima, certamente ficará deprimido. Se você ataca o problema, ainda que esteja fisicamente doente, você se sente melhor. Isso eu posso garantir. E a melhora acontece porque você, com convicção, faz algo para remediar a situação.

A elaboração desse plano de batalha inspira muitas boas idéias e também ajuda a atrair aquilo que você quer. É bem provável que você tenha de fazer planos de batalha para várias áreas da vida.

Sempre que se sentir desequilibrado, desmotivado, indiferente ou pouco inspirado, uma boa tática é revisar o plano de batalha ou criar um novo. Imediatamente você se sentirá melhor. Meus planos de batalha estão todos afixados na parede; assim, sempre que me sento à mesa de trabalho posso enxergá-los. Essa estratégia renova sua fé e inspira o poder pessoal. E alimenta aquela parte da consciência pela qual você é o responsável.

CITAÇÕES E BOAS IDÉIAS

Você pode reservar outra seção do diário para anotar idéias inspiradoras, ensaios, poemas ou ilustrações. Pode até abrir um diário só para questões de natureza estética. Como são os pensamentos que criam a realidade, ter um diário como esse pode ajudar a despertar em você a alegria e a beleza da vida quando passar por um período de depressão. Ler e consultar esse diário poderá reacender a consciência dà sublime beleza da realidade que você sabe que existe.

Sugiro que experimente essas ferramentas para descobrir quais delas funcionam melhor. A eficácia delas certamente será uma agradável surpresa para você.

ORAÇÃO X MEDITAÇÃO

Orar é o ato de falar com Deus; meditar é o ato de ouvir Deus. A oração é o aspecto masculino ou yang; a meditação é o aspecto yin ou feminino.

PARA ENTRAR EM CONTATO COM O SEU EU SUPERIOR

Há vários métodos pelos quais você pode desenvolver uma maior harmonização com o Eu superior.

CARTAS

Para mim, as cartas são uma ferramenta bastante útil e agradável. A idéia é escrever uma carta ao Eu superior. Faço isso toda manhã e às vezes antes de dormir também. O Eu superior é como uma irmã ou irmão mais velho e sábio. Converse com ele como o faria com o seu melhor amigo. Molde um relacionamento baseado em cartas espontâneas. Você vai descobrir que o seu Eu superior responde por meio da canalização sutil de idéias, sonhos ou outras formas que já mencionei. Às vezes uso minhas cartas ao "Caro Eu superior" como forma de oração.

AFIRMAÇÕES

Fazer determinadas afirmações a si mesmo, ao longo do dia irá criar uma harmonização instantânea com o Eu superior. Minhas afirmações favoritas são as seguintes:

a. Posso fazer todas as coisas por meio do Cristo que me fortalece.
b. Deus me acompanha aonde quer que eu vá.
c. Confio no Senhor, e Ele ilumina o meu caminho.
d. Se Deus é por mim, quem pode ser contra mim?
e. Tenho fé, confiança e paciência absolutas em Deus e nas leis de Deus.
f. Todas as coisas são possíveis em Deus.
g. Pai, eu espero um milagre.
h. Deus e Cristo agora estão carregando comigo a minha cruz.
i. Deus é o meu co-piloto.

VISUALIZAÇÕES

Feche os olhos e imagine um símbolo ou imagem que o faça lembrar que o seu Eu superior está com você durante todo o dia. Pode ser uma pomba pairando sobre você. Ou, quem sabe, uma Luz branco-dourada pousando na sua cabeça. Há infinitas possibilidades; portanto, use a imaginação.

Volte a gravar essas diferentes imagens e afirmações durante todo o dia, a fim de se harmonizar novamente. As afirmações e imagens apresentadas neste livro lhe darão conforto, paz interior, força e poder em momentos de necessidade. Pode também ser útil criar imagens da presença de Deus e de Cristo, além de guias, mestres e ajudantes que também estejam disponíveis para fazê-lo.

ALTARES

Um pequeno lugar sagrado ou santuário num canto do quarto é uma forma magnífica de buscar harmonia com o Eu superior. Você pode fazer isso de várias maneiras. Algumas pessoas têm pequenas imagens de Jesus, de Buda ou Moisés. Outras têm a reprodução do rosto dos grandes mestres. Recomendo também o uso de incenso e música espiritualista, que podem ajudá-lo a sintonizar a consciência.

Você pode acrescentar afirmações, poemas ou ilustrações de revistas. Algumas pessoas criam um mural ou cartaz. Eu afixo na parede todos os meus planos de batalha, modelos equilibradores, horários, compromissos e pensamentos inspiradores. É algo realmente gostoso de inventar. Outra possibilidade é usar velas. Sempre que possível, é ótima idéia meditar perto do altar: ajuda a relembrá-lo de sua ligação espiritual e do chamado do alto.

9

COMO REPROGRAMAR A MENTE SUBCONSCIENTE

Esteja atento a Deus e ao Seu reino.
Jesus Cristo
A Course in Miracles

Como já tratei das afirmações nos capítulos anteriores, acho apropriado agora explicar mais detalhadamente o que são essas afirmações e visualizações, e como você pode usá-las. Uma afirmação é, na realidade, uma atitude. Todo pensamento que você tem, seja positivo ou negativo, é uma afirmação. Toda palavra que fala é uma afirmação. Toda ação que executa é uma afirmação. Isso é verdadeiro porque tudo tem origem nos pensamentos. São os seus pensamentos que criam a sua realidade.

As afirmações usadas em contextos psicológicos e com objetivos de cura são especificamente projetadas para programar um sentimento ou comportamento desejado na mente subconsciente. Exemplos são afirmações para desenvolver o poder pessoal e a bolha de proteção, que já mencionamos anteriormente.

Sempre que você pratica o pensamento positivo, está na verdade fazendo afirmações. As afirmações deste capítulo têm como meta ajudá-lo a desenvolver determinadas atitudes essenciais relacionadas com o conceito e a imagem que você tem de si mesmo.

O processo contínuo de expulsar as atitudes negativas da mente, pelo uso do poder pessoal e repetição de afirmações novas e positivas, é a estratégia fundamental para reprogramar a mente subconsciente.

Expulsar os pensamentos negativos da mente é como deixar de aguar uma planta: o pensamento negativo não recebe energia, e assim definha e morre. O uso repetitivo do pensamento positivo e das afirmações rega o novo pensamento seminal no solo da mente subconsciente, favorecendo seu crescimento. Para usar outra metáfora, é como um gravador que grava novas informações em cima das antigas.

MÉTODOS DE REPROGRAMAÇÃO

Para reprogramar a mente subconsciente, experimente as seguintes técnicas e veja quais delas são mais eficazes para você.

1. *Afirmações*

São declarações fortes, positivas, de que algo já existe! A frase é repetida em silêncio, até ser plenamente programada na mente subconsciente, até que seu conteúdo se torne uma realidade na sua vida

2. *Decreto*

São afirmações feitas em voz alta.

3. *Visualizações Criativas*

A visualização criativa é o processo de imaginar que a cura ou o resultado final já ocorreu. Ela age como sugestão direta à mente subconsciente, assim como o faz a afirmação; imagens são talvez ainda mais poderosas que palavras.

4. *Diários*

Anote suas afirmações num diário. Esta é uma forma bastante eficaz de programar a mente subconsciente. O ato físico de escrever faz que o pensamento assuma uma forma mais palpável e estável. Vá mudando as frases à medida que melhores formas de expor as afirmações lhe forem ocorrendo.

5. *Cartões de Afirmação*

Escreva afirmações em cartões e espalhe-os por toda a casa e pelo seu local de trabalho. Este é um método bastante eficaz. Coloque os cartões perto da cama, sobre o espelho, no banheiro, na geladeira, no carro, na carteira, na mesa de trabalho. Eles agem como lembretes para repeti-los, o que acelera o processo.

6. *Caminhadas de Afirmação*

Faça uma caminhada! A caminhada de afirmação é uma de minhas táticas prediletas. Caminho enquanto estiver com vontade de fazê-lo e afirmo à mente subconsciente como quero que as coisas aconteçam. A mente subconsciente manifesta tudo o que você lhe diz, seja bom ou ruim. O valor das afirmações e visualizações positivas é óbvio pois, se você não afirma e visualiza o positivo, está fazendo o contrário.

7. *Repetições Rítmicas*

Pronuncie as afirmações ritmadamente enquanto estiver fazendo exercícios físicos. Esta é excelente técnica de programação e mantém sua mente concentrada enquanto você se exercita.

8. *As Três Vozes*

Diga as afirmações na primeira, segunda e terceira pessoas. Por exemplo: Eu, Joshua, tenho saúde perfeita e radiante; você, Joshua, tem saúde perfeita e radiante; ele, Joshua, tem saúde perfeita e radiante.

Essa técnica é especialmente útil na hora de gravar as afirmações numa fita.

9. *Substituição do Negativo pelo Positivo*

Trace uma linha vertical bem no meio de uma folha de papel. Escreva uma afirmação num lado da página. Depois aguarde e fique atento a quaisquer pensamentos que lhe vierem à mente para contradizer sua afirmação positiva. Anote os pensamentos negativos que emergirem da mente subconsciente.

O passo seguinte consiste em mudar cada pensamento negativo numa afirmação positiva. Anote quaisquer pensamentos negativos que lhe ocorrerem depois de ter escrito essa nova afirmação positiva. Mude todas as idéias negativas em novas afirmações positivas. Continue esse processo até que nenhum outro pensamento negativo surja. Você agora tem uma lista das afirmações que lidam especificamente com as lições que você deve assimilar nesta vida. Esse método é também excelente porque o ensina a criar as suas próprias afirmações — uma habilidade essencial a desenvolver.

10. *Espelhos*

Olhe-se no espelho todo dia, durante 21 dias, e diga suas afirmações em voz alta. Pronuncie-as com plena convicção e poder pessoal. Olhe-se bem nos olhos! Continue afirmando em voz alta até que não haja mais nenhuma resistência subconsciente.

11. *Fitas Contínuas*

Grave suas afirmações numa fita cassete que toque durante toda a noite, sem parar. Deixe a fita tocando durante toda noite durante o sono, ao longo de 21 noites.

Também é possível comprar um gravador que toca qualquer fita comum durante toda a noite. Esse método de ouvir a fita durante o sono é cem por cento eficaz! Você também encontra no mercado alto-falantes para travesseiros. Fitas contínuas geralmente podem ser encontradas na Tower Records ou na Radio Shack, e gravam mensagens com três a 12 minutos de duração.

12. *Hipnose*

Busque um hipnoterapeuta confiável e deixe-se hipnotizar, para que ele incuta mensagens positivas na sua mente subconsciente enquanto você permanece no estado hipersugestionável.

13. *Leitura*

Leia e releia bons livros da área de psicologia e espiritualidade. Este é um artifício poderoso para estabelecer padrões mentais.

14. *Pêndulos*

Construa ou compre um pêndulo e comunique-se com a sua mente consciente via respostas positivas ou negativas. Este é um processo que recupera informações da mente subconsciente e que pode ser usado na programação do subconsciente.

15. *Diálogos*

Outro método bastante eficiente é dialogar com a mente subconsciente ou com outra subpersonalidade que exista no subconsciente. Pode-se fazer isso de várias formas:

    a. Diálogo via voz: use cadeiras para representar as mentes consciente e subconsciente. Crie um diálogo entre elas. Acrescente cadeiras para representar subpersonalidades isoladas. A idéia é dramatizar os vários componentes da mente subconsciente. A mente consciente dialoga então com esses vários componentes. Trata-se de um método bastante poderoso, que pode ajudá-lo a tornar-se senhor da sua vida, e não mais vítima.

    b. Aplicar o mesmo processo num diário também pode ser extremamente proveitoso. Monte um diálogo por escrito com qualquer sistema interno de pensamento que você esteja tentando manifestar na consciência. Você pode, por exemplo, dialogar com o seu Eu superior.

c. Uma terceira via é dialogar dentro de sua própria mente. Quando surgir uma linha de pensamento negativa, converse com ela. Diga-lhe que você é o capitão do navio, e que você é quem comanda a sua personalidade, não ela. Depois afirme a si mesmo o contrário do que ela diria, e diga a essa afirmação contrária que você vai ouvi-la.

16. *Agir Como se Fosse do Jeito que Você Gostaria*

Aja na vida diária da forma como você gostaria que fossem as coisas, ainda que não as sinta reais, ainda que seu subconsciente tente fazer o contrário. Esse método exige grande força de vontade. Se você suportar a tensão por tempo suficiente, no final essa tensão funcionará como um fator reprogramador.

É fundamental praticar esse método, pois às vezes você simplesmente não tem tempo de se preparar adequadamente para tudo. É possível, por exemplo, que de repente surja uma entrevista para um emprego, na qual você precise portar-se com confiança e habilidade, ainda que não se sinta capaz.

17. *Ilustrações*

Produza uma ilustração física da realidade desejada. Isso funciona como sugestão à mente subconsciente, assim como o faz o processo de visualização criativa; só que agora trata-se de uma reprodução física real do resultado imaginado. Por exemplo, se você está acima do peso, ache a foto de alguém que tenha o perfil que você deseja ter, e cole uma foto do seu rosto na fotografia original. A mente subconsciente vai procurar manifestar essa imagem.

18. *Auto-Hipnose*

Sugestões feitas à mente subconsciente durante um estado de relaxamento podem ter o mesmo resultado que a repetição de uma afirmação durante um tempo mais longo. A disciplina da hipnose tem demonstrado que, quando a mente consciente e crítica está relaxada, as sugestões são aceitas quase imediatamente pelo subconsciente. Isso significa que você pode tirar vantagem desses momentos de relaxamento para programar a mente subconsciente de forma mais rápida.

As afirmações são importantes, mas de fato exigem mais esforço que esse método. Abaixo você tem alguns exemplos de períodos do dia em que pode usar a auto-sugestão:

a. Pouco antes de adormecer, enquanto você está na zona limítrofe entre o sono e a vigília; afirme a si mesmo uma palavra ou expressão-chave, como saúde perfeita, riqueza, sucesso, uma boa noite de sono.

b. Quando estiver simplesmente relaxando.

c. Depois da meditação; este é um momento excelente para a auto-sugestão.

d. Depois de ter feito auto-hipnose.

e. Na atmosfera ionizada de um banho de chuveiro.

19. *Gravações em Fitas*

Grave afirmações e auto-sugestões numa fita e a toque durante quaisquer dos momentos de consciência hipersugestionável mencionados acima.

20. *Fitas Subliminares*
Outro método de reprogramação da mente subconsciente é o uso de fitas subliminares. Trata-se de uma sugestão ou afirmação feita em tom quase inaudível, tendo como som de fundo uma música clássica, da Nova Era ou ambiental. A sugestão é dada em volume tão baixo que você não consegue ouvi-la conscientemente, a não ser que realmente se esforce por fazê-lo. Fitas subliminares são excelentes para ouvir durante o sono, especialmente se você descobrir que não consegue dormir ouvindo fitas normais de afirmações.

21. *Canções*
Invente algumas canções, cantando para si mesmo as afirmações. Não é preciso ser nenhum músico ou compositor profissional; use a melodia de uma de suas músicas prediletas. Invente canções para estimular o poder pessoal, a autoestima, a prosperidade financeira. Saia um pouco do normal e divirta-se com isso. Se se sentir constrangido, pode cantar enquanto estiver sozinho dirigindo o carro.

22. *Poesia*
Outro método nessa mesma linha é criar poemas que expressem os novos ideais que você está tentando programar na mente subconsciente.

23. *Trabalhos Artísticos*
Desenhe ou pinte o novo você que está surgindo.
Esses últimos três métodos são táticas de programação mais yin, mais ligadas ao lado direito do cérebro.

24. *Conversa Interior*
Eis aqui outra ferramenta bastante eficaz. Em geral, a conversa interior que surge da mente subconsciente é negativa. A idéia aqui é pôr em prática uma conversa interior positiva. Basta conversar consigo mesmo como o faria com o melhor amigo ou com a pessoa amada. As afirmações são bastante formais e inflexíveis, ao contrário deste método, que é mais informal.

Se eu estivesse buscando aprimorar a auto-estima, por exemplo, poderia dizer o seguinte a mim mesmo: "Joshua, eu gosto de você. Gosto de verdade. Você cometeu uma porção de erros, mas eu quero dizer simplesmente que, quanto a mim, está tudo bem. Quero dizer que você está plenamente perdoado e que eu estou do seu lado."

Em outras palavras, converse consigo mesmo usando o novo pensamento ou imagem que você está tentando incutir como hábito na mente subconsciente. Esse método pode ser aplicado de várias formas:

a. Mentalmente;
b. Em voz alta;
c. Em forma de carta;
d. Em forma de gravação em fita; depois ouça a gravação toda noite quando for dormir.

VISUALIZAÇÕES

Uma visualização ou imagem é na verdade o mesmo que um pensamento. *Todo pensamento tem uma imagem relacionada com ele*. O conceito de poder pessoal pode ser visualizado como uma espada. O conceito de auto-estima pode ser visualizado como uma rosa. No campo da psicologia, fala-se muito em pensamento positivo; mas a visualização positiva também deve ser mencionada.

A mente subconsciente pode ser programada eficazmente pelo uso de afirmações ou imagens. Se você pretende criar algo usando imagens, é só imaginar-se da maneira que você quer ser. Se quer mais dinheiro, visualize-se com o tanto de dinheiro que deseja. O segredo é usar todos os sentidos internos: veja-se com o dinheiro, sinta o dinheiro, cheire o dinheiro, ouça o dinheiro, prove o dinheiro. Torne as visualizações tão reais que você realmente se sinta dentro da imagem mental — não apenas como espectador, mas realmente lá dentro. Quanto mais realista for a visualização, mais realista será a manifestação, por parte da mente subconsciente, daquilo que você quer.

EXERCÍCIOS DE VISUALIZAÇÃO

A seguir, apresento uma série de exercícios de visualização que você pode praticar nos momentos tranqüilos de meditação. Muito da teoria desses exercícios será discutido em capítulos posteriores deste livro. Porém, por enquanto, eu só quero que você tenha uma visão global dos tipos de visualizações que estão à sua disposição.

Primeiro, encontre um local dentro de casa onde possa ter um pouco de privacidade por ao menos 20 a 30 minutos. Arrume uma cadeira confortável e feche os olhos, respirando fundo três vezes. Depois de cada respiração, diga a si mesmo, internamente: "Relaxe agora."

Comece imaginando que você está em meio a uma bela paisagem — nas montanhas, num prado, no mar ou numa floresta. Imagine-se sentindo de fato a paisagem. Não é simplesmente ver-se ali; é preciso estar ali! Imagine-se perfeitamente saudável, vividamente sadio e forte. Use os cinco sentidos internos. Veja a cena, toque os objetos, sinta os cheiros, os sons, os sabores. Tente torná-la tão real que se sinta realmente ali.

A seguir, imagine-se sozinho nesse belo lugar, sentindo-se bem forte e no comando de si mesmo. Imagine as sensações de ser o capitão de um navio ou o presidente dos Estados Unidos; imagine-se no cargo de principal executivo de uma grande empresa ou no de maestro de uma importante orquestra sinfônica.

Sinta o poder pessoal e a autoridade que tem nas mãos. Perceba que você é o capitão, a rainha, o diretor executivo, o comandante e líder da orquestra de seus pensamentos, sentimentos, comportamento, corpo e ambiente. Imagine-se o senhor dessas coisas, em vez de se deixar dominar por elas.

Reconheça que você não precisa ter medo do seu poder, pois vai usá-lo somente de forma amorosa e espiritual. Perceba como é bom sentir-se dono de poder e autoridade sobre si mesmo, ao invés de deixar todo o universo agir como o seu senhor.

Imagine agora o seguinte: sempre que você toma posse do seu poder, aparece automaticamente diante de você uma imagem ou símbolo. Escolha um símbolo que seja eficaz para você: pode ser uma espada, um cetro, uma coroa, uma tocha, um anel especial, roupas especiais ou uma jóia qualquer. Experimente seu poder pessoal e autodomínio, mantendo ao mesmo tempo a consciência da presença desse símbolo de poder.

Agora imagine, com o poder da mente, que você está criando uma bolha branca e dourada em torno de si, um escudo que fica a uma distância de 60 a 90 centímetros do seu corpo. Imagine essa bolha protetora. Torne-a espessa e forte. Imagine-a também como uma superfície semipermeável. Ou seja, a bolha impede a entrada da energia negativa, permitindo ao mesmo tempo a passagem da energia positiva, amorosa e espiritual.

Depois, preencha o interior da bolha com poder pessoal, auto-estima e amor-próprio incondicionais. Veja-se agora cheio de poder pessoal e invulnerabilidade emocional, além de auto-estima e amor-próprio imutáveis.

Suponha que alguém entre no cenário natural da sua imaginação e, fazendo um comentário negativo, tente puxar briga com você. Veja a energia negativa batendo na parede da bolha e escorrendo pela superfície, sem poder entrar, e depois envie pensamentos amorosos a essa pessoa.

Agora veja-se no ambiente de trabalho e imagine que um de seus colegas está irritadiço e tenso. Veja a energia negativa escorrendo pela parede da bolha. Veja seu chefe de mau humor caminhando na sua direção; imagine-o falando irritado com você. Veja essa energia negativa esbarrando na bolha de proteção.

Imagine-se agora em casa com o cônjuge. Imagine-o num estado de mau humor e veja essa energia negativa escorrendo pela superfície da bolha. Faça o mesmo com os filhos, com os pais ou com qualquer outra pessoa com quem o método possa ser útil.

Depois de terminar, volte ao cenário natural e imagine que a mente subconsciente esteja produzindo alguma programação negativa. Veja-se expulsando-a de sua mente, negando-lhe entrada. Veja-se expulsando-a com uma tacada, como o faria com uma bola de beisebol ao lançá-la para fora das linhas do campo, possibilitando uma corrida completa entre as bases.

Experimente a sensação de se manter mental e emocionalmente disciplinado. Viva a sensação de fazer a mente subconsciente dançar conforme a sua música, obedecendo cada ordem que você lhe dá, como o faria um amigo ou empregado fiel.

Imagine-se em diferentes situações, assumindo o comando de seus pensamentos, emoções, comportamento e do próprio corpo, em vez de permitir que o conteúdo da mente subconsciente o governe. Viva a sensação de ser o senhor da sua própria vida, a serviço de um propósito espiritual.

Enxergue-se como causa, como um ser poderoso, amoroso, exemplo e inspiração para os outros. Veja-se como uma luz para o mundo, na sua força, auto-estima, amor aos outros e invulnerabilidade emocional. Aonde quer que vá, as pessoas ficarão enlevadas diante da sua presença. Veja-se cumprindo a meta espiritual de espalhar boas energias, felicidade, alegria, cooperação, perdão, harmonia, paz e amor. Veja-se dando esse bom exemplo aonde quer que vá.

Visualize-se no seu cenário natural erguendo uma fogueira gigantesca. Veja-se reunindo todos os pensamentos, emoções e comportamentos negativos e egoístas, além de todos os problemas físicos, para atirá-los ao fogo. Veja toda essa carga negativa sendo completamente queimada. Veja-se apenas como um ser poderoso, forte, positivo, amoroso, equilibrado e espiritual. Imagine que um peso incrível é retirado de seus ombros. Vivencie a sensação de, finalmente, haver retornado ao verdadeiro eu, livre do pensamento errôneo e da ilusão. Mentalmente, veja o fogo duas horas mais tarde, depois de já ter consumido toda a carga negativa. Só o que resta em meio às cinzas é uma massa de meio quilo de ouro. É o final do processo alquímico.

Ao acumular toda a sabedoria dos erros do passado, você mudou o metal comum (as experiências) em ouro. Tudo o que aconteceu foi positivo, pois foi o que você aprendeu.

TOMANDO UM ELEVADOR ATÉ A MENTE SUBCONSCIENTE

A MENTE SUBCONSCIENTE COMO SALA DE COMPUTADORES

Feche os olhos e imagine-se tomando um elevador, descendo um lance de escadas ou por uma escada rolante que o leve para baixo, rumo aos recessos da mente subconsciente. Nesse primeiro exercício de visualização, imagine que a mente subconsciente parece uma sala de computadores. Imagine que haja um computador central sobre uma grande mesa, com uma cadeira à frente dele. Sente-se na cadeira e veja o teclado sobre a mesa. A tela do computador também está diante de você.

Imagine que haja uma tecla específica, a qual, ao ser pressionada, deixa que você veja os programas já instalados no computador. Busque os "maus" hábitos ou pensamentos que ainda estejam no computador (no subconsciente) e veja essas idéias errôneas aparecendo na tela à sua frente.

Escolha três hábitos mentais que você queira mudar. Veja-os claramente na tela; depois, veja os hábitos sumindo da tela. Agora, anote os novos hábitos mentais que você quer gravar nos discos do computador. Veja-os bem nitidamente na tela. Depois pressione outra tecla que execute a gravação definitiva na memória do computador. Depois de terminar, tome outra vez o elevador, voltando à mente consciente.

A MENTE SUBCONSCIENTE COMO PROJETOR DE CINEMA

Feche os olhos e, de novo, tome o elevador até a mente subconsciente. Desta vez, veja-a como um estúdio de cinema. No meio da sala está um projetor. Diante do projetor vê-se uma grande tela. Caminhe até o projetor e imagine-se ligando-o. Na tela à sua frente aparecem três maus hábitos que vêm sendo tocados dentro do seu aparelho de videocassete. Veja esses hábitos negativos sendo projetados na tela em tecnicolor.

Depois de assistir ao filme dos maus hábitos, desligue o projetor. Tire a fita de vídeo Ao examinar a fita, você vê que o título é "Três maus hábitos do passado".

Veja-se caminhando até um cesto de lixo metálico cheio de papel, e risque um fósforo, ateando fogo. Veja uma pequena labareda engolir o papel. Depois jogue a fita dentro do cesto. Veja-a começando a se derreter. Imagine-a totalmente consumida pelo fogo.

Depois vá até uma prateleira na parede, pegue uma fita virgem e coloque-a na filmadora. Examine o equipamento e aperte o botão onde se lê "gravação". Ao fazê-lo, imagine na tela à sua frente, em tecnicolor, os novos hábitos que pretende adotar.

Veja detalhadamente cada aspecto dos novos hábitos. Ao terminar, desligue a filmadora, tire a fita de vídeo, cole nela uma etiqueta e guarde-a na prateleira com as outras fitas. Depois tome novamente o elevador para voltar à mente consciente e racional.

A MENTE SUBCONSCIENTE COMO JARDIM

Feche os olhos, tome o elevador até a mente subconsciente e veja um belo jardim à sua frente. Examine o jardim e veja o que está nascendo da terra (a mente consciente). Será que vê muitas flores, plantas e árvores bonitas, ou um tapete de "ervas daninhas"?

Caminhe pelo jardim e comece a arrancar as ervas daninhas, que não deveriam estar ali. Toda vez que arrancar uma erva daninha, examine-a e verifique qual pensamento, imagem ou hábito negativo ela representa.

Continue vasculhando todo o jardim, arrancando as ervas daninhas, até ficar satisfeito. Depois ajunte as ervas daninhas que você arrancou e ateie fogo. Vá ao barracão onde você guarda pacotes de novas sementes (novos pensamentos e imagens). Lá dentro, decida quais sementes vai plantar no jardim. A seguir, imagine-se plantando cuidadosamente as novas semente na terra, de maneira organizada.

Imagine o tempo passando. Todo dia, durante 21 dias, veja-se voltando ao jardim e regando as sementes, conversando com elas, adubando-as. Todo dia você volta e vê as sementes brotando, transformando-se nos pensamentos, imagens ou hábitos positivos que jaziam latentes dentro delas.

Veja agora o jardim, depois de 21 dias. No jardim da mente subconsciente, faça tudo o que deve ser feito para torná-lo viçoso e forte. Anote quais plantas, flores e árvores representam o quê dentro do jardim. Convença-se de que o solo da mente subconsciente irá alimentar qualquer pensamento seminal que você plantar, seja de positivo ou negativo; assim, verifique bem se não restam sementes ruins na terra. Para evitar que qualquer semente ruim comece a brotar, não esqueça de vistoriar diariamente o jardim.

Depois, pegue o elevador de volta à mente consciente.

A MENTE SUBCONSCIENTE COMO GRAVADOR DE ÁUDIO

Feche os olhos, tome o elevador até a mente subconsciente e imagine-a como um estúdio de gravação de áudio. Veja o gravador principal sobre a mesa diante de você. Aperte o botão "tocar" e ouça a fita dos maus hábitos ou disposições emocionais que está lá dentro do gravador.

Depois de ouvir três dos maus hábitos, aperte o botão "parar/ejetar". Tire a fita e ateie fogo nela. Pegue uma fita novinha em folha e a insira no gravador. Pressione o botão "gravar" e comece a falar perto do microfone, em voz alta ou mentalmente, para fazer a nova gravação que pretende armazenar no subconsciente.

Esta é uma oportunidade de fazer afirmações ou de simplesmente conversar com a mente subconsciente, dizendo-lhe o que você quer manifestar dentro da sua realidade. Quando achar que já é o bastante, desligue o equipamento, coloque a fita de novo na caixa e arquive-a junto às outras fitas. Depois de concluir a operação, pegue novamente o elevador até a mente racional.

Ao trabalhar com esses exercícios de visualização, é boa idéia executá-los regularmente, como se faz com as afirmações. São necessários 21 dias para imprimir um novo hábito na mente subconsciente. Se durante 21 dias você gastar entre dez e quinze minutos, de manhã e à noite, aplicando esses exercícios em conjunto com afirmações que está usando a respeito de um mesmo hábito específico, certamente você conseguirá o resultado desejado.

VISUALIZAÇÃO DA SAÚDE FÍSICA

Feche os olhos e veja-se com a aparência que você gostaria de ter. É importante estar completamente presente dentro da visualização. Veja-se fazendo exercícios físicos. Veja-se tomando banhos de sol e respirando ar puro. Veja-se comendo todos os alimentos corretos. Veja seus bons pensamentos, sentimentos e comportamentos criando saúde perfeita em todas as células do corpo. Veja uma cor saudável na sua pele. Veja o sangue e a energia circulando vibrantes no seu corpo.

Veja e sinta o brilho da saúde perfeita e radiante emanando das células do seu corpo. Imagine-se identificando-se com a sua verdadeira natureza espiritual, enquanto o corpo físico reflete a saúde e a Luz dentro de você. Veja-se cheio de energia e vitalidade. Veja-se despertando toda manhã totalmente descansado e revigorado, cheio de energia física e vitalidade. Veja-se no peso ideal.

Veja-se com os contornos físicos que deseja. O corpo físico não é mais que o reflexo dos pensamentos e imagens que você tem sobre ele, em conjunto com o alimento que você consome. Veja-se pensando e imaginando apenas coisas sadias e positivas, e consumindo só alimentos saudáveis.

Perceba que você é o senhor da sua mente subconsciente e do seu corpo. Imagine-se dizendo-lhes o que devem fazer. Veja a mente subconsciente e o corpo físico realizando essas coisas. Use todos os sentidos para vivenciar, no mais alto grau, saúde perfeita e boa forma física. Se conseguir manter essa imagem dentro da mente durante 21 dias, poderá realizá-la no universo físico.

VISUALIZAÇÃO PARA ATRAIR DINHEIRO

Feche os olhos e imagine como seria ter todo o dinheiro que você deseja ou necessita. Imagine-se lendo o extrato da caderneta de poupança, enxergando os números perfeitamente impressos no papel. Veja-se indo ao banco semanalmente para depositar quantias casa vez maiores de dinheiro. Imagine-se tendo uma promoção no trabalho ou um contracheque mais polpudo. Imagine-se ganhando uma bolada ou herdando uma grande soma de dinheiro.

Visualize claramente a coisa material que você deseja. Faça-a absolutamente real, como se já a tivesse. Use todos os sentidos interiores. Veja, sinta, perceba o sabor, o toque, o cheiro, o som. Use esse objeto regularmente, como o faria se realmente já o tivesse no plano físico. Veja-se contando dinheiro ou cheques.

Imagine-se sentindo-se grato a Deus por essa abundância. Ele o cobriu de dádivas. Veja-se dando parte do dinheiro a instituições de caridade ou causas meritórias, pois o universo foi pródigo com você e você também quer colaborar com o universo.

AFIRMAÇÕES DE SAÚDE FÍSICA

Você pode programar a mente subconsciente para criar um corpo físico que manifeste perfeita saúde. Basta afirmar continuamente essa perfeição. Abaixo, você encontra alguns bons exemplos disso; ou então invente afirmações que se adaptem às suas necessidades específicas.

1. Meu corpo físico tem saúde perfeita e radiante.
2. Meu corpo físico manifesta agora a saúde e perfeição do Cristo.
3. Todo dia, de todas as formas, torno-me cada vez melhor.
4. Tenho boa forma física e abundância de vitalidade.
5. Durmo profundamente toda noite e desperto totalmente descansado e revigorado a cada manhã.
6. Pai, agradeço-lhe por esta vida longa e saudável a Seu serviço.
7. Pai, agradeço-lhe pelo aumento ilimitado de poder e energia que sinto na minha bateria física.
8. Deus, minha energia pessoal e a energia da minha mente subconsciente agora estão curando, energizando e fortalecendo o meu corpo físico.
9. Meu corpo físico está agora sendo curado pelas mãos de Deus.
10. Deus, minha energia pessoal e a energia da minha mente subconsciente estão agora restaurando no meu corpo a saúde perfeita e radiante.
11. Tranqüilizai-vos e reconhecei: Eu sou Deus; meu corpo físico manifesta agora a saúde e perfeição do Cristo.
12. Pai, agradeço-lhe pelo funcionamento equilibrado de todas as minhas glândulas.
13. Todas as minhas glândulas funcionam agora no seu pleno potencial crístico.
14. O timo e o sistema imunológico funcionam agora no seu pleno potencial crístico.
15. Sou filho de Deus, portanto, não posso ficar doente.
16. Deus, minha energia pessoal e a energia da minha mente subconsciente estão agora revitalizando e despertando o meu corpo físico.
17. Adoro fazer exercícios e agora estou repleto de energia física.

AFIRMAÇÕES DE FÉ, CONFIANÇA E PACIÊNCIA

Paciência, fé em Deus e confiança em si mesmo e no universo são qualidades que facilitam a manifestação de suas metas. Abaixo encontram-se algumas afirmações que irão ajudá-lo a fortalecer essas qualidades.
1. Tenho perfeita fé no meu Eu superior.
2. Tenho fé plena de que Deus agora está suprindo a todas as minhas necessidades.
3. Confio em Deus.
4. De agora em diante, entrego todos os problemas e desafios às mãos de Deus.
5. Por que me preocupar, se posso orar?
6. Com a ajuda de Deus, certamente alcançarei o sucesso.
7. Tenho perfeita fé no meu poder, além de perfeita fé e confiança no poder de Deus.
8. Invoquei o auxílio divino e sei que Suas mãos invisíveis agora estão agindo na minha vida e atendendo às minhas orações.
9. Invoquei o auxílio de Deus; tenho perfeita fé, confiança e paciência, e sei que Ele me irá proporcionar aquilo que desejo, ou algo ainda melhor.
10. Eu pedi, e sei que receberei.
11. Sei que Deus irá atender à minha prece, na hora que Ele — não eu — julgar correta, e conservo perfeita fé, confiança e paciência até que essa hora chegue.
12. Se minha oração não for atendida exatamente da forma que desejo, sei que esta é uma lição que Ele quer que eu aprenda.
13. Tenho perfeita fé, confiança e paciência; sei que Deus vai atender toda e qualquer prece minha.
14. Oração, poder pessoal, afirmações e visualizações são uma equipe imbatível.
15. Tenho plena confiança de que o meu eu, a minha mente superconsciente e o poder da minha mente subconsciente vão atrair a mim tudo aquilo de que eu necessito.
16. Tenho paciência perfeita.

MINHAS AFIRMAÇÕES PREDILETAS

As seguintes afirmações seguramente o farão sentir-se melhor se você as disser regularmente e com entusiasmo:
1. Força mental, força física, força espiritual!
2. Poder pessoal, raiva positiva, força mental!
3. Eu sou o poder, eu sou o senhor, eu sou a causa.
4. Estou irritado demais e não vou mais aceitar isso.
5. Afasta-te de mim, Satanás!
6. Tenho perfeita fé e confiança em Deus!

7. Poder pessoal, raiva positiva, plena convicção; fé, confiança e paciência em Deus!
8. Poder pessoal, causalidade e domínio férreo!
9. O poder de minhas três mentes faz de mim uma força onipotente neste universo!
10. Deus, meu poder pessoal e o poder de minha mente subconsciente são uma equipe imbatível!
11. O poder da minha mente e o poder do meu espírito são uma equipe imbatível!
12. Tranqüilizai-vos e reconhecei: Eu sou Deus.
13. Pai, agradeço-lhe a cura milagrosa de...
14. Bolha de proteção, água escorrendo na vidraça, invulnerabilidade, invencibilidade, almofada de borracha, filtro...
15. Deus, Deus, Deus, Cristo, Cristo, Cristo, Jesus Cristo, Jesus Cristo, Jesus Cristo.
16. Domínio absoluto, total e supremo sobre...
17. Amor enérgico, amor enérgico, amor enérgico!
18. Poder mental, poder físico, poder espiritual!
19. Fé e confiança em Deus! Paciência em Deus!
20. Vou fingir até conseguir. Vou fingir até conseguir.
21. Todo dia, em todos os sentidos, estou ficando mais forte e saudável!
22. Deus é o meu co-piloto!
23. Com o meu poder, o poder de Deus e o poder de meu subconsciente, nada pode me deter!
24. Guerra total contra Satanás, e a favor de Deus, do amor e da positividade!
25. De agora em diante, serei mais poderoso do que já o fui em toda a minha vida!
26. Como Deus é minha testemunha, nada pode me parar!
27. A Força está comigo e eu estou com a Força!
28. A Fonte está comigo e eu estou com a Fonte!
29. Sou sustentado pelo Amor de Deus!
30. Posso todas as coisas em Deus, em Cristo e no Eu superior que me fortalece!
31. Como Deus é a minha testemunha, jamais entregarei novamente o meu poder a ninguém ou nada!
32. Deus, meu poder pessoal e o poder de minha mente subconsciente!
33. Não a minha vontade, mas a Tua; obrigado pela lição.
34. Posso perder algumas batalhas, mas vou vencer a guerra!
35. Declaro guerra total para harmonizar a minha vida!
36. Deste momento em diante serei o senhor absoluto da minha vida!
37. Deus está comigo aonde quer que eu vá!
38. Eu amo a Deus de todo o meu coração, de toda a minha alma e com todas as minhas forças, e amo a meu próximo como a mim mesmo.

Leia as afirmações novamente, e desta vez pronuncie-as com mais entusiasmo!

Leia cada afirmação de três a sete vezes!

10

HIPNOSE E AUTO-HIPNOSE

A maior parte de meu trabalho consiste não em hipnotizar pessoas, mas em desipnotizá-las. Muita gente já anda por aí numa espécie de estado hipnótico.
Dr. Joshua David Stone

Na nossa sociedade, hipnose e auto-hipnose são conceitos quase sempre mal interpretados. Para a pessoa comum, são termos manchados de negatividade, em virtude de informações distorcidas divulgadas pela mídia e pelo uso equivocado desse processo por hipnotizadores de espetáculos de variedades.

A hipnose é, na verdade, um fenômeno muito comum que acontece a todas as pessoas durante um dia qualquer. Toda vez que você se sente vítima ou vive no piloto automático, está de fato em estado hipnótico. Sempre que deixa a mente subconsciente dominá-lo, está hipnotizado. Sempre que os pensamentos ou sentimentos de outra pessoa o afetam, você está num estado sutil de hipnose.

Durante o período de sono, você atravessa vários estágios hipnóticos. Quando lê um livro, vê televisão ou dirige o carro, você entra num estado de hipnose. Se você age como vítima, e não como senhor da sua vida, está vivendo a maior parte do tempo num estado de hipnose.

A hipnose pode ser descrita de variados modos. É uma forma de relaxamento. É sugestão. É recordar seu estado de vítima no ambiente controlado e seguro do consultório de um hipnoterapeuta qualificado. A hipnose ocorre quando o subconsciente controla a mente consciente — quando você faz coisas por hábito, quando sonha acordado, fantasia ou se deixa conduzir pelo piloto automático.

A hipnose não é algo ruim. É um estado normal; você entra e sai dele todo dia. E só se torna perigoso quando você deixa de tomar decisões conscientes, quando deixa de deter o controle ou, de algum modo, de monitorar e dirigir o processo. Quando alguém pensa na hipnose, imagina logo uma pessoa hipnotizando outra; mas na realidade não há hipnose que não seja auto-hipnose. Se você fosse ao meu consultório e eu lhe desse sugestões de relaxamento, o único efeito possível dessas sugestões seria aquele que você, o paciente, permitisse. Eu, como hipnoterapeuta, não posso incutir sugestões em sua mente.

Lembre que você é a causa da sua própria realidade. Eu não sou a causa da sua realidade, a menos que você permita que eu o seja; então você está na verdade hipnotizando-se a si mesmo ao concordar em aceitar minhas sugestões. Você não pode ser hipnotizado contra a sua vontade ou poder pessoal.

Veja outro exemplo: digamos que você e eu nos encontremos por acaso no supermercado. Imagine que eu seja alguém que você realmente admira, alguém a quem você deu, psicologicamente, o seu poder. Eu lhe digo que você não parece bem, que parece meio gripado. Se você não toma posse do seu poder, se a sua bolha de proteção não está ativa e se a sua mente discriminadora não está funcionando, minhas sugestões entram diretamente na mente subconsciente. Dez minutos depois de eu ir embora, você pode começar a se sentir doente. Nesse caso, eu teria programado involuntariamente a doença na sua mente. Talvez o que eu disse tenha sido simplesmente uma observação imprecisa, mas se você acreditar nela, permitindo que ela entre, certamente se tornará realidade, ainda que não seja verdadeira. Esse tipo de coisa acontece seguidamente.

Se depois de ouvir uma crítica você se sente magoado, rejeitado, você foi vítima de uma hipnose negativa, pois deixou que outra pessoa agisse como programador de suas emoções. A maior parte do meu trabalho como conselheiro não é hipnotizar as pessoas, mas desipnotizá-las. Muitas gente vive em estado de hipnose, e eu tento tirá-las desse estado.

MITOS

As pessoas seriam muito mais abertas ao uso da hipnose se a técnica tivesse outro nome. Se recebesse o nome de relaxamento profundo, imaginação orientada, meditação ou *biofeedback*, as pessoas não lhe seriam tão avessas.

Um dos mitos sobre a hipnose é a perda total do controle de si mesmo. O medo clássico é que alguém nos programe para roubar um banco, fazer sexo com ele ou algo assim maluco. É importante compreender que, se for hipnotizado, você estará ciente do que acontece durante 95% do tempo.

Em segundo lugar, você jamais faria nada que agredisse a sua moral ou valores éticos. Um bom exemplo disso é um espetáculo em que cinco pessoas sob hipnose recebem a sugestão de que estão nuas. Duas delas vão se esconder atrás do piano, não querendo que a audiência as veja. As outras três pavoneavam-se pelo palco, sem o menor embaraço. Por quê? As cinco receberam a mesma sugestão. Cada pessoa reage segundo sua própria programação. As duas que ficaram atrás do piano foram programadas para ter vergonha de seus corpos, ao contrário das outras três.

Se você hipnotiza uma pessoa sadia e lhe ordena que roube um banco, ela não o fará. Se hipnotiza um assassino psicopata e lhe dá a mesma sugestão, ele pode até fazê-lo, mas não é algo que faria uma pessoa sã. É possível livrar-se do estado hipnótico numa emergência.

As pessoas que participam desses espetáculos de hipnotismo gostam de agir como loucos e apreciam o sentimento de estar sob hipnose. É preciso lembrar que elas se ofereceram para subir ao palco, e para começo de conversa só pessoas extrovertidas o fazem.

Outro mito sobre a hipnose é que você pode não voltar nunca mais ao estado normal. Se o hipnotizador deixar o consultório, o pior que poderia acontecer seria você adormecer e depois despertar da experiência como se tivesse acabado de cochilar.

NÍVEIS DE HIPNOSE

Há três níveis básicos de hipnose: leve, médio e pesado. São também chamados de estados hipnoidal, cataléptico e sonambúlico. Na terminologia do *biofeedback*, denominam-se estados alterados de consciência: o nível Beta corresponde à plena consciência; o nível Alfa é o estado entre a vigília e o sono, o estado hipnótico ou de meditação; o nível Teta é o primeiro estágio do sono, hipnose profunda ou meditação profunda; o nível Delta corresponde ao sono profundo.

Às vezes, uma pessoa entra num transe pesado, sonambúlico, mas a maior parte do trabalho clínico é feita nos níveis leve ou médio. Quanto mais profundo o nível da hipnose, mais sugestionável se torna a pessoa. Se uma pessoa recebe a sugestão num estado consciente, a faculdade racional ou crítica imediatamente a rejeita ou aceita. Na hipnose, ela vai imediatamente à mente subconsciente. É por isso que você deve se sugestionar enquanto se encontra num estado alterado de consciência. O momento ideal para a programação é durante a meditação, ou quando você estiver despertando ou adormecendo. A programação por meio de sugestões e afirmações também funciona quando você está num estado consciente, mas requer mais repetição.

Algumas pessoas se convencem de que não podem ser hipnotizadas. Esse é outro mito. Qualquer um que possa dormir ou relaxar (coisa que, obviamente, todos podem fazer), é passível de ser hipnotizado. Há aqueles que realmente não são hipnotizáveis, mas isso porque eles mesmos decidiram, consciente ou inconscientemente, não ser hipnotizados em virtude de algum medo da hipnose ou do hipnotizador.

As pessoas que entram num estado de hipnose muitas vezes não acham que estão hipnotizadas. Em espetáculos já vi pessoas que, depois de despertadas de um estado incrivelmente profundo de hipnose, respondiam que achavam que não haviam sido hipnotizadas. Eu acho que isso acontece por causa da intensificação da consciência que ocorre sob hipnose.

Meditação e hipnose são coisas bastante semelhantes. Ambas são estados alterados de consciência. Uma das principais diferenças é o objetivo da experiência: a intenção da hipnose é dar sugestões à mente subconsciente; a intenção da meditação é serenar a mente e/ou abordar o mundo espiritual. Mas os estados em si não são diferentes um do outro

TIPOS DE HIPNOSE

Há duas maneiras de hipnotizar pessoas. Uma delas se denomina abordagem maternal, a outra, abordagem paternal. A abordagem maternal é aquela usada na maioria dos trabalhos psicoterápicos clínicos, e é a que eu mesmo uso. É o método ameno do relaxamento suavemente orientado.

É também possível hipnotizar as pessoas usando métodos de choque. Jamais usei esses métodos, mas já vi inúmeras demonstrações deles. Com o uso desses métodos, as pessoas podem ser transportadas quase imediatamente ao estado de hipnose. Um exemplo disso é quando um hipnotizador, depois de trazer alguém para perto dele, coloca a mão no pescoço da pessoa. Ele sacode o pescoço da pessoa, sem machucá-lo, e grita: "Durma!" Vi muitas pessoas entrarem instantaneamente no estado hipnótico. É fascinante observar a cena.

COMPARAÇÃO ENTRE HIPNOSE E AUTO-HIPNOSE

Pode ser de muita valia aprender a técnica da auto-hipnose. Não existe nada de errado com a hipnose, mas certamente você não pretende pagar um dinheirão sempre que quiser se reprogramar.

Os métodos da auto-hipnose e da hipnose são exatamente os mesmos. A única diferença é que na auto-hipnose você mesmo a executa, em vez de ter o hipnotizador a seu lado para incutir as sugestões. Às vezes é interessante arrumar outra pessoa que o faça por você, pois então você pode se entregar totalmente à experiência, sem precisar manter uma parte de si mesmo acordada a fim de conduzir a sessão.

Se você gravar as instruções numa fita, pode também entregar-se totalmente à experiência. Uma vez aprendida a auto-hipnose, você pode mergulhar em níveis bastante profundos sem o menor problema.

AS CRIANÇAS E A HIPNOSE

As crianças são excelentes pacientes de hipnose. Elas têm uma imaginação tão ativa que entram logo no estado hipnótico. O uso de imagens é um dos modos mais rápidos para colocar alguém sob hipnose.

SINAIS FÍSICOS QUE REVELAM A HIPNOSE

Há muitos sinais que revelam quando uma pessoa está sob hipnose. Geralmente os ritmos do coração e da respiração ficam mais lentos e os membros ficam pesados. A pessoa apresenta tendência a não se mover. Às vezes as pálpebras começam a se mexer rapidamente. Outro sinal é o suspiro hipnótico, uma respiração funda que indica que está ocorrendo um aprofundamento do estado

Às vezes a pessoa relata uma sensação de leveza ao invés de peso. Há também, geralmente, uma relutância em sair da experiência, em virtude do prazer alcançado.

ALUCINAÇÕES HIPNÓTICAS

Quando uma pessoa está hipnotizada, pode ser levada a ter aquilo que denominamos de alucinações positivas e negativas. A alucinação positiva é a situação na qual a pessoa pode ver, ouvir, saborear, cheirar ou tocar algo que não está realmente presente. A pessoa pode ser programada para ver uma visão, ouvir um som que não ocorreu, cheirar ou sentir algo que não está presente. Isso porque os sentidos mais sutis do subconsciente predominam quando a mente subconsciente está no comando, como no estado hipnótico. A alucinação negativa resulta da sugestão de que o indivíduo não veja, ouça, saboreie ou cheire algo que está bem diante dele. Assim, é possível fazer uma pessoa perceber algo que não está presente, ou deixar de perceber algo que está presente.

Em espetáculos de hipnotismo, uma pessoa recebe um copo d'água e ouve a sugestão de que se trata, na verdade, de um martíni. Para a pessoa que está sob hipnose, a água tem sabor, cheiro, aparência, ruídos e consistência de martíni, embora não o seja. O que acontece realmente é a projeção de pensamentos e imagens no mundo material.

E qual é a diferença entre esse tipo de alucinação e a interpretação de uma dada circunstância como problema, e não lição? Quando você vê problemas em vez de oportunidades, cria algo que não está presente, sendo pessimista e não otimista, pensando egoisticamente e não espiritualmente. Você vê algo que realmente não existe; simplesmente acha que existe. Você cria alucinações o tempo todo.

Isso também acontece com as imagens. Tenho certeza de que todos já tiveram a experiência de procurar algo e depois perceber que estava bem à sua frente. Isso porque você se havia programado para pensar que a coisa não estava ali, e portanto não a viu. Você vê com a mente, não com os olhos.

SUGESTÕES PÓS-HIPNÓTICAS

A sugestão pós-hipnótica é outro fenômeno interessante. Uma pessoa pode receber a sugestão de responder a um certo sinal depois de ter sido despertada, saindo do estado hipnótico. Um exemplo pode ser a sugestão de que, dois minutos depois de colocar a cabeça no travesseiro à noite, a pessoa adormeça profundamente.

DISTORÇÃO TEMPORAL

O tempo pode parecer distorcido durante o estado hipnótico, como num sonho. Os sonhos parecem arrastar-se por longo tempo, quando na verdade não duram mais que 30 ou 60 segundos. Sob hipnose uma pessoa pode ser programada para pensar que cinco minutos sejam meia hora, ou que uma hora seja dez minutos.

O FUTURO DA HIPNOSE

No futuro, hipnose, auto-hipnose e a compreensão da programação e da sugestão serão uma parte básica de cada faceta da sociedade. A compreensão dessa dinâmica afeta tudo — relacionamentos, saúde, trabalho, vida espiritual e por aí afora.

A hipnose pode ser usada em muitas áreas e para resolver muitos problemas. Pode ser usada para qualquer tipo de problema físico, mental ou emocional. Suas possibilidades englobam a substituição da anestesia, cura da insônia, dores de cabeça e fobias, cura física, lembranças de vidas passadas, odontologia, cirurgia, controle do peso corporal, tabagismo, constipação, medo do palco, alívio da dor, parto, eliminação de hábitos, cura emocional, problemas sexuais, crime e imposição da lei, esportes, aprendizado de línguas, amnésia e busca de objetos perdidos, para citar apenas algumas.

Como a mente subconsciente governa o corpo, qualquer problema físico pode ser tratado pela hipnose. Um dentista pode conseguir o efeito da anestesia fazendo o paciente imaginar que há um balde de água gelada ao lado dele. O paciente imagina mergulhar a mão no balde de água gelada até que a mão fique totalmente insensível. O dentista então incute a sugestão de que tudo o que a mão tocar também fica totalmente insensível. Faz o paciente tocar o rosto, e o rosto se torna insensível. Então o dentista faz seu trabalho e, depois, dá sugestões para eliminar a insensibilidade. Impressionante, não é?

Todas as lembranças de vidas passadas ficam em camadas mais profundas da mente subconsciente. Por meio do método da regressão, a pessoa pode ser conduzida a observar e vivenciar vidas passadas.

Há dois tipos de regressão: completa e parcial. Na parcial, o paciente só observa o que aconteceu numa vida passada ou mesmo na mais tenra infância. Numa regressão completa, o paciente volta e vive de novo um evento traumático. Sejam parciais ou completas, as regressões às vezes podem ser extremamente úteis para a eliminação de bloqueios subconscientes profundos.

Cirurgiões e enfermeiros podem interromper o fluxo de sangue e promover a cura pelo simples uso da sugestão durante a operação. É também importante que cirurgiões e enfermeiros tenham cuidado com o que dizem quando o paciente está sob anestesia. Fez-se um estudo no qual uma pessoa ficou sob anestesia geral durante seis horas; uma semana mais tarde, sob hipnose, ela pôde relatar cada coisa que os médicos e enfermeiros disseram. Um comentário inadequado ou piada maldosa sobre o corpo do paciente pode acabar programando seu subconsciente.

Nos Estados Unidos, o departamento de justiça criminal usa a hipnose, e há um contínuo debate legal a respeito da admissibilidade ou não num tribunal de provas obtidas sob hipnose. No estado consciente, as testemunhas podem não lembrar nada sobre um assalto a banco, enquanto sob hipnose podem lembrar até o número da placa do carro que os assaltantes dirigiam.

O subconsciente é a sede da memória e absorve tudo o que acontece, ainda que a mente racional e consciente não o faça. Einstein disse que o ser humano usa somente algo em torno de 8% do cérebro. A maioria das pessoas mal usa as mentes subconsciente e superconsciente, e utiliza apenas uma fração da mente consciente e racional.

O USO DA HIPNOSE COMO RECURSO; POSSÍVEIS PERIGOS

É importante perceber que a hipnose é uma técnica. Não é em si mesma uma terapia, filosofia ou metodologia psicológica. Há muitos hipnotizadores que não são espiritualizados, nem licenciados como conselheiros; portanto, não são qualificados para fazer algumas das coisas que fazem. A hipnose pode ser usada de forma errônea.

É essencial achar alguém que seja qualificado e, preferivelmente, que tenha licença para exercer o aconselhamento. Procure um profissional com quem você tenha uma boa harmonia e em quem você confie. Há nesse processo uma certa entrega à outra pessoa, o que é ótimo desde que o hipnotizador seja qualificado para lidar com quaisquer questões emocionais que surjam.

Percebo que muitos hipnotizadores se identificam excessivamente com a mente subconsciente e não têm a menor noção sobre poder pessoal, muito menos sobre as leis espirituais que venho discutindo neste livro. É bom estar ciente de que a maioria dos hipnotizadores não tem grande compreensão da filosofia espiritualista. Ao explorar a hipnose, você entra no mundo da psique. Certamente, então, vai querer alguém que realmente saiba o que está fazendo, e não alguém que trate a hipnose como um passatempo.

Nesta seção não estou de forma alguma tentando fazê-lo desistir de explorar a hipnose e a auto-hipnose. Mas é uma situação semelhante à do aconselhamento: se você se consulta com um conselheiro ou psicólogo muito ruim, corre o risco de prejudicar-se emocionalmente. O mesmo vale para a hipnose. Não há nenhum perigo, desde que o hipnotizador seja confiável, qualificado e licenciado.

UMA AFIRMAÇÃO FALSA

Há uma afirmação falsa que encontro em quase todos os livros sobre hipnose. É atribuída a Emile Coué, famoso hipnotizador francês, que realizou um trabalho fantástico. Foi ele quem cunhou a famosa frase: "Todo dia, sob todos os aspectos, estou cada vez melhor." Disse ele: "Quando a vontade e a imaginação entram em conflito, a imaginação é que sai vencedora." Essa afirmação é completamente falsa, na minha opinião, ainda que todo livro sobre hipnose a cite. A imaginação é a sede da mente subconsciente; então, o que está dito acima é que a mente subconsciente é mais poderosa que a consciente. Nada pode ser mais falso.

A força mais poderosa deste universo é a vontade humana e o poder pessoal. Nunca se esqueça disso. Se não fosse verdade, ninguém jamais poderia conseguir o domínio de si mesmo. O subconsciente é, sem dúvida, mais poderoso se você está sob hipnose, mas não o é se você não está no estado hipnótico. O exemplo freqüentemente usado é aquele em que uma pessoa cruza um riacho sobre uma prancha estreita. Ainda que o subconsciente lhe sugira pensamentos temerosos de queda, a mente consciente e racional pode vencê-los com vontade e poder pessoal, conservando assim a pessoa firme e equilibrada.

Esse tipo de afirmação elucida aquilo que eu disse anteriormente sobre hipnotizadores excessivamente identificados com a mente subconsciente e sem uma completa compreensão das mentes consciente e superconsciente.

UMA DEMONSTRAÇÃO DO PODER DA MENTE

Fez-se um estudo na Universidade de Chicago que demonstra o poder da mente no campo do desempenho esportivo. O estudo envolveu três grupos de homens arremessando bolas de basquete numa argola. O primeiro grupo praticou uma hora por dia durante um mês. O segundo grupo não fez treino nenhum. O terceiro grupo praticou uma hora por dia apenas mentalmente, e não fisicamente. Ao final do mês os três grupos foram fazer os arremessos à cesta.

O grupo que não treinou converteu em torno de 29% dos arremessos. O grupo que praticou mentalmente converteu 79%; o grupo que treinou fisicamente fez 80%. Obviamente, a prática mental favorece o desempenho físico. O ideal seria praticar ao mesmo tempo física e mentalmente.

O PROCESSO DA INDUÇÃO

No capítulo sobre como manter contato com o Eu superior, esbocei um processo de auto-hipnose que você pode experimentar. O processo que apresento a seguir é semelhante, mas um pouco mais detalhado. Também pode ser usado para hipnotizar outra pessoa, se você quiser experimentar. No fim apresento a técnica de despertar a si mesmo ou outra pessoa da hipnose.

Comece fazendo a pessoa focalizar o olhar numa parede, acima do nível dos olhos. Faça-a respirar fundo cinco vezes, e, em cada exalação, diga as palavras: "Relaxe agora." Depois da quinta respiração, faça-a fechar os olhos. Faça um relaxamento progressivo, passando por cada parte do corpo e dizendo-lhe que relaxe.

Faça-a imaginar uma bolha branco-dourada de Luz pairando sobre sua cabeça. Faça-a imaginar que essa bolha de Luz branco-dourada tem propriedades especiais. Tudo o que ela toca fica limpo, purificado, equilibrado, harmonizado, curado e relaxado. Faça-a imaginar que a bolha se move para baixo, através de seu corpo, do alto da cabeça até a ponta dos dedos dos pés. Depois faça-a imaginar que está flutuando nas nuvens dentro dessa bolha de proteção. Depois faça-a imaginar-se flutuando no espaço dentro da bolha de proteção.

Faça-a imaginar, enquanto flutua na bolha, que há dez níveis diferentes de profundidade de relaxamento. Conte regressivamente de dez até um e, depois de cada número, use a "lábia hipnótica" — expressões úteis que vai encontrar relacionadas depois das técnicas de indução.

Depois de atingir o primeiro nível, faça-a imaginar uma bela paisagem numa planície, montanha ou praia, visualizando-a o mais nitidamente possível, usando todos os cinco sentidos. Use imagens como um riacho, banheira de água quente, uma rede de dormir, a luz do sol, flores, árvores, pássaros, nuvens, vento, queda-d'água, cabana, colchão d'água, animais, grama, alimentos favoritos, natação e sons naturais.

Depois dê-lhe as sugestões em si. Faça-a imaginar que ela realmente é aquilo que ela quer ser, ou manifestar o que quer ter na vida. Leia a sugestão ou improvise. Quando terminar, faça-a relaxar no cenário natural.

Para despertar a pessoa, repita o seguinte:

"Vou agora contar de zero até cinco. O número cinco vai significar sempre que você está fisicamente relaxado, emocionalmente tranquilo, mentalmente alerta e revigorado, energizado e revitalizado em todos os aspectos.

"Número um: você está começando a despertar.

"Número dois: você está despertando cada vez mais, ficando revigorado e energizado.

"Número três: agora, você está despertando ainda mais. Sua consciência novamente se liga ao corpo físico nesta sala.

"Número quatro: seus olhos se tornam claríssimos por trás das pálpebras. No próximo número, seus olhos irão se abrir e você se sentirá revigorado e energizado sob todos os aspectos, com uma estupenda sensação de bem-estar, felicidade e alegria.

"Número cinco: você está totalmente desperto, os olhos abertos, com uma estupenda sensação de bem-estar, felicidade e alegria, completamente energizado e revigorado, fisicamente relaxado, emocionalmente tranquilo e mentalmente alerta."

INDUÇÃO À REGRESSÃO

O seguinte exercício é o processo que você pode usar para induzir a regressão, em si mesmo ou em outros, até uma lembrança da primeira infância ou mesmo de vidas passadas. Pode ser usado depois de você ter conduzido todo o processo da indução à hipnose, quando a pessoa estiver num estado hipnótico de médio a profundo.

Existem dois tipos de regressão: um é a experiência direta, na qual a pessoa realmente sente as emoções da situação. No outro tipo, a pessoa observa a experiência como se assistisse a um filme na televisão ou cinema.

Se você acha que para a pessoa seria melhor uma regressão parcial, diga apenas: "Você é um observador que nada sente. É apenas um observador." Continue repetindo isso até que a pessoa se desloque para um espaço mais isolado. Quando estiver testemunhando uma circunstância específica, faça-a dizer em voz alta o que está vendo.

Para induzir a regressão, diga: "Agora seu corpo está bastante pesado e profundamente relaxado. Seu corpo está tão pesado que a sensação é de estar afundando bem suavemente no sofá. Entretanto, sua mente está livre e leve, flutuando e alerta e no entanto profundamente à vontade e descontraída. Quero que você agora imagine que é um pontinho de consciência flutuando para cima, para longe do próprio corpo, pairando perto do teto desta sala.

"Você está olhando para baixo a partir de um ponto privilegiado próximo do teto desta sala. Você está flutuando, etéreo como a fumaça, através do telhado desta casa, saindo sob o claro céu noturno. As estrelas faíscam muito brilhantes e a lua está cheia. Lá embaixo, a cidade cintila com suas luzes [caso apropriado].

"Você está flutuando cada vez mais alto, subindo até a escuridão aveludada do espaço. Sente-se maravilhosamente leve e livre, subindo e afastando-se. Você é um ponto de luz que sobe e se afasta, como uma águia plana e sobe, voando.

"Agora você está voltando ao passado. Diante de você há um túnel, que é o corredor que leva às memórias da primeira infância e de vidas passadas. Agora você está caminhando nesse túnel. No fim do túnel há um portão. Vou fazer uma contagem regressiva de cinco até zero. Ao chegar ao zero, vou estalar os dedos e então você passará pelo portão. Ali você vai vivenciar ou observar o fato da infância ou vida passada que é a causa de seu problema atual."

Faça então a contagem regressiva — cinco, quatro, três, dois, um —, estale os dedos e diga: "De volta à causa!" Espere entre 15 e 30 segundos e peça à pessoa que lhe conte em voz alta o que está vendo. Quando a experiência chegar ao fim, conte novamente de cinco até zero, e faça-a voltar até outra experiência que seja a causa do problema ou lição que você está investigando.

Quando sentir que a pessoa está pronta para voltar da regressão, diga-lhe novamente que vai contar de cinco até zero e estalar os dedos. Ao contar zero, ela vai voltar pelo portão até o presente. Faça-a relaxar. Dê-lhe algumas sugestões positivas de cura antes de trazê-la de volta da hipnose.

LÁBIA HIPNÓTICA

A seguir, aparece uma lista daquilo que eu chamo de lábia hipnótica. Quando estiver hipnotizando outras pessoas ou a si mesmo, ou ainda gravando uma fita, existem intervalos entre as técnicas de aprofundamento. São boas oportunidades de usar a lábia hipnótica — palavras e imagens que encorajam um relaxamento mais profundo.

Totalmente relaxado
Deixando-se ir

Soltando-se
Mais e mais profundo
Solto, mole
Pesado véu
Profundo sono hipnótico
Profundamente relaxado
Você agora está sentindo a pulsação vagarosa da aproximação do sono
Você se sente como se não tivesse nem um osso sequer no corpo
Geléia
Derretendo-se no sofá, cadeira ou chão
Flutuando à deriva para baixo
Mais e mais pesado
Desacelerando
Saturado de relaxamento
Sonolento, sonhando
Agradável, confortável, seguro, protegido e apoiado
Maxilar, testa e músculos relaxando
Olhos relaxando
Cobertor de relaxamento
Em paz, à vontade, uma sensação bem agradável
Continue a relaxar cada vez mais, continue mergulhando cada vez mais fundo no sono
Completa e totalmente relaxado; cada músculo totalmente relaxado
Todos os músculos do corpo são como tiras elásticas frouxas
Você deixou a mente simplesmente navegar à deriva, vagando por cenas agradáveis dentro da imaginação
Soneca preguiçosa
Relaxamento sonolento
Relaxamento confortável e agradável
Os maxilares se separam e os músculos do queixo e das faces se afrouxam, são como borracha
Tranqüilo e sereno
Boneca de pano
Sensação de bem-estar
Confiante e seguro de si
Deixando-se ir
Dormência
Paz, serenidade, calma
Bem-estar

Ao trazer a pessoa de volta do estado hipnótico, você pode usar as seguintes expressões: "Quando abrir os olhos, vai (se) sentir..."

Revigorado
Energizado

Rejuvenescido
Bem descansado
Cheio de entusiasmo
Energia
Vitalidade
Capaz de lidar com as lições e desafios do dia
Revitalizado e revigorado
A maravilhosa sensação da saúde física perfeita e radiante

TÉCNICAS DE APROFUNDAMENTO

Há duas outras técnicas de aprofundamento. A primeira é usar qualquer coisa que lhe ocorra como meio de aprofundar a experiência. Por exemplo, digamos que você ouve barulhos de carros lá fora. Pode então dar uma sugestão deste tipo: "Quaisquer ruídos que você possa ouvir do mundo exterior tenderão a relaxá-lo ainda mais, aprofundando sua experiência."

Outra forma de aprofundar o estado hipnótico é fazer o que se denomina teste ou desafio hipnótico. Um exemplo disso é dar à pessoa a sugestão de que seu braço está ficando bastante pesado, tão pesado que não pode mais ser erguido. Parece estar grudado como cola à mesa. É como se 500 quilos de chumbo estivessem sobre ele. Quando a pessoa tenta erguer o braço, não consegue. Essa percepção tende a aprofundar ainda mais o estado.

A ESTRUTURA DAS SUGESTÕES

Ao estruturar sugestões para dar a si mesmo ou a outros, há algumas idéias úteis que tornarão essas sugestões mais eficientes.

A primeira é sempre dar às sugestões uma roupagem positiva, e não negativa. É melhor dizer: "Seu braço agora está curado" do que "Seu braço quebrado agora está curado". Deixe a imagem negativa de fora.

Em segundo lugar, caso a mente racional ou subconsciente tiver dificuldade para acreditar que o braço está curado, é possível criar uma afirmação que induza a cura no futuro imediato. Por exemplo: "A cada dia, em todos os aspectos, meu braço fica cada vez melhor."

Em terceiro lugar, ao passar a mensagem, é útil usar palavras fortes, emotivas, que contenham imagens igualmente fortes. Por exemplo, em vez de dizer que o braço de alguém está forte, você pode dizer que ele tem força e vigor de aço.

Quanto mais motivado você estiver para atingir a meta, mais eficaz será a sugestão. Use linguagem simples, mas bem específica, com muitas repetições.

A COMUNICAÇÃO COM A MENTE SUBCONSCIENTE

Há várias formas de se comunicar diretamente com a mente subconsciente no estado desperto. Muita gente usa a cinesiologia aplicada, comumente denominada teste muscular. Qualquer músculo pode ser usado. É comum usar os dedos; uma forma de fazê-lo é unir o polegar e o dedo mínimo para formar um círculo. Mantenha os dedos firmemente unidos e tente separá-los inserindo o polegar e o indicador da outra mão dentro do círculo.

Isso se faz inicialmente para testar a força; assim, você pode usar a mesma pressão durante o teste. O segundo passo é dizer algo como o seguinte: "Meu corpo tem bastante vitamina C." Se isso é verdade e você tenta separar os dedos, não será capaz de fazê-lo. Se não é, os dedos podem ser separados sem muita força. Qualquer pergunta sobre si mesmo pode ser respondida usando essa técnica.

Sob hipnose, a comunicação é possível por meio de perguntas que resultam em respostas afirmativas ou negativas. Você define um dos dedos como resposta afirmativa e escolhe outro para indicar uma resposta negativa; depois escolhe um terceiro dedo que indique uma resposta do tipo "não sei". Assim, é só dar instruções ao subconsciente da pessoa hipnotizada para erguer o dedo que responda a pergunta.

Depois de alguns testes iniciais para ver se o subconsciente entendeu as instruções, é possível fazer perguntas diretamente à mente subconsciente, em vez de pedir respostas à mente racional consciente.

PROFUNDIDADE DA HIPNOSE

É possível avaliar a profundidade do estado hipnótico de uma pessoa usando o método do movimento dos dedos via subconsciente. Sob hipnose, o subconsciente recebe a ordem de imaginar um mastro numerado de 1 a 36. O número 1 indica o estado totalmente desperto, enquanto o 36 indica sonambulismo, ou estado hipnótico mais profundo. Depois você diz ao subconsciente que vai fazer uma contagem regressiva de 36 até 1. Quando o nível de profundidade que a pessoa está experimentando for atingido, ela deve erguer o dedo. Você começa então a contar bem devagar de 36 até 1, e quando atinge o tal nível, o subconsciente da pessoa faz que ela erga o dedo. Esse é o melhor método para determinar a profundidade, caso seja importante fazê-lo.

COMO SE TORNAR UM HIPNOTIZADOR COMPETENTE

Para que você se torne um hipnotizador competente para os outros e para si mesmo, é importante falar com confiança. Se a outra pessoa sentir que você está com medo ou inseguro, então é assim também que ela se sentirá.

O segundo ponto a lembrar é que, antes de hipnotizar alguém, é fundamental desenvolver boa comunicação e eliminar quaisquer medos ou mitos que a pessoa tenha sobre a experiência hipnótica. Isso irá intensificar bastante a experiência hipnótica.

11

IMORTALIDADE FÍSICA

A doença é uma defesa contra a verdade.
A Course in Miracles

A maioria das pessoas envolvida com a busca espiritual e a religião crê na imortalidade da alma. Em outras palavras, você como extensão de alma ou personalidade encarnada é um ser eterno. Seu corpo morre, mas você continua reencarnando uma vez atrás da outra, até que atinja a liberação ou ascensão.

Muitas pessoas não percebem, porém, que o corpo físico também é imortal. Não é imortal para a maioria das pessoas porque a humanidade tem uma crença coletiva na realidade da morte. A morte é uma crença, assim como a vida eterna é uma crença. A humanidade como um todo, na maior parte da sua existência, foi e é identificada com o material; portanto, com respeito a essa questão sempre deu ouvidos à voz do ego negativo, e não à voz da alma.

O ego negativo lhe diz que você tem de envelhecer e morrer. O espírito lhe diz que você é eterno e imortal. O espírito diz que o corpo físico é o templo da alma, e que ele envelhece porque você, com sua mente, o programa para que isso aconteça. É preciso lembrar que a mente subconsciente governa o corpo físico. Isso se prova claramente pelo uso da hipnose. A mente subconsciente, recebendo sugestões sob hipnose, pode fazer o corpo físico realizar feitos miraculosos. Porém, por não ter raciocínio consciente, contenta-se da mesma forma criando saúde perfeita ou doença e envelhecimento, dependendo de como você a programa. Essa programação pode vir de você mesmo ou de informações com que você permite que outras pessoas o programem.

O que estou sugerindo é que é possível programar o seu corpo para a juventude, e não para a velhice. É também possível programar o corpo para permanecer eternamente o mesmo. Muitos grandes mestres o fizeram. Babaji permaneceu o mesmo ao longo de 1.800 anos. Saint Germain viveu 350 anos. O Senhor Maitreya ressuscitou o corpo de Jesus e viveu outros 31 anos. Outros mestres podem materializar ou desmaterializar seus corpos segundo sua vontade.

Conta-se que Thoth (Buda), no Egito, viveu durante dois mil anos. Jesus, em sua última encarnação, quando ascendeu, viveu 300 anos. Não foi Jesus quem disse que "Tudo o que eu posso fazer, vocês também podem fazer, e ainda mais"? Em *A Course in Miracles*, livro escrito por Jesus, lê-se: "A doença é uma defesa contra a verdade." A verdade é que você é o Cristo, ou Eu Eterno. Deus não adoece, portanto você também não precisa adoecer, pois você é Deus.

Então o que provoca a doença? O ego negativo. Sai Baba diz que "Deus é igual a homem menos ego". O ego não existe na realidade de Deus, e idealmente também não deve existir na sua. Quando você se livra do ego negativo, percebe que é perfeito, pois foi criado à imagem de Deus.

A chave da psicologia espiritualista é alcançar uma sintonia adequada em todos os níveis. Você sabe que o espírito e a alma são eternos. A lição seguinte consiste em escolher somente pensamentos eternos, sentimentos eternos e um corpo físico eterno. A lei hermética afirma: "Dentro como fora; no alto como embaixo." Se o espírito é eterno, então, por definição, você pode tornar eterno também o "fora", ou o corpo. Como a sua verdadeira identidade é o Cristo, por definição você deve ter apenas pensamentos crísticos, emoções crísticas e um corpo crístico; o corpo físico crístico é um corpo físico imortal.

O processo começa no nível do pensamento. Os seus pensamentos é que criam sua realidade, e isso engloba o corpo físico. Qualquer pensamento negativo vai se manifestar no corpo físico. O mesmo vale para os pensamentos positivos. A humanidade vive sob uma hipnose negativa massificada ao crer que tem de envelhecer e morrer. Todos crêem nisso; por isso, todos envelhecem e morrem.

Você nunca notou que as pessoas muitas vezes morrem no tempo que de antemão marcaram em seus relógios mentais? Elas acham que ter 65 anos é ser velho, e dizem a si mesmas: "Quero chegar ao aniversário dos 16 anos da minha neta." Assim, acertam as mente para morrer numa determinada idade e, com certeza, é exatamente isso o que acontece.

A chave da imortalidade física no nível mental é livrar-se desse ímpeto de morte e substituí-lo pelo ímpeto da vida. A verdade é que o seu corpo já é imortal. Você simplesmente acha que não é; ele então obedece ao comando desse pensamento. O único pensamento que você deve admitir na mente a respeito do corpo físico é a idéia de uma saúde perfeita e radiante, de que você está cada dia mais jovem e pode viver eternamente, contanto que decida fazê-lo.

A alma é eterna; portanto, o corpo físico também deve ser considerado eterno, para manter o alinhamento apropriado no sistema de quatro corpos. Esse processo começa com a aceitação dessa filosofia no plano da mente consciente. Depois a idéia precisa ser programada na mente subconsciente. Esse último ponto é importante. Algumas pessoas crêem conscientemente na imortalidade, mas suas mentes subconscientes não estão convencidas. Mas isso só funciona se todas as três mentes crerem nessa verdade — pois a mente superconsciente, ou alma, já acredita.

Para alcançar a imortalidade física, é preciso ter um controle absoluto sobre a mente subconsciente. É preciso também manter vigilância sobre os pensamentos que são admitidos na mente consciente, tanto os oriundos do eu quanto os de outras pessoas. É bem fácil cair na hipnose negativa que cerca a questão, pois a crença na morte é realmente violenta.

Já se provou que a glândula pituitária produz o hormônio da morte, bem como o hormônio da vida. A pituitária produz o hormônio da morte na maioria das pessoas, pois elas a programam inconscientemente para fazê-lo, por meio de emoções e pensamentos mórbidos. Ao livrar-se de todos esses pensamentos e emoções mórbidos, e substituí-los apenas por pensamentos e emoções vitais, você programa a pituitária para produzir somente o hormônio da vida.

O uso de afirmações positivas é essencial aqui. Diga constantemente a si mesmo que você é espírito eterno, e que seus pensamentos, emoções e corpo físico refletem essa natureza eterna e imortal. Para alcançar a imortalidade física é preciso ter domínio sobre a mente subconsciente e sobre os três corpos inferiores (físico, emocional e mental), além do domínio também sobre o ego negativo. A principal crença do ego negativo é a separação em relação a Deus. Se você acredita que é uma coisa só com Deus, que é literalmente filho ou filha de Deus, o próximo passo lógico é, claro, acreditar que você é imortal em todos os níveis.

Você tem domínio absoluto sobre todos os níveis do seu ser a serviço de Deus, quando crê na imortalidade física. A imortalidade física e o caminho espiritual não são para pessoas hesitantes. O primeiro passo nessa direção é a purificação de todas as energias negativas de que porventura estejam impregnados os quatro corpos.

No plano emocional, você precisa se livrar de todos os sentimentos negativos. Lembre, novamente, que seus pensamentos (incluindo as emoções) criam a realidade. Se você pensa apenas com a mente crística, e não com a mente do ego negativo, então vive com alegria, felicidade, amor incondicional, equilíbrio mental e paz interior em todos os momentos. O mundo é uma tela de projeção, e você está vendo o seu próprio filme. O filme é formado pelas suas percepções e interpretações da vida.

Existe uma forma de pensar que lhe trará essa alegria, paz e amor em todos os momentos: a ciência da cura pela atitude. Emoções negativas debilitam o corpo físico; emoções positivas energizam o corpo físico. Vivendo num estado de amor incondicional, você ativa a glândula do timo, que é a sede do sistema imunológico. A imortalidade física é outro subproduto do caminho espiritual.

Purificação no plano físico significa adotar uma dieta saudável, reduzir o consumo de carne, eliminar todas as drogas, álcool e estimulantes artificiais, fazer algum tipo de exercício físico todo dia, respirar fundo e tomar o máximo possível de sol e ar puro. Existem toxinas físicas, emocionais, mentais e energéticas no corpo etérico. Todos os quatro corpos precisam ser purgados dessas toxinas.

Em essência, para atingir a imortalidade física a meta é ter somente pensamentos divinos, emoções divinas, um corpo de energia divina e um corpo físico divino. Deus é perfeito e você também o é. O microcosmo é como o macrocosmo. Quando todos os quatro corpos etéricos se tornam puros e alcançam o alinhamento com a alma e o espírito, a saúde será perfeita e radiante.

Quanto mais a pessoa avança pelos sete níveis de iniciação espiritual, maior se torna a quantidade de Luz e energia que flui pelo sistema de quatro corpos.

Na altura da terceira iniciação, que se denomina fusão da alma, ocorre grande aumento de energia e saúde física. Na quinta e na sexta iniciações, que compõem o processo de ascensão, ocorre uma completa fusão com a mônada (o espírito ou a Presença do Eu Sou), e isso garante a imortalidade física.

Na ascensão, a mônada desce e transforma todos os quatro corpos em Luz. O corpo físico não passa de um espírito adensado e o espírito não passa de matéria refinada. Você está aqui na Terra para espiritualizar a matéria, e começa a fazê-lo espiritualizando o corpo físico, elevando-o novamente à Luz.

Cultive constantemente a idéia de que você é Deus. Você não pode adoecer, nem envelhecer, nem morrer fisicamente. Cultive o pensamento e o sentimento de que você tem saúde perfeita, de que está ficando mais jovem a cada dia que passa e de que viverá eternamente. Quando um pensamento, emoção ou energia negativa tentar lhe dizer alguma coisa em contrário, livre-se dele e imediatamente faça uma afirmação ou visualização positiva, vendo-se como o ser espiritual eterno que você é na verdade.

Invoque a poderosa Presença do Eu Sou para se livrar dessa crença egoísta e negativa, queimando-a completamente na chama violeta. Invoque constantemente sua alma, pedindo a ela que se funda com você na Terra. Você está aqui para criar o Céu na terra. Está aqui para ser Deus na Terra, em todos os planos. Isso está ao seu alcance. Jesus, porém, disse: "Faça-se-lhe conforme a sua fé."

Seus corpos físico, emocional e mental são servos seus, e não senhores. Dê-lhes ordens em nome do Cristo (que é quem você realmente é), e eles lhe obedecerão com certeza. Ordene à glândula pituitária que pare de produzir o hormônio da morte e passe a produzir somente o hormônio da vida; e ela fará conforme a sua ordem.

Diz a Bíblia: "Vós sois deuses e não o sabeis." A filosofia da imortalidade física agora vem recebendo a devida atenção. É tempo de fundar a espiritualidade na Terra e no corpo físico. Por muito tempo as pessoas deixaram seus corpos para tocar o espírito, em vez de tocar o espírito trazendo-o de volta e fundando-o na terra.

Todo o universo responde a qualquer ordem sua, pois você é Deus! Deus não determina quando você deve morrer; é você mesmo quem o faz. A chave da imortalidade física é viver como espírito em cada pensamento, palavra ou ação. Em essência, tornar-se Deus; depois a doença, o envelhecimento e a morte desaparecem. Como Deus não fica doente, nem envelhece nem morre, você também não o fará.

Anote numa folha de papel todos os seus pensamentos e sentimentos sobre a morte e a imortalidade física. Reescreva, em termos de afirmações positivas, todos os pensamentos que não forem divinos, corrigindo as crenças equivocadas que você esteja acalentando. Depois fique atento a quaisquer outras crenças equivocadas que surjam, anotando-as. Corrija-as no papel, substituindo-as por novas afirmações positivas até que tenha limpado as mentes consciente e subconsciente.

Também esteja pronto a purificar quaisquer crenças de vidas passadas sobre a morte, crenças essas que estejam armazenadas na mente subconsciente. Elimine todo o medo da morte. Na verdade, nada há a temer, pois a morte não existe a não ser na sua própria mente.

Perdoar a si mesmo e a todos os outros é pré-requisito para a imortalidade física.

Em estágios mais avançados, você começará a enxergar-se a si mesmo e aos outros como Luz, pois, na verdade, é isso o que você realmente é. Tudo depende de onde você concentra a sua atenção. Será que você concentra a sua mente na morte, na doença, na negatividade e no envelhecimento, ou em saúde perfeita, positividade, vida eterna e juventude?

O problema da maioria das pessoas no mundo é que elas vivem no piloto automático, e não controlam o foco de sua atenção. A atenção de cada um, idealmente, deveria em todos os momentos se concentrar no espírito, no Cristo, em Deus. Cada pessoa que você encontra na rua deve ser vista como Deus, senão você jamais alcançará a teo-realização.

O cultivo da consciência da imortalidade física gera um subproduto interessante: o DNA do seu corpo físico começa a se modificar, passando a ter 12 cadeias em vez de somente duas; o estado de iluminação implica 12 cadeias de DNA no corpo físico. Afirme a si mesmo que essa transformação está ocorrendo agora mesmo, e ore para que isso aconteça.

Cultive o pensamento e a imagem mental de que você "renasceu" neste momento e que, agora, seu DNA é formado por 12 cadeias. Pois Jesus não disse que "Se alguém não nascer de novo, não pode ver o reino de Deus"? Imortalidade física é a consciência de nascer de novo, em todos os planos do ser, para sua verdadeira natureza crística eterna. Perceba neste instante sagrado a verdade dessa afirmação, e deste dia em diante não admita na consciência qualquer pensamento ou sentimento contrário. Se algo começar a interferir, diga: "Afasta-te de mim, Satanás!", e substitua esse pensamento por uma afirmação crística. É isso o que Sai Baba chama de "auto-indagação". Este é o processo de discriminar entre o que é verdade e o que é ilusão, entre o que é permanente e o que é impermanente, entre o que é ego negativo e o que é Deus.

Sai Baba diz que 75% do caminho espiritual não é nada mais que essa prática. É a prática fundamental no esforço rumo à imortalidade física e à ascensão, que, na verdade, são uma e a mesma coisa. Uma vez atingida a imortalidade física (ou seja, o momento em que você decide fazê-lo), há duas alternativas a escolher: você não precisa permanecer na Terra eternamente; pode ficar aqui por quanto tempo quiser, em vez de deixar que seu corpo físico tome a decisão em seu lugar.

A imortalidade física, então, exige que você continue a ser o detentor de seu poder pessoal e do autodomínio em todos os momentos. É possível entregar seu poder ao corpo físico, aos desejos, emoções, mente, sentidos ou a outras pessoas. Mas para alcançar a imortalidade física, não se pode entregar esse poder a ninguém. Você é Deus. Não é preciso ter medo desse poder, pois você só o utiliza a serviço de Deus e de seus irmãos e irmãs, só a serviço do amor.

Outra chave da imortalidade física é o controle da sexualidade. Você precisa aprender a alcançar o domínio absoluto dessa energia, para decidir quando deve se identificar com ela e quando sublimá-la. O uso abusivo da sexualidade esgota o corpo físico e tira anos da sua vida. A sexualidade deve ser usada apenas a serviço do amor e da intimidade, e moderadamente. A kundalini jamais se elevará se a sua energia estiver constantemente se esvaindo pelo segundo chakra.

Quando você eleva a kundalini, ela pode ser usada para curar os órgãos e glândulas de todo o corpo físico. Essencial à imortalidade física é um profundo desejo de imortalidade e de teo-realização. Se você se permite deixar-se dominar pelos desejos do eu inferior, isso o enfraquece física, emocional, mental e espiritualmente.

Entenda que a imortalidade física é um processo, como o é o caminho espiritual. Este é o processo de migrar da polarização e identificação, com o eu inferior, à polarização e identificação com o Eu superior. Nos estágios iniciais, esta é uma guerra espiritual aberta. Nos estágios finais, torna-se muito mais fácil, pois todos os seus hábitos já foram reprogramados.

Outra sugestão para o plano físico é o uso da água, tanto interna quanto externamente. Banhos de imersão e chuveiro podem ser vistos como batismos e purificações diárias de todo o sistema de quatro corpos. A ingestão de grande quantidade de água purifica os rins, o fígado e todo o sistema. Doenças não se desenvolvem num corpo purificado.

Percebe-se claramente que a imortalidade física e a ascensão requerem um comprometimento total. Nada menos que isso o levará à meta. Como disse Yogananda, "Se você deseja Deus [imortalidade física], é preciso desejá-lo tanto quanto um homem que se afoga deseja o ar".

A imortalidade física é a teo-realização. Algumas pessoas crêem que é possível alcançá-la apenas com o poder da mente. Eu, pessoalmente, não creio nisso. Somente cultivar pensamentos positivos, sem acreditar em Deus, certamente irá favorecer sua saúde; porém, não creio que seja o suficiente para alcançar a imortalidade física.

Imortalidade física é a integração de todos os níveis de um ser. Você não pode negligenciar nenhum dos níveis. Não adianta só trabalhar nos planos mental e espiritual, adotando ao mesmo tempo uma péssima dieta e não fazendo exercício físico nenhum, a menos que você já tenha vindo à Terra como um mestre teo-realizado. Para 99,9% das outras pessoas, todos os níveis têm de ser dominados e purificados. Equilíbrio e moderação em todas as coisas é o ideal.

Não é a doença e a velhice que matam a maior parte das pessoas; é a crença na doença e na velhice que mata a maior parte das pessoas. Mesmo os especialistas em câncer concordam que uma das chaves para curar o câncer é a vontade de viver. Se você não a tem, todo tratamento é inútil.

Diariamente, à noite na cama, antes de dormir, e na manhã seguinte, ao despertar, incuta em si mesmo auto-sugestões afirmando a imortalidade física. Sua mente subconsciente é mais receptiva nesses momentos. Outras práticas que o ajudarão a alcançar a imortalidade física são meditar, orar, salmodiar o nome de Deus, cantar músicas piedosas, jejuar, plantar o próprio alimento, comer alimentos orgânicos, ler livros espiritualistas e edificantes, manter um ambiente limpo e organizado, não falar sobre a idade e não ir a funerais.

A idéia é manter a consciência num estado espiritual elevado em todos os momentos. Se a sua mente estiver constantemente sintonizada em Deus, como podem entrar a doença, a velhice e a morte? Não podem. Se você ora, medita e salmodia constantemente o nome de Deus, só pode existir perfeição. Viver desse modo fica fácil depois de algum tempo; torna-se um hábito, uma maneira de levar a vida.

A FONTE DA JUVENTUDE

Recentemente descobri um livro chamado *The Ancient Secret of the Fountain of Youth*, de Peter Kelder, que conta a assombrosa história do coronel Bradford. Enquanto servia na Índia, perto da cordilheira do Himalaia, ele ouviu histórias sobre um grupo de lamas ou sacerdotes tibetanos que haviam descoberto a fonte da juventude. Ele acabou voltando à Índia em busca desses lamas e sua fonte da juventude, e encontrou-os. No mosteiro, os lamas lhe ensinaram o segredo de permanecer jovem: manter os chakras girando num ritmo acelerado e em sincronia uns com os outros. Quando os chakras começam a reduzir a velocidade de rotação, ocorre o envelhecimento. A desaceleração dos chakras impede que a energia vital, ou prana, flua corretamente. A chave da fonte da juventude era fazer os chakras girarem normalmente de novo.

Os mestres do Himalaia ensinaram cinco exercícios ao coronel Bradford. São exercícios fáceis de fazer, que não tomam mais que poucos minutos, uma vez aprendidos. Eles têm a propriedade de acelerar todos os chakras, de forma que passem a girar como os chakras de um homem de 25 anos e em harmonia uns com os outros.

Quando o coronel Bradford voltou aos Estados Unidos, literalmente parecia ter 30 anos menos. O relato é do próprio Kelder, que nem sequer pôde reconhecê-lo. Há também uma maneira especial de respirar enquanto se fazem os exercícios, que me lembram um pouco determinadas posturas da Hatha Ioga, mas têm propósitos e efeitos bastante específicos.

Esses cinco exercícios precisam ser praticados diariamente para produzirem todo o seu efeito. Se você tem boa forma física, pode fazê-los em dez minutos depois de assimilá-los. Tive uma impressão incrivelmente boa deles, e não tenho dúvida de que provocam exatamente os efeitos que o autor relata.

O coronel Bradford também aprendeu um sexto exercício, que devia ser usado apenas para elevar a energia sexual a fim de rejuvenescer o corpo.

Recomendo sinceramente que você consiga esse pequeno livro, que pode ser lido em 30 minutos. Será preciso um pouco de tempo para aprender a fazer os exercícios corretamente. Depois bastarão literalmente só dez minutos por dia, um pequeno investimento para tamanho retorno. Djwhal Khul, Kuthumi e El Morya eram todos lamas tibetanos — os mestres do Himalaia sabiam verdadeiramente do que estavam falando.

12

UMA COMPREENSÃO ESOTÉRICA DA SEXUALIDADE

Esses atos são errados quando não partilhados no amor. Esses atos são errados quando egoístas. Esses atos são bons, quando geram o compartilhamento entre duas almas.
Mente Universal
por Paul Solomon

Um dos assuntos mais embaraçosos para aspirantes e discípulos do caminho espiritual é o da sexualidade. Na minha opinião, há bem poucos livros que realmente explicam essa questão de maneira adequada. Este é um assunto complexo por diversas razões.

Em primeiro lugar, o ego e a alma têm visões completamente diferentes de como a sexualidade deve ser usada. Segundo, a sexualidade é afetada por algumas das seguintes variáveis:
1. Sua idade cronológica;
2. A idade da sua alma;
3. Se você é solteiro ou casado;
4. Se mantém algum relacionamento;
5. Seu nível de iniciação nesta vida;
6. Suas metas e objetivos nesta vida;
7. Seu karma de vidas passadas e propósito da sua encarnação nesta;
8. Seu grau de saúde física ou falta dela;
9. Seu comprometimento com a ascensão nesta vida.

Para começar a discussão da sexualidade, vamos primeiro examinar a diferença entre as visões do ego e do espírito em relação à sexualidade.

O ego usa a sexualidade a serviço do eu inferior; o espírito a utiliza somente a serviço do Eu superior e da alma.

O ego só está interessado em se satisfazer egoisticamente; o espírito está interessado em amar e dar prazer ao outro, assim como a si mesmo. O ego trata o outro como um objeto, buscando usar esse corpo físico para alcançar a autosatisfação; o espírito vê a outra pessoa como o Eu Eterno dentro do templo de um corpo.

O ego tem somente a visão física; o espírito tem também a visão espiritual. O ego é controlado por desejos, sentidos, pensamentos, emoções, sensações físicas e energia sexual; o espírito é senhor desses aspectos do eu e os utiliza a serviço de Deus.

O ego, que busca a luxúria, extravasa toda a sexualidade pelo segundo chakra; o espírito reconhece a energia sexual apenas como uma oitava da energia dentro do sistema de sete chakras, e procura elevar essa energia a todo o sistema, a fim de usá-la em campos como a criatividade, a saúde física, o amor, o serviço, a meditação mais aprofundada, a iluminação espiritual e a teo-realização.

O ego é obcecado pela sexualidade e olha toda pessoa através dessa lente de referência; o espírito vê todas as pessoas primeiramente como Deus encarnado.

O ego usa a energia da kundalini para obter prazer sexual; o espírito busca elevar a energia da kundalini, da qual faz parte a energia sexual, até o chakra do alto da cabeça.

O ego procura chegar ao orgasmo somente no plano do segundo chakra; o espírito, ao praticar a sexualidade tântrica, busca o orgasmo em todos os sete níveis.

O ego considera a sexualidade como a coisa mais importante da vida, e fica mal-humorado, zangado, aborrecido e irritadiço se não consegue o que quer; o espírito, tendo preferências mas não apegos, permanece em total alegria, paz e equilíbrio, aconteça o que acontecer. O ego não pode conceber a felicidade sem a sexualidade; a felicidade do espírito é um estado mental, e nada tem a ver com sexualidade. De fato, o espírito pondera seriamente o celibato como uma opção viável, enquanto o ego constantemente inicia relacionamentos espiritualmente equivocados em função do impulso sexual. O espírito, sendo solidamente centrado no autodomínio, dispõe-se tranqüilamente a aceitar o celibato durante toda uma vida, caso o parceiro espiritual correto não se manifeste.

O ego dissipa enormes quantidades de energia sexual por meio da masturbação; o espírito, embora nada veja de errado na masturbação, busca sublimar parte dessa energia em ojas shakti ou iluminação cerebral.

O ego usa a sexualidade com o objetivo de alcançar o orgasmo; o espírito usa a sexualidade para alcançar a intimidade e partilhar o amor espiritual, e pode até preferir não chegar ao orgasmo. O espírito considera o prelúdio amoroso mais importante que o orgasmo.

O ego se interessa por pornografia e vive no estado de consciência que a cria; o espírito não usa a sexualidade dessa forma; utiliza-a, para a glória de Deus.

O ego faz amor somente com o corpo físico; o espírito faz amor com o espírito que vive dentro do corpo físico.

O ego coloca em primeiro lugar o seu próprio prazer; o espírito coloca em primeiro lugar o prazer da outra pessoa. O ego se interessa por sentir orgasmo o mais rápido possível; o espírito se interessa por partilhar o amor por tanto tempo quanto for possível.

O ego usa fantasias de outras pessoas durante a masturbação ou envolvimento sexual com um parceiro; o espírito é extremamente contido no uso da fantasia, reconhecendo que todas as mentes estão unidas, e que aquilo que um fantasia afeta o outro.

O ego negativo que controla a personalidade encarnada leva a pessoa a ter romances por falta de controle do aspecto sexual; o espírito, compreendendo a lei do karma, jamais faz nada que magoe a outra pessoa, que seja desonesto ou que gere karma negativo.

Eu poderia continuar ainda por muito tempo, mas acho que já é o suficiente para passar claramente uma idéia básica. Resumindo, os atos sexuais são pecaminosos ou errados quando egoístas e não partilhados no amor; são bons quando provocam a partilha do amor entre duas almas.

É preciso entender que a energia sexual é só uma das sete oitavas energéticas que existe dentro do corpo humano. Não há nada de errado no prazer do ponto de vista espiritual. Porém, será que é o prazer a única forma como você deseja usar a sua energia? Não há julgamento dos reinos espirituais se é essa a escolha que você faz em qualquer momento, mas é importante considerar as tremendas realizações, criatividade e crescimento espiritual que poderiam ser alcançados se a energia fosse sublimada.

Outro ponto importante a considerar é que, segundo a canalização da Mente Universal por Paul Solomon, por quem tenho enorme respeito, "o ato físico em si evitaria a realização do ato superior da alma". Em outras palavras, uma vez manifestado o eu inferior ou natureza animal, isso impede que você seja um canal para o Eu superior ou alma.

Nas canalizações de Paul, a Fonte também afirma que a partilha de fluidos entre duas pessoas cria um elo espiritual ou amarras energéticas que não podem ser rompidas durante toda a vida. As amarras podem ser rompidas num sentido psicológico, com o final da relação, mas não num sentido espiritual. Essas amarras são como fios elétricos, e a energia passa por elas nos dois sentidos. É por isso que, em muitos ensinamentos espirituais, a doação sexual do eu tem como meta complementá-lo naquela vida.

Quando você entender os elos kármicos que cria com as pessoas toda vez que faz sexo, acho que será um pouco mais seletivo quanto aos parceiros sexuais. Se você é uma vítima psicológica, e não senhor de sua mente, das suas emoções, você pode ser prejudicado pelas energias que fluem através dessas amarras. O mau humor, a depressão e a raiva podem não ser seus, mas pertencer à pessoa com quem você dormiu, pessoa cujas energias continuam a fluir para você através das amarras. Como a energia flui nos dois sentidos, o estilo de vida do companheiro ou parceiro continua se infundindo em você e fluindo de você; é inteligente, portanto, escolher com cuidado.

Todas as pessoas têm essas amarras, e o ideal seria ter o domínio das energias, para não mais ser vítima das forças que fluem por elas. No sentido mais sublime, o ideal é que você queira ser um gerador de Luz e amor tal que sua energia divina flua de volta pelas amarras para enlevar aquelas pessoas com quem você se envolveu. Mas isso não é coisa que precise ser feita conscientemente; o estilo de vida normal trilhado por uma pessoa que assume a condição de Luz do mundo cuidará automaticamente disso.

É também importante compreender que o estado de consciência cultivado durante o ato sexual é aquilo que você implanta no parceiro. Em outras palavras, o homem não só planta a semente física, mas também a energia concupiscente do eu inferior ou o amor do Eu superior.

Isso também vale para outras formas de atividade sexual, e não somente o ato em si. Lembre que seu parceiro é Deus, como você também o é. A pergunta a fazer a si mesmo é se você está dando ao parceiro aquilo que gostaria de dar a Deus; pois, na verdade, é exatamente isso que você está fazendo.

Então entenda que o ato físico é somente um ato físico. O que é julgado pelo eu e por Deus são as suas motivações mentais, emocionais e espirituais para entrar no envolvimento sexual.

Em situações nas quais ocorre um caso extraconjugal, cria-se um elo kármico entre as três pessoas. Isso não deve ser desprezado, pois essa lição kármica terá de ser resolvida, ou nesta vida ou em algum momento da eternidade, para o equilíbrio final do karma que precisa ser alcançado antes da ascensão ou sexta iniciação.

Antes de se envolver numa atividade sexual, você deve ponderar se o relacionamento vai gerar um sentimento de remorso ou culpa em você ou no parceiro. O ego geralmente quer satisfação imediata, e não leva em conta um panorama mais amplo. É por isso que os mestres sempre disseram que, a não ser que você pretenda se entregar à pessoa por toda a vida, não deve lançar a sua semente. Também é por isso que é melhor que uma pessoa solteira se masturbe ou deixe o alívio sexual vir de forma natural, em vez de criar um elo kármico inadequado.

Há outra ferramenta que pode ser levada em consideração. Quando sentir excitação sexual nos chakras inferiores, una as mãos em oração. Depois deixe que as mãos apontem cada chakra, elevando a energia, a fim de que ela possa ser usada para um propósito superior. Isso pode gerar a experiência de um orgasmo nos sete diferentes níveis do seu ser. É possível que você sinta a convulsão dos músculos em cada um dos sete chakras, e a experiência global será muito melhor que o orgasmo num único nível apenas.

O sexo entre pessoas solteiras não é errado. Mas todas as coisas mencionadas neste capítulo devem ser consideradas. A maioria das pessoas do mundo não tem absolutamente nenhum entendimento das leis esotéricas

Depois há também a lição espiritual de como driblar a tentação. A chave aqui é manter a mente e a consciência harmonizadas com as coisas de Deus, com o amor de Deus e com o conhecimento de Deus. Como Djwhal Khul diz com tanta freqüência, "Mantenha a mente firme na Luz". Quando sua mente está em Deus, a tentação nem sequer aparece. É quando a mente deixa Deus e volta à consciência corporal que surge a tentação. É por isso que você deve manter uma rotina diária e contínua de práticas espirituais. Isso está bem exposto no velho ditado: "A mente ociosa é a oficina do diabo." A mente precisa estar constantemente concentrada em orar, meditar, fazer afirmações espirituais, criar visualizações, repetir o nome de Deus, salmodiar, cantar músicas piedosas, praticar a presença de Deus, ver o Eu Eterno em cada pessoa como em si mesmo, ler textos espiritualistas, fazer exercícios físicos, manter uma dieta saudável, passar algum tempo ao lado de gente espiritualizada, ir à igreja ou templo, participar de cursos e palestras espiritualistas e assim por diante.

Quando sua vida está cheia desse tipo de atividade, a tentação raramente chega sequer a incomodar. Isso vale também para outras áreas da vida. Quando você está junto de alguém e surge a tentação, imediatamente agradeça a Deus por tal pessoa e a veja como o Eu Eterno, ou o próprio Deus. Tudo depende de onde você concentra a sua atenção. Se você deixa a mente subconsciente, os cinco sentidos, o corpo do desejo e o ego negativo controlarem sua atenção, então aí está o problema. O ideal é que a mente consciente sempre se concentre em servir a alma, o espírito e a consciência do Cristo.

Quando sua atenção começar a deslizar rumo a uma consciência corporal inadequada, basta sintonizá-la novamente em Deus, como se você mudasse o canal do televisor. É preciso entender que a energia obedece ao pensamento, e todos os sentimentos são criados pela sua mente. Assim, a chave para alcançar o domínio da sexualidade é aprender a dominar a mente. Esse processo também pode ser denominado cura pelas atitudes. A tentação sexual sempre começa com um pensamento ou sentimento oriundo da mente. O truque é cortar o mal pela raiz, pois aquilo a que você dá energia acaba se desenvolvendo. Isso requer enorme vigilância. Quando você começa a sentir a tentação, basta perguntar a si mesmo: "Será que eu quero a Deus ou ao meu ego nesta situação?" Ao olhar o caso por esse ângulo, tenho certeza de que você escolherá a Deus.

É preciso entender que a energia sexual é uma das forças mais poderosas do universo. A única força mais poderosa é a sua vontade consciente, o seu poder pessoal a serviço de Deus. Você precisa perguntar a si mesmo se quer a consciência animal ou a consciência dos mestres ascensionados. Afinal, você quer servir ao eu inferior ou ao Eu superior?

Um dos melhores métodos para superar a tentação é começar imediatamente a salmodiar o nome de Deus, mentalmente ou em voz alta. Como se lê em *A Course in Miracles*, "Não permita que entre na sua mente um pensamento que não provenha de Deus".

Quando cometer erros no terreno da sexualidade, basta perdoar-se a si mesmo e voltar ao caminho correto. Até alcançar as iniciações superiores, há uma batalha entre o eu inferior e o Eu superior. Não perca tempo com culpa ou remorso. Depois de cometidos os erros, basta lapidar a pepita de sabedoria neles contida, aprender a lição e lembrar o que Jesus disse a Maria Madalena: "Você está perdoada. Vá e não peque mais."

Mahatma Gandhi, em sua autobiografia, conta a tremenda batalha que travou contra sua própria sexualidade, até finalmente dominá-la. Quando vier a tentação, pare de fazer as coisas que geram essa tentação. Tudo depende daquilo que você pretende nesta encarnação. Se você verdadeiramente deseja a teo-realização e ascensão para poder prestar um excelente serviço à humanidade, então deve escolher a Deus em cada momento de sua vida. Se você sempre escolher a Deus em detrimento do ego negativo, então irá alcançar a liberação ao longo do curso da sua vida. É importante enfatizar que aquilo que você vê neste mundo não passa de projeção de seus próprios pensamentos; você está assistindo ao seu próprio filme. Enxergue cada pessoa como Deus, em todas as situações, e certamente irá realizar Deus em si mesmo.

Ao caminhar pela rua, se você vê somente com os olhos físicos, certamente irá julgar os corpos físicos segundo as imagens que o ego capta em revistas como *Playboy* ou *Playgirl*, e que envenenaram a mente coletiva. Essa doutrinação doentia está em todo lugar — em revistas, em jornais, em programas de televisão e filmes. O mundo exterior adora o corpo físico. Se você quer compreender Deus, então precisa ver diariamente somente Deus em todas as pessoas, animais, plantas, pedras e em si mesmo. Se você não vê Deus no seu irmão, na sua irmã, jamais poderá percebê-lo em si mesmo. A sexualidade é muito mais do que somente um ato físico. O adultério mental, emocional e espiritual ocorre na mente enquanto você caminha pela rua ou assiste a um filme.

VOTO DO BRAHMACHARYA

O voto do brahmacharya, feito ao eu e a Deus, declara que você irá usar a sexualidade somente da maneira que Deus o faria usar. Fazer votos é algo que nossa cultura ocidental não adota como prática espiritual, e isso é uma pena. Determinados votos espirituais conferem enorme liberdade.

Eu mesmo fiz o voto do brahmacharya bem antes de saber qual o seu verdadeiro significado. Essa decisão proporcionou-me liberação e aceleração do meu crescimento espiritual mil vezes maior do que qualquer coisa que eu havia experimentado até então na vida. O voto fecha e tranca uma porta.

A maioria das pessoas não fecha suas portas físicas; assim, quando ficam exaustas, fracas ou doentes, ou quando perdem seu poder pessoal, o eu inferior volta a tomar conta. O voto do brahmacharya fecha as portas psíquicas e impede que isso aconteça. A segunda metade deste capítulo será dedicada à elucidação do verdadeiro significado dessa prática espiritual realmente profunda.

Tentação em si não é pecado; tentação é a oportunidade de pecar. A chave é saber quando cessa o louvor a Deus por meio da pessoa amada e quando começa o desejo mundano. Mantenha a mente sintonizada em Deus e o corpo físico ativo por meio dos exercícios físicos. Sempre que necessário, deixe que a energia sexual extravase de forma natural durante o sono. Assim não há pecado nem produção de karma. Além disso, essa prática permite que o enorme poder da energia sexual e da força da kundalini seja elevado a todos os sete chakras para os propósitos da teo-realização, saúde física, iluminação mental, criatividade, cura e um serviço mais perfeito à humanidade.

Como diz Paul Solomon numa das canalizações incluídas no livro intitulado *Excerpts from the Paul Solomon Tapes*, "... e teu corpo e tua mente permanecerão puros no Senhor. Assim podes apresentar diante dEle esse corpo como sacrifício vivo, sagrado, aceitável por Deus".

O termo brahmacharya significa literalmente "canal que leva à realização de Brahman", ou do Eu Eterno. Implica comedimento, perfeito domínio da energia sexual e libertação da luxúria em pensamento, palavra e ação.

Brahmacharya também significa castidade, embora eu não o esteja usando nesse sentido estrito do termo. Encontrei esse termo pela primeira vez ao ler a autobiografia de Mahatma Gandhi. Ele descreve como fez o voto do brahmacharya, e diz que esta foi uma das chaves para o desenvolvimento de toda a sua vida espiritual. Ele também usa o termo num contexto muito mais amplo do que só o da sexualidade. Para ele, o voto do brahmacharya foi o comprometimento com um caminho de autodomínio e autodisciplina em todas as áreas da sua vida, a fim de alcançar a auto-realização.

Ler essa parte da autobiografia de Mahatma Gandhi foi especialmente importante para mim, pois o voto do brahmacharya era algo que eu já havia feito no mesmo contexto mais amplo cerca de quatro anos antes, embora jamais houvesse ouvido o nome preciso desse rito. Esta foi uma das coisas mais importantes que fiz na vida, e realmente me trouxe uma "paz que excede todo o entendimento".

Não vivo mais em conflito, lutando comigo mesmo em momentos de fraqueza. A porta de certos tipos de atividades e estados mentais pertencentes ao meu eu inferior já foi fechada e trancada; assim, agora não é mais necessário despender energia com isso. Em suma, tornou-se um hábito, e a profundidade espiritual dos votos que fiz não admite a possibilidade da reabertura dessa porta.

Certa vez, ouvi numa canalização a afirmação de que perfeição não significa jamais cometer erros; perfeição significa, sim, não cometer jamais um erro *consciente*. Os erros conscientes estão sob o nosso controle, ao contrário dos inconscientes. Uma das implicações de meu voto de brahmacharya é direcionar a minha consciência — em pensamentos, palavras e atos — de volta a Deus sempre que me surpreender cometendo erros inconscientemente.

Krishnamurti usou o termo "consciência da ausência de opção". Eu não sei em que contexto ele o usou, mas eu me identifico com o termo. Não preciso optar entre o eu inferior e o Eu superior; a opção já foi feita quando fiz o voto do brahmacharya. A única opção que tenho é ser guiado pelo espírito sagrado, por minha mônada, pelos mestres ascensionados e por Deus. Todas as outras portas estão conscientemente cerradas.

O voto do brahmacharya aplica-se a pessoas casadas, pessoas que mantenham relacionamentos e pessoas solteiras. Para mim, o voto do brahmacharya por pessoas solteiras seriamente comprometidas com o caminho da iniciação significa que elas manterão o celibato até encontrar a alma gêmea, a paixão gêmea ou o correto parceiro espiritual. Significa que evitarão o envolvimento sexual, a menos que encontrem a pessoa certa em todos os níveis — físico, emocional, mental e espiritual.

Muitos solteiros que conheço se envolvem uma vez atrás da outra com pessoas com quem não combinam espiritualmente. E o mesmo resultado sempre se repete. Se você coloca Deus em primeiro lugar, então, obrigatoriamente, terá um parceiro que também coloca Deus em primeiro lugar, embora a forma de religião ou caminho espiritual pouco importe.

O voto pode significar algo diferente se você é cronologicamente mais jovem e precisa ganhar experiência em relacionamentos como parte do seu crescimento espiritual. O voto é também diferente se você ainda está num estágio inicial da evolução espiritual, e só agora começa a trilhar o caminho. Portanto, não existem regras inflexíveis.

Se você estudar os ensinamentos do brahmacharya em livros de ioga e escrituras hindus, poderá verificar que há restrições bastante rígidas ao uso da sexualidade — acredite ou não, mil vezes mais rígidas que os modelos que proponho neste livro. Para eles, eu seria um brahmacharya ultraliberal. O que tento aqui é encontrar o equilíbrio correto entre Céu e Terra, entre yin e yang, com a integração adequada da consciência do Cristo.

Aquilo que exponho aqui não é fácil, especialmente nos estágios iniciais do caminho espiritual. Depois da terceira iniciação, creio que fique mais fácil, e depois da quarta iniciação, muito mais fácil. Para dominar a sexualidade e aprender como sublimar e transmutar essa energia é necessário aprender a dominar os pensamentos, emoções, o ego, a mente subconsciente e os cinco sentidos. Ao fazer o voto do brahmacharya, você também se compromete a dominar esses outros componentes do seu eu. De todos esses desejos, porém, o impulso sexual é o mais forte. Para dificultar ainda mais, nossa sociedade não nos apóia, mas nos impõe obstáculos ao progresso. Eu creio que o vírus da Aids e outras doenças sexualmente transmissíveis são os reflexos externos do uso errôneo, no passado, dessa preciosíssima energia divina.

É essencial aprender a dominar e elevar essa energia caso a sua meta nesta vida seja a teo-realização e a ascensão. Para atingir esse objetivo, você deve necessariamente ter determinação férrea, interminável paciência, tenacidade espiritual e perseverança. Todo dia, ore a Deus pedindo ajuda nessa empreitada. Por que fazê-lo sozinho se você pode ter a ajuda de Deus? Com o tempo, a tarefa se tornará muito mais fácil, à medida que as práticas forem se transformando em hábito.

Você aprenderá a conservar a lembrança de Deus em todos os momentos quando aprender a tomar posse de seu poder pessoal e conseguir o autodomínio. No budismo existe o termo "bodhicitta excepcional", que significa produzir um estado de impressionante desejo pela iluminação e teo-realização, para que a pessoa possa ser de maior valia à humanidade nesta encarnação.

Se toda manhã você cultivar essa bodhicitta, ou "mentalidade de iluminação", a tentação não será capaz de atingi-lo. Eu descreveria essa coisa como um fogo espiritual devorador. Quando seu anseio por Deus não é apenas um palito de fósforos, mas um fogo que tudo consome, que queima em cada momento da sua vida, então a tentação sexual deixa de ser uma preocupação.

Nas leituras* de Edgar Cayce vê-se que a epilepsia é uma das formas de karma que é transportada à outra vida em função dos excessos no terreno da sexualidade.

---

* Denominam-se "leituras" ("readings", em inglês) as respostas dadas por Edgar Cayce, em estado de sono induzido, às perguntas que lhe eram feitas. (N. do T.)

Reabsorver o sêmen ajuda a enriquecer o sangue e fortalece o cérebro. Quase universalmente aceito por médicos especialistas nesse campo que os elementos mais seletos do sangue entram na composição das secreções espermáticas. Os excessos da sexualidade só servem para exaurir e deteriorar a riqueza do suprimento de sangue.

O voto do brahmacharya é uma das portas-chave para o Nirvana. Para um sábio iluminado, o mundo está repleto apenas de Brahma (Deus).

O voto do brahmacharya engloba tanto pensamentos como ações concupiscentes. O conceito de adultério mental é mais difícil de assimilar que o de adultério físico. Como é que você olha homens e mulheres na rua, no cinema, na televisão ou em revistas? Não há nada de errado em olhar o corpo físico do sexo oposto, contanto que você esteja olhando com o coração e vendo primeiramente o Eu Eterno.

O ego quer que você olhe primeiro com a visão física, com um olho crítico a respeito das qualidades sexuais da outra pessoa. Veja primeiramente o Cristo em todas as pessoas, e então seus veículos físicos; assim você terá uma percepção totalmente nova da realidade. O ego cria separação pelo julgamento das aparências; o espírito vê todas as pessoas como exatamente o mesmo ser. O eu que está dentro de você e de mim é o mesmo eu. Criar diferenciação por causa das aparências físicas não passa de ilusão.

Um método útil é ver cada pessoa que você encontra como seu mestre espiritual favorito; na verdade, é isso mesmo o que elas são. Outra técnica é ver as mulheres como a Grande Mãe, Kali, Quan Yin, a Virgem Maria, Ísis. Veja os homens como Jesus Cristo, Sai Baba, Djwhal Khul ou o Senhor Maitreya. Veja cada pessoa como irmão ou irmã de sua família espiritual.

O brahmacharya mental é o voto de manter a mente pura. Você realiza o brahmacharya mental quando nem sequer um único pensamento concupiscente ou do eu inferior entra na sua mente, conservando-a concentrada em Deus e no Eu Eterno.

Quando você se deixa levar por fantasias sexuais ou pensamentos concupiscentes, ainda que não aja fisicamente, está desenvolvendo uma atividade sexual no plano mental e, assim, gerando karma. Lembre-se do que disse Edgar Cayce: "Pensamentos são coisas." Basta você dar energia suficiente a essas fantasias sexuais para elas tomarem vida própria.

Não digo isso para julgá-lo, pois certamente todos já fizemos coisas desse tipo. Pretendo apenas lembrar-lhe dessas leis espirituais sutis mas muito importantes, leis que você sabe que são reais. O voto do brahmacharya leva à pureza em todos os planos.

Outro efeito interessante da sexualidade é que o orgasmo enfraquece as pernas. Qualquer lutador de boxe sabe disso. É por isso que todos os treinadores impõem o celibato aos atletas pelo menos seis semanas antes de uma luta. É possível pôr à prova essa afirmação com uma varinha ou pêndulo de rabdomancia; você apenas vai confirmar a sua veracidade.

Certa feita tive um paciente que fez um curso de cura do qual também participei. Quando ele se submeteu a um processo de cura, descobriu-se que suas pernas estavam geladas. Por ser conselheiro dele, eu sabia que ele vinha se masturbando duas ou três vezes por dia já há cinco anos ininterruptos. Imediatamente, percebi a causa dessa frieza.

Os Vedas declaram que "pela prática do voto do brahmacharya e da paz os devas derrotaram a morte". Essa foi uma das chaves do sucesso de Gandhi. O *Mahabharata*, livro que contém o *Bhagavad-Gita* (talvez o melhor livro jamais escrito), diz o seguinte: "Saiba que neste mundo não há nada que não possa ser alcançado por alguém que se mantém do nascimento à morte em perfeita castidade... Numa pessoa, o conhecimento dos quatro Vedas [o livro mais sagrado da Índia], e noutra, a castidade perfeita — dessas duas, a última é superior à primeira por a esta faltar a castidade."

O Senhor Sankara, um dos maiores avatares hindus de todos os tempos, disse certa vez: "Brahmacharya, ou castidade imaculada, é a melhor de todas as penitências. Um celibatário de castidade tão imaculada não é um ser humano, mas na verdade um Deus.... Ao celibatário que conserva o sêmen com grande esforço, o que não é possível atingir neste mundo? Pelo poder da serenidade do sêmen, qualquer um pode se tornar como eu mesmo."

O Senhor Krishna, encarnação passada do Senhor Maitreya, disse: "A sensualidade destrói a vida, a glória, a força, a vitalidade, a memória, a riqueza, a melhor fama, a santidade e a devoção ao supremo."

Os Upanishades, que são os ensinamentos sapienciais dos Vedas, dizem: "E aqueles estudantes que encontram o mundo de Deus pela castidade, deles é essa terra celestial; deles, em qualquer mundo que estiverem, é a liberdade."

O Senhor Buda recomendou que as pessoas evitassem o casamento em virtude da generalizada falta de controle sobre o eu inferior. Alguém que não alcançou o domínio sobre suas energias deve "evitar a **vida** conjugal como **se** fosse um poço de brasas ardentes. Do contato vem a sensação, da sensação o desejo, do desejo o apego; ao interromper essa cadeia, a alma se vê livre de toda existência pecadora".

Quero acrescentar aqui, porém, que o verdadeiro mestre, depois de fazer o voto do brahmacharya, pode se casar e viver em total pureza, pois sua energia sexual será usada de maneira apropriada e com moderação.

Na nossa sociedade, é muito comum ouvir falar de homens que se aborrecem ou se irritam com a mulher quando ela se recusa a fazer sexo. Um mestre que tenha feito o voto do brahmacharya ficaria igualmente contente fazendo sexo ou sublimando sua energia. Olhando as coisas de um ângulo espiritual, não há nada de errado em viver a sexualidade e o prazer mútuo, contanto que seja uma relação amorosa, e não um ato egoísta, e que haja moderação e o reconhecimento do parceiro como o Eu Eterno encarnado.

O voto do brahmacharya para casais implica permanecer no Tao do envolvimento sexual adequado, conforme os ideais e prioridades sexuais mútuos. Para casais que estejam se aproximando das iniciações superiores e da ascensão, eu recomendaria menos sexo e mais sexualidade tântrica.

Nos níveis médios de iniciação, você terá apenas de usar sua intuição para saber o quanto é adequado. Houve um tempo na minha vida em que era apropriado viver a sexualidade. Mas hoje, ainda que eu esteja casado e ame profundamente minha mulher, o sexo não é tão importante quanto costumava ser. Sem o menor esforço, eu poderia ser celibatário pelo resto da vida. Isso me deu enorme liberdade, pois agora não dependo mais do sexo.

Você também pode pensar em não ter orgasmo, ainda que decida fazer amor de quando em quando. Toda a energia gerada será então usada para outros propósitos. Isso pode parecer estranho; entretanto, a pergunta que surge é a seguinte: qual é a parte mais gostosa do relacionamento sexual? É só o orgasmo ou a relação como um todo?

Uma pessoa que faça o voto do brahmacharya chama-se brahmachari. A escritura hindu afirma que "pela prática do brahmacharya, aumentam a longevidade, a glória, a força, o vigor, o conhecimento, a riqueza, a fama imorredoura, as virtudes e a devoção à verdade". A preservação do sêmen é um dos segredos do sucesso físico, emocional, mental e espiritual.

Nos ensinamentos e sutras da ioga de Patanjali, os ideais fundamentais são não matar, não roubar, dizer a verdade e manter a castidade, ou o brahmacharya. Essas são as chaves do sucesso na vida material e espiritual.

Você pode achar que estou sendo rígido demais naquilo que sugiro. Em muitos dos ensinamentos espirituais do Oriente e do Ocidente, recomenda-se que as pessoas tenham relações sexuais somente com a finalidade de reproduzir. Não acho que seja necessário ou apropriado ir tão longe no caso de casais casados. Não vejo nada de errado em curtir o sexo em circunstâncias apropriadas, contanto que haja moderação. Estou apenas mostrando o panorama global; você precisa encontrar o seu ponto de equilíbrio dentro desse panorama. Na nossa sociedade, o homem recebe muita desinformação a respeito da sexualidade por meio de médicos, psiquiatras, psicólogos e conselheiros mal informados e materialisticamente orientados. O que apresento aqui é a sexualidade segundo a percepção da alma, não segundo alguma visão materialista ou mundana.

A prática do brahmacharya também permite que casais casados, quando querem ter um filho, atraiam uma alma de nível bem elevado a encarnar-se no veículo físico que ambos produzem.

Na minha opinião pessoal, todos os adolescentes deveriam obrigatoriamente receber aulas sobre o brahmacharya na escola. Isso porque os adolescentes, por definição, são completamente descontrolados no que diz respeito ao corpo físico, ao ego negativo e à sexualidade. Não posso deixar de lembrar uma reportagem que falava de rapazes do segundo grau que faziam do sexo com as meninas um mero jogo, para ver quem conseguia acumular mais "pontos". O mais repugnante de tudo é que os rapazes estavam orgulhosos de si, mesmo depois que a "brincadeira" veio a público. Eles não achavam que haviam feito nada de errado.

Isso simboliza bem um certo segmento de nossa consciência coletiva. Esse é o resultado da falta de ensino espiritual na escola. Se os adolescentes recebessem instrução sobre o valor do brahmacharya, haveria uma queda no número de abortos e de gravidez indesejada, uma desaceleração no ritmo de disseminação da Aids e de outras doenças sexualmente transmissíveis, e a interrupção do declínio espiritual e moral da juventude de hoje. Pense no karma que está sendo gerado na vida desses jovens, karma que poderia ser evitado com uma educação espiritual e moral mais adequada.

A falta de consciência do conceito de brahmacharya é acompanhada pela ingestão de álcool e drogas, consumo de pornografia e, em geral, pela liberação total do eu inferior. Tenho certeza de que 98% de todos os adolescentes não têm a menor idéia sequer do que sejam o eu inferior e o Eu superior. E isso não por culpa deles, mas da sociedade. Os educadores não estão orientando adequadamente as almas jovens.

O voto do brahmacharya também engloba o regime alimentar, as pessoas com quem você se relaciona, os filmes e programas de televisão que vê, as revistas e livros que lê. O voto implica o aprimoramento do caráter e da virtude. Implica uma clara compreensão da saúde sexual no plano físico, incluindo higiene adequada e controle de natalidade.

É proveitoso perceber que o Atmã, ou Eu Eterno, é assexuado, e que ele é a sua verdadeira identidade. Muitos psicólogos lhe dirão que o controle da sexualidade é repressão e que a repressão é nociva. Como psicólogo, digo que isso é ignorância. O controle e sublimação da energia sexual é ao mesmo tempo conservação e conversão de energia de uma forma em outra. Nesse caso é a conversão de luxúria em ojas shakti — iluminação cerebral — e saúde física sobrenatural.

Ojas é, na verdade, a energia espiritual armazenada no cérebro. Pode ser utilizada para a contemplação divina e propósitos espirituais. Se você tem um grande volume de ojas no cérebro, pode produzir uma enorme quantidade de trabalho criativo, mental e espiritual. Seus olhos transbordam brilho e clareza e seus pés ficam envoltos numa aura magnética. Você pode influenciar pessoas falando bem poucas palavras. Apolônio de Tiana (a encarnação de Jesus Cristo depois de sua vida como Jesus, durante a qual recebeu a quinta iniciação) fez o voto do brahmacharya com 16 anos e viveu até a idade de cem anos ou mais, sem jamais quebrar o voto.

Sai Baba recomenda que as pessoas adotem o celibato depois da idade de 65 anos, ainda que sejam casados. Se você teve algum problema grave de saúde física, recomendo veementemente que faça um voto de castidade ou de extrema moderação durante um determinado período. Toda essa energia será então usada para curar o seu corpo, bem como sua mente e seu espírito.

Há hoje uma enorme pressão da sociedade para que as pessoas se casem ou encontrem um parceiro. Do ponto de vista da alma, é opção perfeitamente viável permanecer solteiro e celibatário e ser, ao mesmo tempo, totalmente feliz. Você não precisa de um parceiro para alcançar a felicidade. A alma e a mônada são, na realidade, os seus verdadeiros parceiros.

É também enorme o número de pessoas solteiras que buscam seus parceiros espirituais. Esse tipo de relacionamento nem sempre é fácil de encontrar. Eu diria que isso vale especialmente para as mulheres, pois há por aí mais mulheres que homens voltados para a espiritualidade.

Se você ainda não achou seu parceiro espiritual, experimente o caminho da castidade até que surja o parceiro. Por experiência própria, posso dizer que ser celibatário é um grande barato, desde que você se entregue a esse tipo de vida e elimine toda a programação egoística.

Se você pretende encontrar seu parceiro espiritual ideal, vou agora lhe contar o "segredo dos segredos": como achar essa pessoa. O segredo é entregar-se integralmente ao caminho espiritual e ao serviço à humanidade. Encontre alegria e felicidade completas na sua união com Deus, com o seu próprio eu e com seus irmãos e irmãs em Cristo. Reconheça que você é cem por cento sadio e completo em si mesmo, e uno com Deus. Viva a sua vida nesse estado de consciência, e quando for a hora, seu parceiro espiritual aparecerá bem diante de você, sem que jamais precise procurá-lo. Isso porque Deus atrai Deus.

Novamente enfatizo a necessidade de não permitir que sua mente funcione no piloto automático, pois essa atitude favorece o aparecimento das tentações. Os problemas sempre começam primeiro no plano mental. Jesus falou que se você olha para uma pessoa com luxúria, na verdade já cometeu adultério no coração. Veja, ouça, saboreie, toque, cheire, pense, sinta, perceba e intua somente a Deus. Você não alcançará o sucesso a menos que sua vida seja uma seqüência constante de práticas espirituais. Depois de algum tempo isso já não é praticado como trabalho, mas como a maior das alegrias, pois não existe sentimento melhor que afirmar e sentir constantemente a Deus. Quando você vir uma bela forma nos contornos de um corpo físico, lembre-se de quem criou essa forma e de quem vive lá dentro.

Ramakrishna, o avatar teo-realizado, era casado e, acredite ou não, chegou a consumar o casamento. Sri Anandamayi Ma, o santo indiano pleno de bem-aventurança, era casado e fez o mesmo. Apresento esses exemplos para lhe dar um panorama completo de opções disponíveis de caminho espiritual.

Uma das chaves para desenvolver os Siddhas (dons espirituais superiores) é sublimar a energia sexual. No início, experimente fazer o voto do brahmacharya por uma semana, por um mês ou três meses. É bem parecido com o jejum. Todos sabemos o bem que faz o jejum para o corpo físico; faça jejum de atividades sexuais por um curto período, para ver como você se sente.

Toda vez que fizer sexo, examine como se sente depois para ver se você se portou conforme o Tao. Em caso negativo, não seja duro consigo mesmo, mas aprenda com a experiência, faça a correção na sua mente e se comprometa a permanecer no Tao daí em diante.

O voto do brahmacharya é uma grande experiência sexual e um processo contínuo e evolutivo. Em diferentes períodos da vida, a natureza do voto pode ser diferente. O ponto principal é ser o senhor de sua própria sexualidade, e não deixar que ela domine você.

Quero encerrar este capítulo com uma história sobre Sócrates e seu discípulo extraída do livro intitulado *The Practice of Brahmacharya*, de Swami Sivananda.

> Um dos discípulos de Sócrates perguntou ao mestre:
> — Venerável mestre, peço-te a bondade de me dizer quantas vezes um chefe de família pode visitar sua mulher legítima.
> — Só uma vez em toda a vida — respondeu-lhe Sócrates.

Disse o discípulo:

— Ah, meu senhor! Isso é absolutamente impossível para um homem leigo. A paixão é terrível e perturbadora. Este mundo é cheio de tentações e distrações. Os chefes de família não têm força de vontade para resistir às tentações. Seus indriyas [os cinco sentidos] são bastante agitados e poderosos. A mente é repleta de paixões. Tu és filósofo e iogue. Podes controlar. Peço que, com benevolência, prescrevas um caminho mais fácil para o homem leigo.

— O chefe de família pode copular uma vez por ano — falou Sócrates.

E o discípulo replicou:

— Ah, venerável senhor! Isso ainda é uma tarefa difícil para eles. Precisas prescrever um caminho mais fácil.

Sócrates então redargüiu:

— Bem, meu caro discípulo, então uma vez por mês. Isso é conveniente. É bem fácil. Acho que agora ficarás satisfeito.

Mas tornou o discípulo:

— Isso também é impossível, honrado mestre. Os chefes de família têm a mente muito volúvel. Suas mentes estão repletas de samskaras (programações) e vasanas sexuais. Não podem ficar nem um único dia sem relações sexuais. O senhor não faz a menor idéia de como é a mentalidade deles.

Então disse Sócrates:

— Muito bem, filho querido, então faze o seguinte. Vai diretamente ao cemitério. Cava uma cova e compra um caixão e uma mortalha de antemão. Depois podes te dissipar quantas vezes quiseres. É o meu último conselho para ti.

Esse último conselho penetrou fundo no coração do discípulo, que o sentiu com profundidade. Ele pensou seriamente sobre a questão e compreendeu a importância e glória do brahmacharya. Ele adotou a rotina de sadhana espiritual (prática da consciência correta). Fez o voto da castidade estrita e inviolável por toda a vida, tornou-se iogue e alcançou a auto-realização, tornando-se um dos discípulos favoritos de Sócrates.

13

AUTODEFESA PSÍQUICA

*A forma mais comum de ataque psíquico é aquela que provém
da mente ignorante ou maligna de nossos irmãos humanos.*
Dion Fortune, Mística

Este capítulo talvez seja um dos mais importantes de todo este livro. Em vez de chamá-lo "Autodefesa psíquica", também poderia tê-lo intitulado "Como desenvolver um forte sistema imunológico físico, emocional, mental e espiritual".

Talvez você pense no sistema imunológico apenas como uma parte do corpo físico. Não é assim, porém. É tão importante, se não mais, desenvolver também um sistema imunológico psicológico e espiritual. A eficiência de seu sistema imunológico físico vai depender em larga medida, na verdade, da força de sua imunidade psicológica e espiritual.

A vida é uma batalha, independentemente de as pessoas espiritualizadas gostarem ou não de admiti-lo. Mesmo o grande Paramahansa Yogananda disse: "A vida é um campo de batalha." No *Bhagavad-Gita*, Krishna roga a Arjuna que "se desfaça de sua covardia, erga-se e lute". Você precisa aprender a ser um guerreiro espiritual na vida. *A Course in Miracles* enfatiza a importância de estar "atento a Deus e ao Seu reino". A luta acontece em diversos planos. Primeiro, você luta para permanecer consciente e alerta, não caindo naquilo que chamo de piloto automático. Segundo, você luta para manter sua mente limpa de pensamentos negativos. Luta para evitar que o glamour, a ilusão, maya e o ego negativo dominem sua consciência. Luta para permanecer interiorizado, equilibrado. Luta para conservar o amor incondicional, a alegria, o equilíbrio da mente e a paz interior.

Às vezes você luta para se curar de uma doença física ou de uma perturbação nos planos emocional, mental e/ou espiritual. Às vezes você luta contra o cansaço. Luta para controlar a mente subconsciente e para dominar seus três veículos ou corpos inferiores. Luta para permanecer consciente de que é Deus.

Uma das piores coisas que você tem de combater, ao lado das energias internas que não provêm da alma, são as energias negativas de outras pessoas e do ambiente.

O caminho espiritual é como a escalada de uma montanha — você sobe três passos e desce dois. É assim que todos evoluem. Você já aprendeu, nesta escola planetária de mistérios chamada vida terrena, que precisa se conservar forte. Essa batalha não fica mais fácil à medida que você avança no processo iniciatório. Nos primeiros estágios, há uma grande batalha contra "aquele que habita o limiar" (o ego negativo, o *glamour*, ilusão, maya). À proporção que você adquire autodomínio, essas energias são subjugadas, formando-se hábitos espirituais novos e positivos. Em essência, depois de um longo período de luta e sofrimento, você finalmente chega ao ponto de aprender a permanecer forte física, mental, emocional e espiritualmente, e a impedir que uma investida das energias negativas dos mundos interior ou material o desequilibre.

Neste capítulo, quero proporcionar o entendimento e os meios que lhe possibilitem vencer facilmente essa batalha e adquirir autodomínio, para que a vida se torne mais tranqüila e agradável. Vou ensiná-lo a se proteger da mesma forma que o faria um instrutor de artes marciais, só que nos planos sutil, espiritual e psíquico.

Antes de poder fazer isso, porém, preciso fazê-lo despertar. Muita gente leva a vida no piloto automático, como autômatos, completamente alheios a todas as forças negativas que estão operando: ego negativo, glamour, ilusão e maya, além das investidas das energias negativas dos planos físico, ambiental, psicológico e espiritual. Todas essas forças, é bom lembrar, agridem o homem comum dia após dia.

Este capítulo o ajudará a criar um arsenal de armas psicológicas e espirituais que o façam vencer a guerra contra essas energias negativas. Também vai revelar a pesada artilharia de energia negativa que vem do ambiente, de outras pessoas e dos planos astral, mental e etérico. É impossível vencer a batalha antes de compreender contra o que está combatendo.

Para dar início à prática da autodefesa psíquica, peço que você leia este texto com distanciamento, para não se deixar abater. Depois de fazer uma lista de tudo aquilo que você está combatendo, vou ensinar como se tornar invulnerável a seus efeitos. Mas jamais esqueça que, na verdade, você é Deus. Quando você se der conta desse potencial, nunca mais voltará a ser vítima de nada; será então senhor absoluto e causa de sua própria realidade.

Comecemos pelo corpo físico e seu sistema imunológico, analisando aquilo que esse sistema tem de combater. Você possivelmente já tem ciência de algumas das coisas que vou mencionar, mas talvez tenda a esquecer algumas delas quando o assunto é proteger-se.

ATAQUES CONTRA O SISTEMA IMUNOLÓGICO FÍSICO

A primeira coisa com que o corpo físico tem de lidar é com a poluição, especialmente se você vive numa cidade grande, embora na verdade hoje haja poluição em quase todo lugar deste planeta. Numa cidade como Los Angeles, além da poluição atmosférica, a água supostamente potável é tóxica. Há uma enorme quantidade de poluição sonora, com os alarmes dos carros constantemente disparando, ao lado de todos os sons de uma grande cidade. Esses ruídos o afetam muito mais do que você imagina.

Os oceanos estão poluídos. Os peixes estão saturados de mercúrio. Há restaurantes de comida rápida e sorveterias em cada esquina. É desnecessário dizer que esse alimento é morto e nocivo ao organismo.

O governo trata a água potável com flúor; beber água fluorada abate o sistema imunológico. As pastas de dente também estão saturadas de flúor. Os dentistas preenchem as cavidades dentárias com mercúrio, uma das substâncias mais tóxicas para o corpo humano; pior só mesmo plutônio ou radiação nuclear. Depois de 10 ou 15 anos, os blocos de mercúrio racham e invadem o sistema orgânico, gerando destruição. Recomendo veementemente a substituição desses blocos de mercúrio por obturações de ouro ou outra combinação.

O governo americano executa testes nucleares que deixam vestígios na atmosfera por 40 anos. Depois há ainda o lixo nuclear, com o qual ninguém tem a mínima idéia do que fazer. A última idéia brilhante é usar um pouco desse lixo para tratar frutas, legumes e verduras com a radiação, prática que já foi aprovada por um "órgão de defesa do consumidor", o FDA (Food and Drug Administration, instituição americana que fiscaliza alimentos e medicamentos). Isso, claro, é a maior piada do universo.

Quando o alimento passa pelo caixa do supermercado, ele é atingido novamente por algum tipo de radiação para que o preço seja registrado automaticamente. Peço que você se dê conta de que isso envenena energeticamente o alimento.

Além disso, é claro, os agricultores usam quantidades enormes de pesticidas em todas as frutas, legumes, verduras e cereais que você consome diariamente. O solo e a água estão saturados de nitratos. Os médicos não recebem nenhum treinamento sobre dieta, nutrição ou práticas holísticas; assim, em vez disso, receitam remédios e antibióticos a três por dois. Os antibióticos varrem todas as bactérias benéficas e envenenam o fígado, desequilibrando todo o corpo físico e seu sistema imunológico, enquanto os lêvedos se multiplicam desordenadamente. Depois, normalmente, a pessoa volta ao médico, que realiza exames clínicos com toda espécie de máquina de alta tecnologia, corantes e radiações que envenenam ainda mais o paciente.

O dentista tira chapas de raios X que descarregam sobre ele um pouco mais de radiação. O governo, dos helicópteros, pulveriza a cidade com Malathion, um pesticida, para matar a mosca-do-mediterrâneo. O FDA, nossa grande instituição de defesa do cidadão, diz que essa substância não faz mal ao ser humano. Mas alerta que é necessário cobrir os carros durante a pulverização, pois o Malathion danifica a pintura dos automóveis. E ainda assim não é nocivo ao corpo humano?!

Finalmente, também tem-se divulgado que as pessoas desenvolvem câncer por morar próximas demais a linhas de transmissão de eletricidade. Você é constantemente bombardeado pela radiação de televisores, computadores, tostadores, fornos de microondas, cobertores elétricos, etc., etc. Há muitas formas de se proteger das radiações eletromagnéticas de baixa freqüência.

Vi no noticiário, na semana passada, que já se sabe hoje que telefones celulares em automóveis provocam câncer no lado da cabeça em que o aparelho é usado. Vi também outro programa especial na televisão que falava sobre policiais que têm desenvolvido câncer na virilha por ficar com aparelhos de radar no colo durante a perseguição a outros carros.

O sistema imunológico precisa combater a intoxicação por alumínio, em função do uso de travessas, panelas e folhas de alumínio. Certo médico homeopata revelou que eu estava me envenenando por assar peixes em folhas de alumínio. Hoje já se está descobrindo também uma correlação entre o mal de Alzheimer e a intoxicação por alumínio, por metais em geral e por substâncias químicas.

As crianças ficam doentes por causa do chumbo encontrado na tinta de muitas casas e de outras construções. A fumaça da gasolina queimada pelos carros também provoca envenenamento por chumbo. Se você mora numa cidade, sabe Deus que metais e substâncias químicas tóxicas se encontram no seu organismo. As pessoas que bebem água encanada também podem infundir no organismo volumes excessivos de cobre, por causa da tubulação de cobre.

Por poluirmos tanto o planeta, acabamos provocando um gigantesco buraco na camada de ozônio, que permite a passagem de uma quantidade excessiva dos raios ultravioletas emitidos pelo sol. Esses raios provocam câncer de pele e também causam outros efeitos tóxicos.

A destruição das florestas úmidas faz que o nível de oxigênio de todo o planeta corra o risco do desequilíbrio. A quantidade enorme de cimento que cobre a terra não permite que a Mãe Terra respire adequadamente, o que obviamente traz resultados adversos. A água do subsolo também vem sendo poluída por aterros sanitários tóxicos.

Os hambúrgueres das lanchonetes de comida rápida vêm matando as pessoas, por causa da quantidade de bactérias encontradas na carne. O programa de TV *Sixty Minutes* fez um especial sobre a indústria do frango, e mesmo o FDA descobriu que entre 50 e 60% de todos os frangos estão contaminados com bactérias do gênero salmonela. Além disso, o câncer nas galinhas tende a ser hereditário.

A comida que a maioria das pessoas consome está saturada de conservantes, de substâncias químicas e de aditivos, que são totalmente tóxicos ao fígado. Além disso, 95% dos alimentos vendidos em supermercados são "comida morta". Não existe mais nenhuma energia vital neles. A visível incapacidade humana para trabalhar com o reino natural e com os espíritos da natureza de uma maneira amorosa e cooperativa fez que esses seres maravilhosos deixassem as fazendas onde são cultivados os produtos agrícolas; por isso, o alimento contém somente um décimo da energia vital que poderia ter.

Algumas pessoas vivem de café, açúcar e estimulantes artificiais como chocolate e refrigerante, que por um breve tempo dão ânimo à pessoa e depois devastam totalmente suas energias. A classe médica aplica vacinas nas crianças e insiste na vacinação de adultos que pretendam viajar para fora dos EUA. Acontece que as vacinas são absolutamente perniciosas ao sistema imunológico, e representam uma das maiores fraudes que já foram perpetradas contra a humanidade.

Para piorar ainda mais, o complexo industrial militar, que encara as pessoas como nada além de meros objetos, realiza experimentos de guerra química usando essas vacinas. Um desses experimentos, claro, resultou na Aids, que por isso é cria do complexo industrial militar. E não sejam ingênuos a ponto de pensar que essa é a única doença que eles inocularam intencionalmente na desavisada população americana.

Em geral, as pessoas não comem bem nem fazem uma quantidade adequada de exercício físico, além de também não terem sistemas imunológicos resistentes nos planos mental, emocional ou espiritual. É por isso que adoecem freqüentemente. Elas precisam lutar para manter uma alta resistência contra todos os vírus e infecções bacterianas que flutuam por aí; isso sem levar em conta as doenças sexualmente transmissíveis.

A queima de combustíveis fósseis, pela primeira vez na história, está realmente provocando a chuva ácida. Nenhuma vida vegetal pode viver sob chuva ácida. Outra coisa que o sistema imunológico precisa combater na maioria das construções e escritórios é a iluminação artificial. As lâmpadas fluorescentes são tóxicas ao corpo humano.

Outro fator ainda pouco conhecido com que as pessoas têm de lidar é o campo da psicotrônica e da radiônica. São máquinas que emitem ondas energéticas supostamente usadas para fins terapêuticos. É claro que o complexo industrial militar já dominou a tecnologia dessas máquinas para eventualmente usá-las numa guerra. Há também experiências nesse campo em outros países. Alguns segmentos da população, e às vezes até determinados indivíduos-alvo, estão sendo bombardeados por essas ondas invisíveis de energia eletromagnética.

Num ramo semelhante, mas menos sinistro, há também o efeito de todas as ondas de rádio, televisão, telefone e satélite, com as quais somos constantemente bombardeados. Algumas podem até ser bastante sutis, mas todas deixam seus efeitos. Depois há ainda o baixo índice de íons negativos no ar estagnado dos edifícios urbanos. O efeito estufa está provocando a elevação da temperatura e gerando condições climáticas adversas, que podem ser nocivas ao corpo físico, especialmente em algumas áreas do país.

Esses são apenas alguns dos fatores que seu sistema imunológico combate diariamente, fatores que me vêm mais facilmente à memória. Tenho certeza de que há milhões de outros fatores que não relacionei. É impressionante que os sistemas imunológicos consigam fazer o belo trabalho que fazem, levando em conta os ataques que enfrentam na sociedade moderna.

ATAQUES CONTRA O SISTEMA IMUNOLÓGICO NOS PLANOS PSICOLÓGICO E ESPIRITUAL

Nos planos psicológico e espiritual, primeiro você tem de lidar com os pensamentos, sentimentos, emoções e energias negativas de outras pessoas. Esses fatores podem funcionar de forma bem semelhante à hipnose, caso você não mantenha um estado de consciência alerta. Depois há a investida da violência e de outras energias negativas oriundas da sociedade em geral, na forma de publicidade, revistas, televisão, jornais e da mídia como um todo. O mundo praticamente institucionalizou a consciência do ego negativo e do eu inferior. Ela está em todo lugar e permeia cada faceta da sociedade.

Você tem de lidar com todas as más notícias que são constantemente relatadas e glamourizadas pela mídia. As letras das músicas populares estão saturadas da mentalidade do amor pervertido. Você tem de lidar com o mau humor, a irritabilidade, a raiva, a depressão, a preocupação, a insegurança, o medo e críticas dos colegas de trabalho e familiares. Se você não tem um sistema imunológico resistente nos planos psicológico e espiritual, tudo isso penetra em sua mente subconsciente e corrói sua energia, fazendo-o sentir-se mal.

Depois você ainda tem de lidar com o que as religiões orientais chamam de mente simiesca: quando a mente está fora de controle então as emoções também estarão fora de controle e o corpo físico será afetado adversamente. Você precisa lidar com o próprio ego negativo, com o glamour, com a ilusão e com maya. Também tem de lidar com biorritmos e configurações astrológicas negativas.

Quando você está física, psicológica ou espiritualmente debilitado, torna-se presa de ataques psíquicos do plano astral inferior. Em casos de grave debilidade, isso pode resultar numa espécie de possessão, que então precisa ser expulsa. Algumas pessoas combatem pensamentos obsessivos, ansiedade e/ou perturbações de personalidade. Todas essas coisas desaparecem quando a pessoa alcança o autodomínio, harmonizando os quatro corpos e as três mentes.

Outras agressões que você combate nos níveis psicológico e espiritual são os raptos por extraterrestres e implantes alienígenas. A maioria desses raptos é levada a cabo pelo grupo extraterrestre negativo denominado Cinzentos de Zeta Reticulum e do setor Órion. Pretendo ensiná-lo a se proteger dessas invasões.

Os trabalhadores da luz muitas vezes são atacados pela Fraternidade das Trevas, também conhecida como Loja Negra. Você não precisa ter medo deles, desde que saiba como manter o seu autodomínio.

Algumas pessoas têm de lidar com fantasmas, ou espíritos presos à Terra, que ganharam uma pequena fração de energia vital e gostam de pregar peças em seres humanos desavisados. Depois há também as pessoas que gosto de chamar de vampiros psíquicos, pois drenam sua energia vital psíquica.

Você tem de aprender a lidar com os chamados elementais negativos, criados pelos seus próprios pensamentos. Eles aderem à aura e exaurem a sua energia. Você também precisa aprender a lidar com doenças psicológicas e espirituais. Assim como as doenças físicas não são contagiosas (pois você não fica doente se tem alta resistência), o mesmo vale para os planos psicológico e espiritual. Não existe nada que se possa chamar de doença psicológica ou espiritual contagiosa; o que existe são pessoas com baixa resistência no sistema imunológico psicológico e espiritual.

Este capítulo pretende proporcionar a compreensão e os meios que lhe permitam evitar contrair as doenças físicas, psicológicas e espirituais de outras pessoas. O objetivo é permanecer sadio e elevar as pessoas doentes ao seu nível, e não descer ao nível delas. Você precisa vê-las como Deus as vê: em perfeição e saúde. Como diz *A Course in Miracles*: "A doença é uma defesa contra a verdade."

Você precisa aprender a se proteger de psiquiatras, psicólogos, sacerdotes e médicos tradicionais, pois grande parte de sua instrução está saturada de conceitos do ego negativo que enfatizam excessivamente a realidade material, isolando-as das verdadeiras realidades do espírito.

Você precisa se proteger, inclusive, do movimento da Nova Era e lançar mão aqui de grande discernimento, pois há muitos falsos profetas e movimentos sectários em ação. Precisa também se cuidar e ser especialmente ponderado no campo da política, onde o ego negativo age com violência.

É ainda preciso proteger-se da mídia, pois os jornais e emissoras de tevê são controlados nos EUA pela Comissão Trilateral e o Conselho de Relações Exteriores (o governo secreto).* Nove décimos do que o governo diz ao público é simplesmente enganação e mentiras. A Comissão Warren diz que Oswald matou Kennedy e que não foi conspiração. Insistem em que os óvnis não existem, quando na verdade há extraterrestres de várias espécies vivendo como hóspedes do governo. Eles o enganam com um programa espacial mentiroso. Dizem-lhe o que você quer ouvir, enquanto coisas como Vietnã, Watergate, caso dos "contras" na Nicarágua, guerra antidrogas fajuta e a perda das liberdades civis vão se desenrolando por baixo do pano.

Outras energias que você precisa saber neutralizar são aquelas que de fato já estão entranhadas nas paredes. O grande mestre espiritual Ronald Beesley costumava dizer que os hospitais deveriam ser queimados a cada cinco anos. Tanta energia negativa fica entranhada nas paredes que é de admirar que alguém consiga realmente se curar ali. Isso também vale para uma nova casa ou edifício de escritórios.

Outra forma de intoxicação é adormecer vendo televisão à noite. Seja o que for que você esteja vendo ou ouvindo acaba gravado diretamente na mente subconsciente durante o sono. Ao dormir, você entra num estado de hipnose e pode ficar hipersugestionável. O mesmo acontece sob anestesia durante uma operação cirúrgica. Tudo o que os médicos e enfermeiros dizem é programado diretamente. No futuro, esse conceitos serão usados para fins positivos, acelerando a cura.

Outra maneira de ser influenciado, caso você não esteja vigilante, é pela publicidade subliminar. Trata-se de algo supostamente ilegal, mas acontece o tempo todo. Mensagens subliminares, em forma visual ou auditiva, são inseridas em comerciais, em programas de rádio e televisão, em filmes, músicas e similares, no intuito de programar inconscientemente as pessoas.

---

* Comissão Trilateral (*Trilateral Commission*) é um organismo fundado em 1973, reunindo membros da elite dos EUA, do Japão e da Europa Ocidental. O Conselho das Relações Exteriores (*The Council on Foreign Relations*) é um organismo fundado nos EUA em 1921, com o objetivo de favorecer os interesses americanos na política internacional.

O complexo industrial militar está envolvido em todo tipo de experiências de controle mental e guerra psíquica. Se as pessoas realmente soubessem o que está acontecendo nos bastidores deste mundo, jamais se atreveriam de novo a viver no piloto automático nem mesmo por um instante. Não só o governo lança mão de técnicas de guerra psíquica, radiônica e lavagem cerebral, mas também o fazem os extraterrestres negativos. Neste exato instante, estamos vivendo praticamente uma guerra declarada contra civilizações alienígenas negativas, que tentam dominar o planeta, e as pessoas nem sequer estão cientes disso. Essa guerra não é como o filme *A Guerra dos Mundos,* com suas bombas físicas; é uma guerra pelo controle da mente.

Hoje, provavelmente, existe apenas um punhado de pessoas na Terra que ainda não recebeu implantes alienígenas. Por que as pessoas têm tanta dificuldade para lembrar que foram raptadas? Trata-se novamente da ação do controle mental, e os extraterrestres negativos são mestres nisso. Pretendo fornecer meios para que você se livre de todos os seus implantes alienígenas e impeça o controle mental e os raptos.

Além disso, há também todo o campo da magia negra — o uso das leis universais de Deus para propósitos malignos e egoístas. Você não deve ser ingênuo a ponto de pensar que isso não pode acontecer, pois pode e acontece freqüentemente. Porém, não é nada que o deva preocupar, contanto que mantenha funcionando o sistema imunológico em todos os quatro planos.

Outra coisa que você precisa saber neutralizar é aquilo que chamo de desinformação. O governo secreto, com a ajuda de órgãos como a CIA (Central Intelligence Agency, o serviço de informações dos EUA), infiltrou-se em todos os segmentos da sociedade que se opõem a seus objetivos egoístas. Essa organização manda agentes secretos disseminarem a desinformação para confundir o público. Um exemplo disso são as palestras apresentadas em convenções sobre contatos extraterrestres. Eu aposto que um quarto das pessoas que dão essas palestras é contratado para apresentar material que confunda e divida o movimento que tenta educar o populacho.

Além disso, é bom evitar que as pessoas toquem suas jóias. Muito inocentemente, as pessoas se aproximam e tocam um anel ou bracelete, ocorrendo uma transferência de energia. Ora, se é alguém que o ama, pode não haver problema; porém, se você deixa que pessoas estranhas o façam, certamente vai carregar a energia delas com você daí em diante. Outra lição de natureza semelhante é a prática de abraçar as pessoas. Não tenho nada contra o hábito de abraçar as pessoas, mas à medida que você fica mais sensível e seus campos energéticos se tornam mais aprimorados, é melhor ter menos contato físico com determinadas pessoas.

Tudo isso não tem muita importância isoladamente. Mas quando você junta todas elas, o efeito é bastante significativo.

Vou contar agora uma história interessante que lembro ter lido num dos livros de Edgar Cayce. Uma máquina recomendada pela Mente Universal induzia a passagem de energia elétrica através do corpo com o objetivo de acelerar a cura no caso de uma perna quebrada, por exemplo. Era uma máquina fantástica e muitas pessoas se beneficiaram bastante dela. Certo homem que comprou uma delas estava obtendo resultados terríveis: o aparelho causava todo tipo de problemas quando usado. Finalmente, o homem pediu outra mensagem da Mente Universal via Edgar Cayce, para descobrir o que estava errado. A Mente Universal lhe disse que o problema era que a pessoa que construíra a máquina estava extremamente irritada no dia em que montou aquele aparelho. A raiva ficou armazenada na máquina, e toda vez que ela era usada, a raiva negativa do fabricante se difundia pelo corpo do paciente. Isso certamente o fará refletir um pouco. Ou não?

O mesmo princípio se aplica aos alimentos que você ingere. Você diz que gosta de legumes frescos e acha que fazem bem para você. Mas já pensou no processo por que eles passam antes de chegar até suas mãos? Primeiro de tudo, não são cultivados organicamente; são, isso sim, plantados em solo corrompido. Usam-se pesticidas e substâncias químicas. Esses pesticidas e substâncias químicas afastam todos os espíritos da natureza; por isso, a energia vital nos vegetais se restringe a um mínimo. São colhidos antes de ficarem maduros, para que o agricultor ganhe mais dinheiro. E como será que estava o humor da pessoa que os colheu? Estava irritada ou deprimida? Nesse caso, essa energia negativa se transferiu aos vegetais.

E que dizer da pessoa que os leva ao caminhão e depois os descarrega? E a pessoa que os coloca no balcão do mercado? E o funcionário encarregado de pesá-los e registrar o preço, ou passá-los naquela maquininha que emite radiação? Muitos legumes e verduras estão acumulando radiação, e não há obrigatoriedade de nenhum aviso impresso para alertar o público em geral. Tudo o que se exige é algum logotipo que só uma pessoa em um milhão poderia reconhecer.

Na mesma categoria incluo os alimentos cozidos em forno de microondas. Hanna Kroeger, que considero uma das melhores ervanárias e agentes de cura do planeta hoje, disse que o alimento preparado no microondas é uma blasfêmia absoluta. Certamente, esta não é uma forma de cozimento preconizada pela Nova Era, pois o aparelho lança radiação sobre o alimento da forma mais insalubre. Você mesmo pode confirmar o que digo com o uso de um pêndulo.

Agora começa a parte divertida. Na próxima seção, darei início ao treinamento intensivo de autodefesa psíquica.

AUTODEFESA PSÍQUICA NO PLANO FÍSICO

Quando quiser limpar a atmosfera psíquica de um ambiente, é sempre bom queimar incenso de alta qualidade ou, melhor ainda, artemísia. Trata-se de um método rápido e fácil. Porém, se você quer limpar totalmente a energia, o melhor método é colocar três ou quatro colheres de sopa de sal amargo numa pequena frigideira ou panela que não use mais para cozinhar alimentos. Depois despeje álcool de limpeza suficiente só para cobrir o sal amargo. Coloque a panela no meio da sala que você quer purificar e ateie fogo. Eu e minha mulher gostamos de ficar sentados admirando as chamas, como se fosse a fogueira de um acampamento. Os resultados que você pode alcançar são absolutamente milagrosos. Todo o ambiente fica livre de qualquer negatividade.

Para ampliar seu campo de energia, você pode usar certos amuletos ou pedras preciosas trabalhados especificamente para favorecer a proteção e o fortalecimento. Uma das melhores opções é um simples pingente de cristal. Os cristais amplificam a energia, e usar ou carregar um consigo é prática das mais eficientes para alcançar essa meta.

Para proteger-se de radiações eletromagnéticas de baixa freqüência, recomendo a compra de um relógio de Tesla. É um tipo especial de relógio inventado por Nikola Tesla. O aparelho cria um campo elétrico em torno de você para protegê-lo do vazamento de energia de televisores, computadores, linhas elétricas e assim por diante.

Se você for a uma farmácia homeopática ou livraria esotérica, pode comprar diferentes tipos de bobinas de cobre que são muito mais baratas e também funcionam. Basta carregá-las no bolso ou usá-las como colar. O farmacêutico homeopata vai entender o que estou falando. Também é possível encontrá-las na Whole Life Expos, uma exposição itinerante que visita a maioria das cidades dos Estados Unidos.

Não mantenha o aparelho de televisão próximo ao pé da cama. Depois que você o desliga à noite, ele continua emitindo radiação e os chakras do seu pé simplesmente ficam embebidos dessa energia.

As farmácias homeopáticas também têm certos tipos de medicamentos para o propósito específico de fortalecer seu campo de energia e dar-lhe proteção. Além disso, os florais de Bach também são eficazes para esse fim.

Um item que toda pessoa deveria ter é a tábua de soma.* Custa apenas dez dólares e foi criada por Hanna Kroeger, a excepcional fitoterapeuta e agente de cura. A tábua de soma é composta de ervas e cristais, e dura para sempre. A idéia é colocar o alimento sobre a tábua de soma antes de comê-lo. A tábua elimina e neutraliza completamente todas as vibrações negativas que se agregaram ao alimento durante o processo de produção que expliquei acima. O endereço de Hanna Kroeger é o seguinte:

7075 Valmont Drive
Boulder, Colorado 80301
Estados Unidos
Fones: (303) 442-2490 ou (303) 443-0755

Hanna Kroeger é uma das pessoas mais incríveis que já conheci e uma fitoterapeuta excepcional. Vive totalmente na consciência do Cristo e deve estar próxima dos 80 anos de idade. Recomendo sinceramente que você leia seus livros. Acredite ou não, ela tem um tratamento que realmente cura a Aids por 25

---

* Soma é o nome de uma erva e bebida mítica usada nos rituais védicos da antiga Índia. (N. do T.)

dólares. Também tem tratamentos para o câncer e praticamente qualquer outra doença conhecida. É ainda especialista no uso de pêndulos; eu e minha mulher conferimos as afirmações dela usando nossos próprios pêndulos, e não houve a menor discrepância.

Hanna Kroeger tem na região de Los Angeles uma discípula e aprendiz chamada Sherry Cash, que trabalha no Balanced Life Centre ((818) 348-8818). Sherry tem todos os livros e produtos de sua mestra. Ela também é agente de cura e pode fazer para você testes de todos os produtos de Hanna com o pêndulo.

Um dos pré-requisitos para fortalecer seu campo energético é livrar-se de todos os resíduos de toxinas, vírus e infecções bacterianas que se entranharam no seu corpo desde a infância. É essencial consultar-se com alguém como Sherry Cash, ou com um bom médico homeopata que faça algum tipo de teste com a máquina vega.

A máquina vega é apenas uma de muitas máquinas semelhantes que médicos holísticos, homeopatas ou naturalistas hoje estão usando para testar numa pessoa os índices de intoxicação por pesticidas, mercúrio, metais e substâncias químicas, parasitas, vírus, infecções bacterianas e, na verdade, qualquer problema ou debilidade física que você possa ter.

Na minha opinião, são esses os médicos do futuro. Com a ajuda dessas máquinas e da medicina homeopática, você pode, numa só hora, fazer um teste que detecte praticamente toda doença conhecida do homem, sem ter de fazer exames de sangue nem usar outros métodos perniciosos da medicina tradicional. Não estou dizendo que você não deva procurar um médico tradicional; sugiro apenas que faça as duas coisas.

Pesticidas, substâncias químicas, metais, mercúrio e um número infinito de outras possíveis toxinas podem ser eliminadas do seu organismo em um ou dois meses pelo uso de remédios homeopáticos e/ou ervas. Já que estamos falando de alimentação, também recomendo a compra de produtos vegetais orgânicos, e o hábito de, no supermercado, perguntar à pessoa encarregada do setor de frutas, verduras e legumes se os produtos à venda foram expostos a algum tipo de radiação. Se realmente o foram, não compre nada. Sempre que possível, compre carne de bois e aves que foram criados naturalmente. Dessa forma, você nunca terá de se preocupar com intoxicação por bactérias ou carne saturada de antibióticos, estilbestrol e outras substâncias químicas.

Hanna Kroeger tem uma outra invenção denominada anel de ferro, a respeito da qual você pode ler nos livros dela. Basta ficar de pé dentro do anel durante 90 segundos para eliminar da aura toda a poluição ambiental que você acumulou. Você mesmo pode fazer um desses anéis por menos de cinco dólares, usando algum tipo de fio resistente.

Estou considerando aqui que todos sabem da importância da boa dieta, tempo de descanso suficiente e exercícios físicos regulares para formar sistemas imunológicos resistentes e manter afastadas as forças das trevas.

Recomendo que se beba entre seis e oito copos de água pura por dia. Esse hábito elimina boa parte da toxicidade do organismo. É importante não comer imediatamente antes de ir para a cama à noite. Segundo Edgar Cayce, essa é uma das causas dos pesadelos de muita gente. É também bastante importante evitar café, açúcar e estimulantes artificiais, pois ao longo do tempo eles exercem um efeito debilitante bem forte sobre o corpo. Não há problema em ingerir essas substâncias em ocasiões raras ou em emergências, mas jamais regularmente. A questão de comer carne ou não é uma opção individual. Alguns tipos de organismos precisam mais de carne que outros. Mas se você realmente decidir comer carne, não exagere na porção diária e tente consumi-la o mais fresca e natural possível.

A idéia do caminho espiritual é alcançar o equilíbrio mental e a uniformidade da energia física, para não viver mais numa montanha-russa. É preciso compreender que os alimentos afetam seu estado emocional. Entender isso é trabalhar com o que se chama de lei dos semelhantes.

Existem diversas outras técnicas físicas que você pode usar. Todas essas ferramentas e ensinamentos são sutis, mas juntos provocam um efeito bastante profundo.

Jamais cruze as pernas em pé ou sentado. Essa postura imediatamente corta o fluxo de energia através do sistema de chakras, e enquanto sua aura estiver resistente você não poderá ser afetado por entidades negativas.

Se você trabalha com computador, é essencial instalar algum tipo de tela protetora. Hanna Kroeger também vende uma almofada bem barata para computadores, com a qual você pode se proteger da radiação.

Sempre que for comer, é boa idéia abençoar o alimento. Aprendi uma oração com esse fim numa das mensagens canalizadas para Paul Solomon pela Mente Universal. Estenda as mãos sobre o alimento e diga o seguinte: "Como tu foste criado por Deus, adore teu Criador naquilo que farás dentro do meu corpo e templo, pois eu o fortaleço para a glória dEle. Amém."

Uma técnica simples para abrir e energizar os chakras é colocar a mão em forma de concha à sua frente, pouco abaixo do primeiro chakra. Erga a mão lentamente, passando por todos os chakras, e depois a coloque sobre o topo da cabeça, sentindo o magnetismo sutil que se move com a mão. Fazendo isso de três a sete vezes você ficará energizado caso se sinta sem forças.

Ao sentir qualquer tipo de ataque psíquico ou a presença de uma energia negativa dentro de casa, há diversas coisas físicas a fazer. Uma delas é tomar uma ducha e, durante o banho, afirmar com firmeza que também está purificando todos os sete corpos. Qualquer entidade das trevas só pode entrar se você estiver debilitado ou vibrando num nível semelhante de consciência. O banho de chuveiro purifica a aura e o corpo. Depois, vista roupas limpas e lave as usadas. Você também pode colocar livros espiritualistas em torno da cama, formando um anel de proteção.

Em caso de grave ataque psíquico, é boa idéia comer freqüentemente, a cada duas horas. O alimento torna-o menos sensível, e nessa situação você vai querer estar o mais "fechado" possível. É também boa idéia cercar-se de pessoas positivas.

Minha mulher e eu fomos orientados a pendurar um espelho como escudo protetor, dado o grande número de reuniões que fazemos. Quando as pessoas entram na sala, elas se vêem no espelho, o que impede a entrada de maus espíritos.

Na arte chinesa do feng shui, a arte do projeto ambiental, há muitas sugestões, como a importância de fechar as portas dos banheiros e colocar telas em certas partes da casa. Terri e eu fomos orientados a colocar um pequeno tapete em frente ao local onde sentamos quando damos nossos cursos. Também fomos orientados a colocar uma fonte na sala de estar.

Outra idéia foi colocar uma forma de folha-de-flandres do lado de fora de casa para receber e refletir os ruídos e atrair prosperidade. No feng shui, todo cômodo da casa tem uma função específica. Por exemplo, meu escritório é a sala do conhecimento e da sabedoria, o que calhou perfeitamente. Nosso quarto tornou-se o cômodo do casamento, e o escritório de Terri ficou sendo o cômodo da prosperidade.

Você pode investir numa máquina de reciclagem de ar ou num gerador de íons negativos. Uma técnica dos índios norte-americanos é defumar a casa antes de se mudar para ela, e também em outras ocasiões específicas. É possível comprar varetas defumadoras em livrarias esotéricas.

Uma técnica excelente para fortalecer seu campo energético e matar bactérias e vírus é expor-se ao sol. Tal hábito vitaliza o corpo etérico. Também é importante reservar tempo suficiente para o sono, em vez de se esforçar exageradamente; moderação em todas as coisas.

Tocar músicas de inspiração espiritualista, canções piedosas ou mantras pode se mostrar uma técnica bastante enlevadora e protetora caso sinta energias negativas por perto. Às vezes, o simples fato de passar para outro cômodo já ajuda.

É também boa idéia arrumar a cama de forma que fique virada para o leste, pois essa é a direção da corrente espiritual mais forte. Recomenda-se o mesmo para a meditação. Para algumas pessoas, pode ser importante estudar uma arte marcial como o aikidô, o tai chi ou qualquer outra que você seja orientado a praticar. Todas têm seus efeitos físicos, psicológicos e espirituais.

Quanto menos álcool e drogas, melhor. Leia os rótulos. Coma para viver, não viva para comer. É também interessante complementar sua dieta com um alimento que seja fonte natural de vitamina e minerais. Tal fonte, combinada com outros suplementos apropriados, exercerá um efeito revigorante sobre o campo energético da aura. Levando em conta a sociedade moderna e os alimentos estragados, torna-se essencial o consumo de vitaminas adicionais para garantir todos os nutrientes exigidos pelo organismo.

Manter o equilíbrio químico correto do corpo é fundamental. O desequilíbrio pode provocar graves oscilações de humor e outros problemas.

Ao se mudar para uma nova casa, é inteligente esfregar todas as paredes com um forte agente detergente e, se possível, pintá-las depois. Isso elimina a maior parte da energia negativa de outros inquilinos que se incrustou nas paredes. Procure e elimine todos os vórtices de energia negativa. Pode-se fazer isso com a ajuda de um pêndulo. Ande pela casa com o pêndulo e, quando achar um ponto que faça o pêndulo inverter o sentido da oscilação, basta soprar sobre ele para fazê-lo girar novamente no sentido correto. Dormir sob um vórtice negativo pode provocar inquietação. Também se deve fazer isso durante viagens, ao entrar num quarto de hotel.

Um banho com sal amargo e bicarbonato de sódio traz um resultado absolutamente fantástico, eliminando do seu campo a radiação e as ondas eletromagnéticas de baixa freqüência, além de cortar quaisquer ligações hipnóticas remanescentes com outras pessoas.

AUTODEFESA PSÍQUICA NOS PLANOS MENTAL, EMOCIONAL E ESPIRITUAL

A primeira técnica que recomendo é aquilo que a Ciência Cristã chama de "vestir a armadura mental". Isso é algo que deve ser feito toda manhã ao levantar da cama e sempre que você achar necessário. Assim como você veste as roupas físicas toda manhã, é também importante vestir as roupas psicológicas e espirituais. Isso significa vestir seu poder pessoal, autodomínio, invulnerabilidade, amor incondicional, harmonização com Deus, auto-estima e equilíbrio. Em outras palavras, você se veste psiquicamente com os atributos psicológicos que quer usar nesse dia.

É preciso fazer isso conscientemente e com determinação, toda manhã. A maioria das pessoas simplesmente anda pela vida às cegas, no piloto automático, usando as qualidades energéticas com que calham de acordar. Isso não é autodomínio. Vestir a armadura mental significa também vestir a armadura visual. Visualize qualquer uma das sugestões abaixo, ou todas elas:

Uma bolha de proteção em torno de você;
Um tubo de Luz protetora que o envolve;
Um fio-terra;
Seus chakras iluminados com as cores apropriadas;
Um manto de Luz e vitalidade;
Uma espada ou outro símbolo do seu poder pessoal;
A imagem de uma rosa no coração, como símbolo de auto-estima e amor pelos outros.

Isso o deixa preparado para encarar o dia, alinhando sua mente ao modo como você pretende vivê-lo. Em essência, é um tipo de meditação que também irá fortalecer intensamente o campo energético de sua aura.

Uma das orações protetoras mais poderosas é a Oração do Senhor:

Pai nosso que estais no céu, santificado seja o Vosso nome.
Venha a nós o Vosso reino, seja a feita a Vossa vontade, assim na Terra como no Céu.
O pão nosso de cada dia nos dai hoje, perdoai as nossas ofensas assim como nós perdoamos a quem nos tem ofendido.
E não nos deixeis cair em tentação, mas livrai-nos do mal.

Pois Vosso é o reino, o poder e a glória para sempre.
Amém.

Outra de minhas orações protetoras favoritas é aquela criada por Isabelle Hickey:

Peço e rogo que eu seja coberto por um manto de Luz, composto do amor, sabedoria e poder de Deus, não somente para minha proteção, mas para que todos os que o vejam ou entrem em contato com ele sejam atraídos a Deus e curados.

Outra prece protetora vem da Fellowship of Universal Guidance (Irmandade da Orientação Universal), fundada por Bella Karish:

Deus Pai-Mãe, peço que eu seja limpo e purificado dentro da alva Luz crística universal, da Luz verde curadora e da chama púrpura da transmutação. Conforme a vontade de Deus, e para meu bem mais elevado, peço que toda e qualquer negatividade seja completamente selada em sua própria Luz, encapsulada dentro da Luz ultravioleta, isolada e removida de mim, impessoalmente, sem amor nem ódio.
Devolvo toda negatividade à sua fonte emanante, decretando que jamais lhe seja permitido novamente estabelecer-se dentro de mim, nem de qualquer outro ser de qualquer forma. Rogo agora que eu seja colocado dentro de uma cápsula tripla e protetora da alva Luz crística universal, e essa bênção eu agradeço. Amém.

Sempre que desejar proteção, é muito indicado invocar o arcanjo Miguel e suas legiões de anjos protetores. A missão específica do arcanjo Miguel é, sempre que invocado, proporcionar proteção aos trabalhadores da luz. Isso também pode ser visualizado usando um raio azul de Luz protetora.
Djwhal Khul recomenda visualizar um ovo dourado e, depois, pintar de preto a casca do ovo, caso você queira realmente uma superproteção. Deixe um pequeno orifício bem no topo do ovo, para o tubo de Luz e seu antakarana, que o liga à sua alma, à mônada, aos mestres ascensionados e a Deus.
Se você sentir que está sob um ataque psíquico, ou se sentir alguma energia negativa por perto, uma das técnicas protetoras mais poderosas é segurar um cristal ou jóia que armazene grande quantidade de energia, e ao mesmo tempo salmodiar o nome Eloim ou de Jesus Cristo por 15 minutos. Isso pode ser feito em silêncio ou em voz alta. Repetir o nome de Deus e ao mesmo tempo visualizar a forma de Deus é um método certeiro de remover toda a energia negativa do seu campo energético. Recomendo a adoção dessa técnica como prática diária, ainda que não precise de proteção.
Quando estiver cercado de pessoas negativas, visualize uma janela de vidro diante de você. Em casos graves, erga uma parede de tijolos. O Berkeley Psychic Institute sugere o artifício de imaginar uma rosa vermelha diante de você, prote-

gendo-o. Quando a energia negativa vier na sua direção, a flor irá absorvê-la e começará a murchar. Acontecendo isso, troque-a por outra rosa. Se quiser, pode imaginar um anel de rosas em torno de todo o seu corpo. Verifique as rosas duas ou três vezes por dia quando estiver lidando com muita energia negativa.

Um dos mantras mais poderosos que você pode usar é o mantra da alma, divulgado por Djwhal Khul:

Eu sou a Alma,
Eu sou a Luz Divina,
Eu sou Amor.
Eu sou Vontade.
Eu sou o Desígnio Imutável.

Essas palavras o ligam imediatamente à sua alma. Recomendo que use esse mantra antes de aplicar qualquer outro método indicado neste capítulo. Outros mantras que eu recomendaria em emergências são os seguintes: Aum ou Om Mani Padme Hum, So Ham, Eu Sou Deus, ou Eu Sou aquilo que Sou. É divertido ir mudando.

Você pode salmodiar simplesmente o nome do mestre espiritual ou santo com quem tem maior afinidade, ao mesmo tempo visualizando sua forma. Pode também visualizar a forma desse mestre descendo e sobrepondo-se ao seu próprio corpo; ou pode miniaturizar a forma e colocá-la dentro do seu coração.

Ao sentir energias negativas por perto antes de ir para a cama, invoque e visualize os mestres ascensionados em torno da cama, formando um círculo protetor, e peça-lhes que atuem como guardas e sentinelas. Você pode ainda colocar uma cerca de cristais — seja na imaginação, seja em forma física — em torno da cama, e programá-los para seu propósito.

Quando sentir energias negativas na aura, cante o mantra da alma e depois invoque sua alma, a mônada, Deus e os mestres ascensionados, pedindo uma chuva de Luz que traga seu antakarana ou ponte do arco-íris. Fundamentalmente, você estará tomando um banho de Luz. Ao pedir essa chuva de Luz, você também pode pedir que a Luz encha o seu quarto, toda a sua casa e as casas das pessoas que você ama. Não há limites para a Luz, que é uma fonte inesgotável. Ela está aí para quem a pedir.

Se você realmente quiser purificar a aura, cante o mantra da alma e depois diga: "Em nome do Cristo, invoco o vórtice espiritual." Visualize um vórtice descendo de sua mônada e passando por todo o campo energético da aura, limpando todos os entulhos acumulados. Isso não é apenas imaginação; realmente estará acontecendo. O poder da mente é inacreditável mesmo, e ainda mais poderoso quando você invoca a alma ou a ajuda da poderosa Presença do Eu Sou.

Phyllis Krystal, psicóloga e devota de Sai Baba, conta a história de um jovem cujo carro vinha sendo arrombado freqüentemente. Ela lhe sugeriu visualizar uma bola de praia em torno do carro para protegê-lo. Para espanto do rapaz, daí em diante não houve mais arrombamentos. Ela então lhe disse que imaginasse uma bola de praia em torno de si mesmo, para protegê-lo. E ele o fez. Dois ou três semanas mais tarde o jovem estava visitando uma amiga clarividente, quando de repente ela interrompeu a conversa e lhe disse que não parava de ver uma bola de praia em torno dele e que estava curiosa para saber o que significava aquilo.

Edgar Cayce, em suas canalizações da Mente Universal, dizia repetidamente que "pensamentos são coisas". Deus criou o universo com o poder da Sua mente. Você está criando o seu universo com o poder da sua mente. Ao se desenvolver espiritualmente, você aprende a pegar as coisas que pensa e imagina e realmente reduzir suas vibrações, para que se materializem. Esta é uma das coisas que você será capaz de fazer ao se tornar um mestre ascensionado, e talvez ainda antes disso.

Outras ferramentas eficazes são fazer o sinal-da-cruz, o sinal do pentagrama ou o sinal da cruz cabalística. Isso tudo pode parecer um tanto supersticioso e nem tanto eficiente, mas há um enorme poder nessas técnicas psíquicas e espirituais.

Outra prece extraordinariamente poderosa é o rosário da Virgem Maria. Não é só uma prece católica, e isso ela mesma disse em canalizações a Earlyne Chaney. A Virgem disse a Chaney que rezar o rosário é uma técnica tão poderosa que poderia proteger uma pessoa até de uma bomba nuclear. Earlyne Chaney não acreditou nela. Três meses depois, ouviu a história de sete padres que viviam em Hiroshima durante a Segunda Guerra Mundial. A igreja deles ficava a cerca de oito quadras do ponto de explosão da bomba atômica. Depois da explosão, tudo foi destruído num raio de um quilômetro e meio — salvo a igreja. Os sociólogos ficaram pasmos. A única explicação que puderam cogitar foi o fato de esses sete padres rezarem o rosário três vezes por dia.

Incluí no texto as orações do rosário. Eu adoro essa prece, e não sou católico. Acho que é uma das preces mais poderosas hoje. Algumas das palavras da interpretação católica incomodam certas pessoas; se é esse o problema, basta mudar uma ou duas palavras para adequar o texto ao seu gosto. Não é necessário usar um rosário de verdade, mas poderá fazê-lo se o quiser.

Há algo mais que gostaria de recomendar: você pode pedir pelo correio uma versão "Nova Era" do rosário, transmitida pela Virgem Maria a Sylvia Clarice. Essa prece se chama Rosário da Ascensão, e é fantástica. Djwhal Khul confirmou sua eficácia. O Rosário da Ascensão vem em formato de um livreto e custa entre 10 e 15 dólares. Como não é possível comprá-lo em livrarias, se tiver interesse escreva para:

The Mother Matrix
P.O. Box 473
Mt. Shasta, CA 96067
Estados Unidos

ORAÇÕES DO ROSÁRIO

O SINAL-DA-CRUZ

Em nome do Pai, do Filho e do Espírito Santo. Amém.

O CREDO

Creio em Deus Pai todo-poderoso, Criador do Céu e da Terra; e em Jesus Cristo, Seu único Filho, Nosso Senhor; o qual foi concebido pelo poder do Espírito Santo, nasceu da Virgem Maria, padeceu sob Pôncio Pilatos, foi crucificado, morto e sepultado; desceu à mansão dos mortos, ressuscitou ao terceiro dia, subiu ao Céu, onde está sentado à direita do Pai todo-poderoso, donde há de vir a julgar os vivos e mortos; creio no Espírito Santo, na Santa Igreja Católica, na comunhão dos santos, na remissão dos pecados, na ressurreição da carne, na vida eterna. Amém.

O PAI-NOSSO

Pai nosso que estais no céu, santificado seja o Vosso nome. Venha a nós o Vosso reino, seja feita a Vossa vontade, assim na Terra como no Céu. O pão nosso de cada dia nos dai hoje, perdoai as nossas ofensas assim como nós perdoamos a quem nos tem ofendido. E não nos deixeis cair em tentação, mas livrai-nos do mal. Amém.

A AVE-MARIA

Ave Maria, cheia de graça; o Senhor é convosco, bendita sois vós entre as mulheres e bendito é o fruto do vosso ventre, Jesus. Santa Maria, Mãe de Deus, rogai por nós, pecadores, agora e na hora da nossa morte. Amém.

GLÓRIA AO PAI

Glória ao Pai e ao Filho e ao Espírito Santo; assim como era no princípio, e agora e sempre, por todos os séculos dos séculos. Amém.

A SALVE-RAINHA

Salve Rainha, Mãe de misericórdia, vida, doçura e esperança nossa, salve. A vós bradamos, os degredados filhos de Eva; a vós suspiramos, gemendo e chorando neste vale de lágrimas. Eia, pois, advogada nossa, esses vossos olhos misericordiosos a nós volvei. E depois deste desterro mostrai-nos Jesus, bendito fruto do vosso ventre. Ó clemente, ó piedosa, ó doce Virgem Maria. Rogai por nós, Santa Mãe de Deus, para que sejamos dignos das promessas de Cristo. Amém.

OREMOS

Ó Deus, cujo único Filho, por Sua própria vida, morte e ressurreição nos conquistou as recompensas da vida eterna, concedei, nós vos rogamos, que meditando sobre esses mistérios do Sacratíssimo Rosário da Bendita Virgem Maria, possamos imitar o que eles contêm e alcançar o que eles prometem; por Cristo Nosso Senhor. Amém.

Outra boa estratégia protetora é imaginar sua bolha dourada, ou ovo dourado, e depois soprar amor e paz dentro dela. Descarregue qualquer energia negativa pelo fio-terra, para que no solo ocorra a transmutação.

Provavelmente, o mecanismo de proteção mais importante de todos é a compreensão psicológica da recusa e da afirmação. A *Course in Miracles* diz o seguinte: "Não deixe que entre na sua mente qualquer pensamento que não provenha de Deus." Se você tomar essa única providência, estará automaticamente protegido. Os pensamentos podem vir do subconsciente, de uma entidade possessora ou de outras pessoas deste mundo. Se você expulsar da mente esses pensamentos, substituindo-os por afirmações positivas, a mente subconsciente será reprogramada dentro de 21 dias.

Outra variação sobre o mesmo tema é a técnica que aprendi com a grande mística Dion Fortune. Ela sugere visualizar o pensamento ou imagem negativa como um espelho que você estilhaça; depois, imediatamente, visualize uma imagem espiritual positiva, como um templo ou mestre espiritual.

Há um outro recurso bastante eficaz que aprendi num livro de Phyllis Krystal chamado *Cutting the Ties that Bind*. Quando você está lidando com uma pessoa contra quem seja preciso delimitar uma fronteira, imagine-se dentro de um círculo. Depois imagine, em torno dessa pessoa, outro círculo que toca mas não penetra no seu próprio círculo. Faça-o com Luz dourada e com uma linha bem grossa. Os dois círculos acabam formando uma figura que lembra o número oito. Se quiser, pode traçar os círculos como quem desenha o número oito. (O oito é o símbolo do infinito.) Depois trace uma linha de Luz azul dentro da Luz dourada. Eu acrescentaria aqui outra sugestão: os dois círculos podem ser envolvidos por duas esferas douradas de Luz, com tons azuis no interior, para garantir uma proteção ainda maior.

Outro recurso importante para cortar os laços errôneos que o prendem a outras pessoas é imaginar os laços de co-dependência como fios de energia que se irradiam dos chakras. Imagine uma gigantesca tesoura ou a espada flamejante do Senhor Miguel, ou o sabre de luz de um guerreiro jedi. Use esse instrumento na sua visualização, e também seu braço físico, para cortar esses laços de co-dependência. Quando todos já estiverem cortados, lance-os para longe dos chakras e queime-os. Depois cante o mantra da alma e invoque a descida de um sol dourado para preencher qualquer vazio com o amor e a completude de Deus. Você pode invocar quantos sóis forem necessários para deixar sua aura curada, sã e plena.

Se em algum momento sentir em torno de você a presença de espíritos das trevas, basta dizer: "Pelo nome e poder de Jesus Cristo, ordeno-lhes que vão embora." É bem importante, ao lidar com espíritos negativos deste mundo ou do além, que você não tenha nem raiva nem medo. Lembre o que disse o mestre Yoda nos filmes da série *Guerra nas Estrelas*: "Não se deixe levar pela raiva ou pelo medo, pois senão será seduzido pelo lado tenebroso da Força." Conserve um estado de equilíbrio mental, de divina indiferença, de desapego e neutralidade. Dessa forma, você não dá energia a esses espíritos confusos. Eles se alimentam de raiva e medo. Veja-os como o próprio Deus, ainda que eles mesmos não se vejam assim. Com pleno poder e amor, ordene-lhes que vão embora. Como dizem os comerciais, "basta dizer não".

Se alguém que você conhece está possesso, faça a seguinte prece:

Ó amado Deus, Cristo, Espírito Santo, ó poderosa Presença do Eu Sou, minha mônada, minha alma, Sathya Sai Baba, Babaji, Jesus Cristo, Mestre Djwhal Khul, Vywamus, mestres ascensionados e todos os santos ou mestres espirituais do plano espiritual!
Você está curado e perdoado.
Você é uno com sua alma e seu Eu superior.
Você está cheio do amor de Deus.
Você está cheio da Luz de Deus e cercado por ela.
Você está livre do medo e do sofrimento, e livre da vibração do plano terrestre.
Peço aos mestres espirituais mencionados acima, e ao próprio Deus, que o coloquem em seu lugar de direito.
Siga em paz.

Faça essa oração três vezes, com pleno poder, depois de cantar primeiro o mantra da alma. Em casos mais graves, é possível chamar uma organização denominada Teaching of the Inner Christ, de San Diego; você será encaminhado a um ministro que executará o exorcismo. O telefone é (619) 233-7745.

Com todos os recursos sugeridos neste livro, você não terá dificuldade para fazer o exorcismo. Os espíritos possessores geralmente não passam de almas confusas que não sabem como abrir mão de seu impulso material e voltar pelo túnel que leva ao outro lado.

É importante lembrar que energias ou entidades negativas só podem entrar no seu campo quando você mesmo permite que o próprio ego negativo e o eu inferior predominem. Se você os mantém encolhidos e calados, então nenhuma outra energia ou entidade negativa se manifestará.

Outra boa visualização protetora é ver-se numa pirâmide de Luz ou imaginar uma parede de Luz. Sai Baba chamou essa imagem de amortecedor divino. É também importante, ao lidar com a Irmandade das Trevas ou espíritos negativos, não tentar enviar-lhes amor nem conquistá-los. Eles vão usar o seu amor como fonte de energia e enviar de volta a você a energia deles. Seja amoroso de forma neutra.

Outro recurso simples é distanciar-se como se estivesse vendo um filme. Finja que está vendo qualquer pessoa negativa através das lentes de um binóculo invertido.

Um exercício bastante poderoso que você pode fazer toda manhã, ao vestir sua armadura mental, é visualizar um exército de santos e mestres ascensionados por trás de você, protegendo-o logo no começo do dia.

Abaixo seleciono algumas de minhas afirmações favoritas de fortalecimento:

Se Deus é por mim, quem ou o que será contra mim?
Eu posso tudo com Cristo, que me fortalece!
Deus, meu poder pessoal e o poder de minha mente subconsciente são uma equipe imbatível!

Uma das melhores maneiras de manter afastadas as forças das trevas é evitar pensar nelas. Quanto mais você pensa nelas, mais as atrai. É só manter a vibração física, mental, emocional e espiritual num plano elevado para que elas jamais entrem na sua existência.

Jamais consinta em submeter-se a uma anestesia sem antes fazer muitas orações pedindo proteção. Se alguém tocar suas jóias, use a invocação da Luz de Deal Walker, o cristaleiro:

Invoco a Luz do Cristo.
Sou um canal claro e perfeito.
A Luz é o meu guia.

Segure suas jóias, diga esse mantra três vezes em voz alta e canalize a vibração da Luz crística às jóias para purificá-las e espiritualizá-las. O mantra da alma também é eficiente nisso. O recurso de proteção mais comum é a simples invocação da Luz branca. Basta fazer o pedido à sua alma, que imediatamente ela jorrará dentro de você.

A lei da mente é a seguinte: a pessoa vive no plano onde concentra a sua atenção. A idéia é manter a atenção fixa na Luz. A maioria das pessoas não tem controle suficiente sobre o ponto onde se concentra a sua atenção.

Outra qualidade psicológica necessária à proteção é o discernimento espiritual. Quando você começa a viver novamente no piloto automático, torna-se bastante impressionável e hipersugestionável. Num plano psicológico e espiritual, é bem importante não conceder seu poder assim tão fácil. Por exemplo, não dê seu poder ao corpo físico quando ele se cansa. Não dê seu poder a previsões astrológicas. Não dê seu poder aos sonhos; conheço gente que deixou um sonho mau arruinar todo o seu dia.

Em essência, o que eu quero dizer é que não se deve dar o poder pessoal a ninguém ou nada, incluindo aqui o próprio Deus. Não se trata de blasfêmia. Deus não quer o seu poder. Deus quer que você assuma o seu próprio poder, ao mesmo tempo rendendo-se a Ele e à Sua vontade, e não à vontade do ego. Deus ajuda os que se ajudam a si mesmos. Não dê seu poder aos pensamentos, sentimentos, corpo físico, ego negativo, mente subconsciente, outras pessoas, clima, astrologia, biorritmos, vidas passadas, criança interior, subpersonalidades, energia externa, mestres ascensionados, espíritos-guias ou gurus. Qualquer mestre espiritual de algum valor irá encorajá-lo a assumir o seu próprio poder e a reconhecer a sua igualdade.

Se você aprende a permanecer no seu poder, todas essas ferramentas se tornam desnecessárias, pois jamais irá precisar delas. Você só se torna vítima quando perde o seu poder. Raptos e implantes ocorrem em função de uma abertura na aura que permite essas coisas. Feche-a, então. Retome seu poder pessoal e também aquilo que Edgar Cayce chama de raiva positiva; então essas coisas deixarão de ser apenas possibilidade.

Uma das confusões de muitas pessoas espiritualizadas é pensar que devem permanecer abertas em todos os momentos. Nada pode estar mais longe da verdade. Tudo na vida deve ser equilibrado. Há o yin e o yang, o feminino e o masculino; há o momento de estar aberto e o momento de permanecer fechado. Você precisa aprender a abrir e a fechar o seu campo energético quando quiser.

Quando há por perto alguma energia negativa, é preciso ser capaz de fechar e proteger o espaço psicológico e espiritual. Você pode permanecer amoroso, ainda que se feche às energias negativas. Permanecer receptivo todo o tempo é querer tornar-se vítima das energias dos outros.

Os chakras são como as lentes de uma máquina fotográfica, que podem ser abertas e fechadas por um comando do operador. Se você decide que neste universo de Deus não existe meio de os extraterrestres negativos o raptarem, então certamente eles não o farão. Tranqüilize-se e saiba que você é Deus. E pode o próprio Deus, o Pai, ser vítima de algo? Pois você foi criado à imagem e semelhança dEle, e portanto você também não pode ser vítima de nada — a menos que queira sê-lo, ao não assumir a plenitude do seu poder.

Com respeito a doenças físicas e emocionais, se você pensa que é vulnerável, provavelmente está certo. Se usa seus poderes criadores para programar os corpos físico e emocional para que não adoeçam, certamente não adoecerão. Se você pensa que é o Cristo e uma coisa só com Deus, então é isso o que você é.

É de novo a lição de saber onde concentrar a própria atenção. Você precisa aprender a concentrar sua atenção onde Deus quer que você a concentre. Muitas vezes você é fraco demais nesse particular. É por isso que Djwhal Khul reafirma seguidamente a importância de manter a mente "firme na Luz". Quando você entra num estado diferente da perfeição, então a lição é imediatamente fazer uma afirmação ou oração que o leve de volta àquele estado perfeito que Deus vê em você.

Caso esteja lidando com um sentimento negativo, visualize-se vomitando-o e depois matando-o com uma lança ou espada. Depois coloque um belo anjo ou seu mestre espiritual dentro de si mesmo, para substituir aquilo que antes ocupava esse lugar.

Uma boa prece para exorcizar entidades possessoras é encontrada no livro *It's All Right*, de Isabelle Hickey: "Pelo nome e poder de Jesus Cristo, deixe o meu campo magnético e volte à Fonte, para ser elevado novamente à Luz." Uma oração que ela recomenda para quem busca proteção é a seguinte: "Permaneço no centro de toda a Luz. Aqui nada pode me tocar."

Max Freedom Long — que recuperou para o mundo ocidental os ensinamentos hunas do Havaí, há muito tempo perdidos — criou um mantra para os pesquisadores da cultura huna que temiam forças negativas: "Recuso-me a aceitar qualquer sugestão de qualquer fonte negativa; mereço somente o bem e só a boa vontade chega até mim. Tenho comigo a proteção de meu Eu superior em todos os momentos, e ela me envolve com um manto de Luz. Não temo mal nenhum. Nada que não seja bom pode tocar minha vida de modo algum. Permaneço sereno, seguro e tranqüilo no pleno conhecimento de que sou protegido em todos os momentos, dia e noite."

Outro mantra protetor, que Edgar Cayce recomenda salmodiar antes da meditação, é o seguinte: "Envolvo-me na proteção encontrada no pensamento do Cristo."

Uma oração protetora muito poderosa encontra-se no livro *Psychic Self-Defense*: "Visualize-se segurando na mão direita a espada flamejante do Senhor Miguel, e diga — 'Em nome de Deus, tomo a espada do poder para me defender contra o mal e a agressão'. Imagine-se crescendo em altura até o dobro ou triplo do seu tamanho normal. Agora, com a ponta da espada, trace no chão um círculo mágico que o envolva. Veja um rastro de chamas seguindo a ponta da espada.

"Depois de terminar, junte as mãos em oração, erga-as sobre a cabeça e, olhando para o Leste, diga numa prece — 'Que o poderoso Arcanjo Rafael me proteja de todo o mal que se aproxime do Leste'. Voltando-se para o Sul, diga a mesma coisa invocando o Arcanjo Miguel. Voltando-se para o Oeste, invoque o Arcanjo Gabriel. Depois, olhando para o Norte, invoque o Arcanjo Uriel. Depois, volte-se novamente para o Leste."

Essa fórmula é especialmente eficaz para proteger seu espaço durante o sono. A idéia é traçar o círculo em torno da cama. Esse círculo dura do pôr-do-sol ao amanhecer. Para começar e concluir a prece é necessário fazer o sinal cabalístico da cruz. Este é um recurso extremamente eficiente, muito semelhante ao sinal-da-cruz do catolicismo.

Tocando a testa, diga: "Vosso, ó Deus (tocando o plexo solar), é o reino (tocando o ombro direito), o poder (tocando o ombro esquerdo) e a glória (juntando as mãos) pelos séculos dos séculos. Amém."

Para selar sua aura usando o sinal-da-cruz, Dion Fortune, no mesmo livro, recomenda "ficar bem ereto e fazer o sinal-da-cruz tocando a testa, o peito, o ombro direito e o esquerdo, dizendo: 'Pelo poder do Cristo de Deus dentro em mim, a quem sirvo de todo o coração, alma, força e entendimento, envolvo-me agora com o círculo divino de Sua proteção, no qual nenhum erro mortal ousa entrar'."

Se quiser, você pode usar apenas o sinal-da-cruz. Mas se você deseja uma tripla proteção, pode usar o sinal do pentáculo, ou estrela de cinco pontas. Este é um meio bastante eficaz para proteger uma casa de espíritos intrometidos. A estrela pode ser criada no ar à sua frente; depois é só visualizá-la imediatamente em todas as janelas e portas da casa. Ela pode ser criada da seguinte forma:

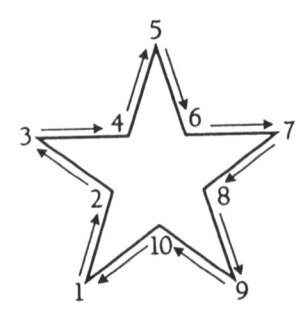

Se você quer selar sua aura por estar ao lado de alguém que tenta sugar sua vitalidade, entrelace os dedos e coloque as mãos sobre o plexo solar. Ao mesmo tempo, encoste os cotovelos contra os lados do corpo e encoste um pé no outro. Fazendo assim, você transforma seu corpo físico num circuito fechado que não pode ser drenado.

As forças das trevas não conseguem entrar no seu campo se a sua freqüência global é elevada até uma vibração suficientemente alta. Para elevar rapidamente sua vibração, diga a seguinte oração que criei para esse fim:

Amado Deus, Cristo, Espírito Santo, poderosa Presença do Eu Sou, Mahatma, minha mônada, Vywamus, Sai Baba, Djwhal Khul, Mestre Jesus, Virgem Maria e a Grande Irmandade Branca:
Com esta prece invoco um pilar de Luz. Invoco o meu corpo de Luz glorificado. Invoco a completa infusão da energia do Mahatma. Invoco o décimo segundo raio dourado. Invoco a ascensão de uma coluna de Luz. Invoco a chama violeta de Saint Germain. Invoco a Luz de mil sóis, que desça agora no meu sistema de quatro corpos. Invoco o meu eu elevado da quinta dimensão, para que ele funda sua aura com a minha.
Invoco a chama da ascensão. Invoco o meu veículo vivo de Luz, meu merkabah, e peço para ser colocado dentro dele. Invoco um alinhamento axiatonal. Invoco a completa ancoragem do meu décimo segundo chakra no chakra do alto da cabeça. Invoco a completa descida de minha alma e mônada no meu sistema de quatro corpos. Invoco a elevação de minhas freqüências vibracionais até a do próprio Cristo. Invoco a vibração do Aum!

As Palestras "Eu Sou", de Saint Germain, recomendam a seguinte oração para invocar a proteção do tubo de Luz:

Amada, poderosa e vitoriosa presença do Deus Eu Sou em mim! Envolve-me na tua presença esplendorosa, na tua invencível proteção crística cósmica do tubo de pura essência de Luz eletrônica. Garante, por mim, que essa proteção seja ativa e todo-poderosa, e eternamente sustentada.
Não deixes que nenhuma criatura humana desarmônica jamais consiga transpô-la para me atingir. Que esse tubo de essência luminosa me faça e mantenha invisível e invulnerável a toda miséria humana, constantemente

elevando e conservando minha atenção na Tua onipresença em todos e tudo. Conscientemente, aceito agora mesmo essa dádiva, com pleno poder!

Termino este capítulo com aquela que, acredito, é hoje a oração mais poderosa nesta Terra. É a oração da Grande Invocação do Senhor Maitreya, o Cristo Planetário, que garante a todos proteção.

Do ponto de Luz da Mente de Deus
Que a Luz flua às mentes dos homens.
Que a Luz desça à Terra.

Do ponto de Amor no coração de Deus
Que o amor flua aos corações dos homens.
Que o Cristo volte à Terra.

Do centro onde se conhece a Vontade de Deus
Que a determinação guie as minúsculas vontades dos homens —
A determinação que os mestres conhecem e favorecem.

Do centro que chamamos raça dos homens
Que evolua o Plano de Amor e Luz
E possa então selar a porta onde habita o mal.

Que a Luz, o Amor e o Poder restaurem o Plano na Terra.

14

A AURA HUMANA E OS SETE CORPOS

*O curso da nossa vida, nossos hábitos, saúde e compreensão mental,
em suma, a história da nossa vida é escrita em cores, formas e linhas
que englobam os campos energéticos de nossos vários planos
de existência ou estados de consciência.*
Ronald Beesley

Assim como há sete dimensões da realidade, há também sete corpos em torno de cada forma física, cada uma correspondendo a uma dimensão da realidade. Você tem os corpos físico, etérico, astral, mental, da alma ou causal, búdico e átmico. Há outros corpos além desses níveis, que denomino corpos celestiais, mas esses superam nosso entendimento no atual nível de evolução.

Cada corpo tem uma característica ou qualidade energética associada a ele. O corpo físico tem a ver com os instintos; o etérico, com a força e energia vitais; o astral, com desejos, sentimentos e emoções; o mental, com a mente concreta; o da alma ou causal, com a mente abstrata; o búdico, com a intuição; o átmico, com a vontade espiritual.

O CORPO FÍSICO

É dispensável explicar o corpo físico, pois você já está bem familiarizado com ele. O corpo físico é o templo da encarnação da extensão de alma. É um instrumento, um veículo para a exploração do mundo físico. Assim como o corpo físico é o veículo da manifestação da alma neste plano da existência, a alma é, num plano superior, o veículo de manifestação do espírito ou mônada.

Muitas pessoas não percebem a importância de ajudar o corpo físico a acompanhar a evolução dos outros corpos, pois é impossível que corpos físicos grosseiros e densos entrem em contato com vibrações elevadas. O aprimoramento do corpo físico é essencial. Muitos aspirantes à espiritualidade trabalham no desenvolvimento dos outros corpos, mas não do corpo físico, e acabam adoecendo em virtude da discrepância das freqüências de vibração.

Este livro não tem o propósito de ser um manual de como cuidar do veículo físico. Entretanto, seguir as simples sugestões abaixo será extremamente proveitoso:

1. Adote um programa diário de exercícios físicos;
2. Consuma alimentos puros;
3. Desenvolva o hábito de dormir bem;
4. Exponha-se ao sol ao menos entre 10 e 20 minutos por dia, se possível. O sol mata todos os germes e o livra de doenças, além de vitalizar o corpo etérico;
5. Mantenha uma boa higiene. Use muita água, tanto por dentro como por fora;
6. Tanto quanto possível, evite açúcar, estimulantes artificiais (café e chá) e drogas;
7. Não se esqueça de reservar um tempo para o lazer.

O CORPO ETÉRICO

O corpo etérico, ou duplo etérico, é uma réplica exata do corpo físico. É o arquétipo sobre o qual se constitui a forma física. Não há nada no universo manifesto — solar, planetário ou nos vários reinos da natureza — que não possua um corpo etérico.

O corpo etérico governa e condiciona o corpo físico. Sua função é armazenar os raios de luz radiante e o calor do sol, e transmiti-los pelo chakra do baço a todas as partes do corpo físico. O corpo etérico é uma rede de finos canais nervosos entrelaçados, denominados nadis. Durante a encarnação, a rede de nadis forma uma barreira entre os planos físico e astral. Se você já tomou grandes quantidades de drogas, pode romper essa rede etérica e expor-se a energias astrais inferiores.

O corpo etérico também pode ser chamado de bateria energética do corpo físico. Uma congestão em parte do corpo etérico pode levar a muitas formas de doença e ausência de clareza mental. O corpo etérico é vitalizado e controlado pelo pensamento, e pode ser levado à plena atividade pelo raciocínio correto. A maioria das doenças que sofre o corpo físico tem suas raízes nos corpos etérico e astral. Os principais fatores que concorrem para a obtenção de um corpo etérico sadio são a luz do sol, uma dieta cuidadosa, que enfatize as vitaminas e proteínas adequadas, e a evitação da fadiga e das preocupações.

O CORPO ASTRAL

O corpo astral liga a pessoa ao plano astral e aos desejos e emoções. Se você é governado pelo corpo astral — pelos sentimentos e desejos —, ele acaba dominando também sua mente consciente, em vez de o consciente controlar as emoções.

Você viaja nesse corpo quando pratica a projeção astral ou durante o sono, naturalmente. Não são raros os casos de sonhos em que a pessoa se vê voando no corpo astral. Talvez você já tenha desenvolvido a capacidade de viajar conscientemente no corpo astral. A única limitação é a impossibilidade de deixar o plano astral. Viajando no corpo da alma ou no corpo de Luz, você tem uma gama maior de dimensões à disposição.

Os grandes ensinamentos do hinduísmo e do budismo enfatizam a necessidade de eliminar o desejo. Isso significa ter um só desejo: a libertação e teo-realização, em vez de todos os desejos materiais do ego negativo. O corpo astral recebe a impressão de cada desejo fugaz com que entra em contato no ambiente. Cada som o faz vibrar. Sua maior necessidade como aspirante espiritual é treinar o corpo astral para receber e registrar somente as impressões que venham do Eu superior. Seu objetivo é treinar o corpo emocional para que ele se torne imóvel e claro como um espelho, ganhando assim uma superfície que permita uma perfeita reflexão. Os adjetivos que descrevem o corpo emocional em seu estado ideal são: imóvel, sereno, liso, tranqüilo, em descanso, claro.

Djwhal Khul, nos livros de Alice Bailey, explicou como se pode serenar o corpo emocional:

1. Pela constante vigilância sobre todos os desejos, motivos e anseios que cruzam diariamente o horizonte, e pela subseqüente enfatização daqueles que sejam de ordem superior e pela inibição dos de ordem inferior.

2. Por uma tentativa diária e constante de entrar em contato com o Eu superior, refletindo os desejos dele na sua vida.

3. Pela instituição de períodos definidos de meditação diária, com o objetivo de serenar o corpo emocional. Cada aspirante precisa descobrir por si próprio quando cede mais facilmente a vibrações violentas, como medo, preocupação, desejos egoístas de qualquer tipo, amor egoísta por alguma coisa ou por alguém, desânimo e supersensibilidade à opinião das pessoas, entre outras. Depois deve superar na vibração impondo sobre ela um novo ritmo, definitivamente eliminando-a ou remodelando-a.

4. Pelo trabalho realizado à noite no corpo emocional, sob a direção de almas mais avançadas que trabalhem sob a orientação de um mestre.

Depois da superação da ilusão e do glamour, o corpo astral se desvanece na consciência humana. Não sobram desejos para o ego isolado. O ego desaparece, e então considera-se que a pessoa é constituída essencialmente de alma, mente e cérebro dentro do corpo físico.

O CORPO MENTAL

O corpo mental está associado ao plano mental e à mente concreta. O aprimoramento e desenvolvimento desse corpo são o resultado de um trabalho árduo e de discernimento. Há uma grande necessidade de raciocínio claro, não somente em assuntos que despertam interesse, mas em todas as questões que afetam a sua vida e a humanidade. Claridade mental significa a capacidade de gerar pensamentos a partir da matéria-prima mental, e utilizar esses pensamentos para ajudar a humanidade.

É importante aprender a serenar o corpo mental, a fim de que os pensamentos dos níveis abstratos e dos planos da intuição encontrem uma mente receptiva em que se possam gravar.

Duas qualidades precisam ser desenvolvidas acima de tudo o mais: primeiro, uma perseverança e fortaleza inabaláveis; a capacidade da perseverança explica por que um homem ou mulher nada espetacular, muitas vezes alcança a iniciação antes do gênio. Segundo, o progresso que se faz sem a auto-análise indevida. Não se deve arrancar uma planta do solo pela raiz para ver se ela cresceu.

O corpo mental permanece claro quando você mantém uma boa dieta mental. Todo pensamento que vem da sua mente subconsciente ou de outras pessoas deve ser examinado para que você determine se é de Deus ou não, se é verdade ou ilusão. Se é positivo e divino, deixe que ele entre na sua mente, assim como deixa o bom alimento entrar no estômago. Se é negativo, não divino, negue-lhe a entrada na sua mente. Este é o processo contínuo de permanecer consciente e vigilante, sem jamais funcionar no piloto automático, que irá manter a claridade de seu corpo mental.

Manter a claridade do corpo mental ajuda a conservar claros os corpos emocional, etérico e físico, pois são os seus pensamentos que criam a sua realidade. Nunca é demais ressaltar esse último ponto!

ALMA, OU CORPO CAUSAL

A alma, ou corpo causal, existe no plano mental superior e sua característica é a mente abstrata. O corpo causal é o templo da alma. É o armazém de todo o bom karma e virtude de todas as vidas passadas e da atual. O corpo causal é uma reunião de três átomos permanentes, fechados num envelope de essência mental. Os três átomos permanentes são aparelhos de gravação para os corpos físico, astral e mental, além de também registrarem o karma.

Em suas primeiras encarnações na Terra, seu corpo astral era um ovóide sem cor que continha a alma, assim como a gema é contida pela casca. Com as seguidas encarnações, você começa a acumular bom karma e virtudes no corpo causal, e ele começa a tornar-se uma coisa de rara beleza, contendo em si todas as cores do arco-íris. Djwhal Khul batizou esse processo de "vampirismo divino", pois a alma suga o bem da vida da pessoa e o armazena no corpo da alma. Esse processo começa lentamente, mas perto do final da encarnação, quando você pisa mais firme no caminho da provação e da iniciação, o trabalho avança rapidamente. É na quarta iniciação, depois de atingir a liberação da roda do renascimento, que o corpo causal se consome e se funde novamente na mônada; a extensão de alma em evolução passa aí a receber orientação da mônada, e não mais da alma. Este é um marco importante na iniciação de uma alma no caminho espiritual.

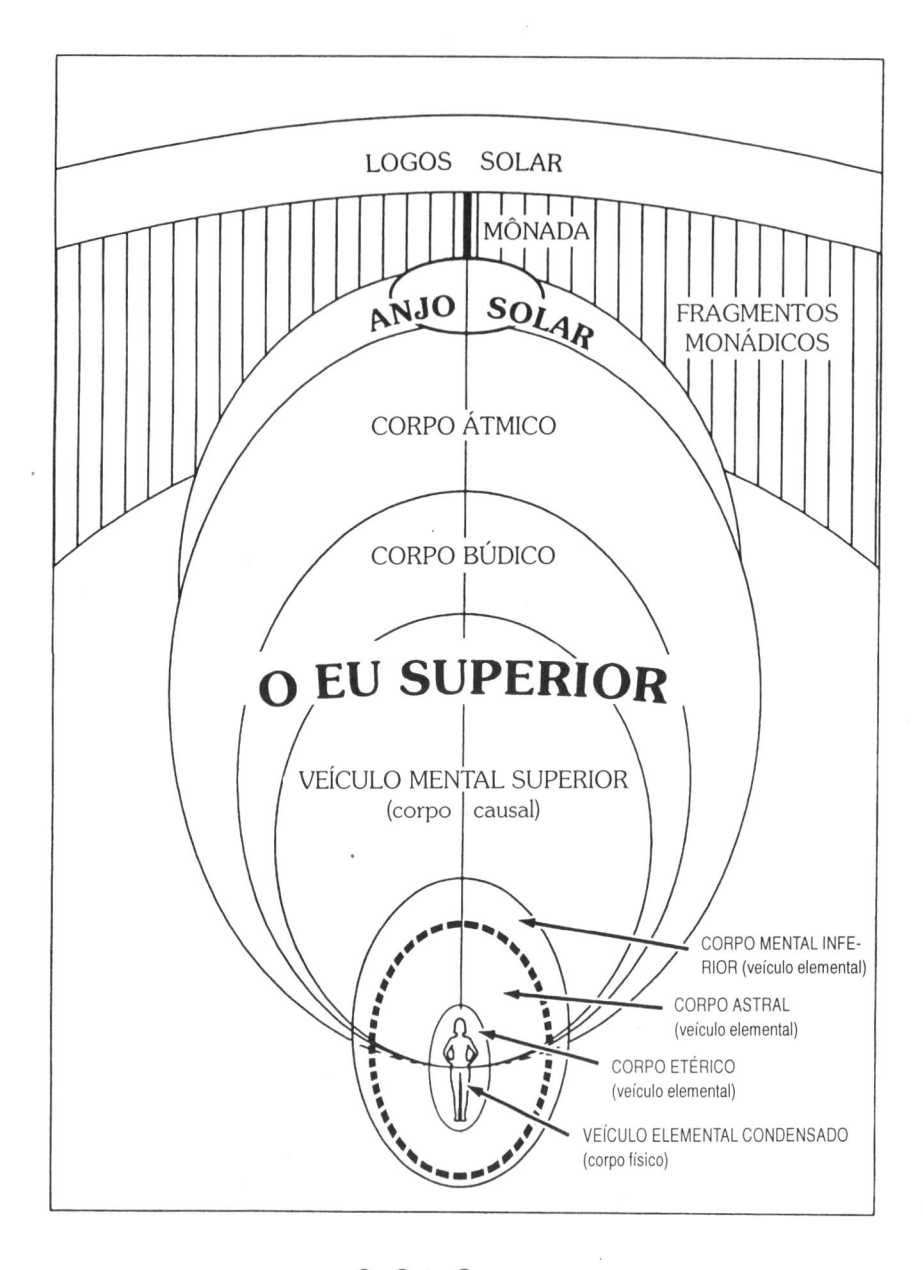

LOGOS SOLAR
MÔNADA
ANJO SOLAR
FRAGMENTOS MONÁDICOS
CORPO ÁTMICO
CORPO BÚDICO

O EU SUPERIOR

VEÍCULO MENTAL SUPERIOR
(corpo causal)

CORPO MENTAL INFERIOR (veículo elemental)
CORPO ASTRAL (veículo elemental)
CORPO ETÉRICO (veículo elemental)
VEÍCULO ELEMENTAL CONDENSADO (corpo físico)

Os Sete Corpos

O CORPO BÚDICO

O corpo búdico está associado ao plano búdico, e sua qualidade característica é a intuição. Depois da quarta iniciação você passa a viver no corpo búdico.

O CORPO ÁTMICO

O corpo átmico está associado ao plano átmico, e sua qualidade característica é a vontade espiritual. É o corpo que você habita depois de passar a quinta iniciação.

O GLORIOSO CORPO DE LUZ

O corpo de Luz é aquele que você habitará depois da ascensão, sendo ascensão a completa fusão à mônada, ou à Presença do Eu Sou, na Terra. Então todo o seu ser, incluindo o corpo físico, se funde em Luz. É o corpo de Luz do qual você irá tomar posse oficialmente. É, em certo sentido, o "traje de casamento" que você cria dia após dia ao trilhar o caminho da iniciação. É constituído pela Luz que você gera na vida diária. Esse corpo não fica completo até pouco antes da ascensão.

A AURA

Tudo o que foi criado tem algum tipo de aura. Nos seres humanos, a aura circunda o núcleo central ou extensão da alma dominante.

A aura é composta de quatro campos: a aura da saúde física; a aura astral ou emocional; a aura mental; e a aura do corpo etérico. A aura astral geralmente é dominante nas pessoas deste planeta, embora isso esteja começando a mudar à medida que a humanidade avança mais fundo na raça-raiz ariana, que implica uma harmonização mental.

A aura mental geralmente é bem pequena na pessoa mediana, mas se desenvolve rapidamente quando você se polariza no corpo mental nos últimos estágios da segunda iniciação e início da terceira. No livro *Ponder on This*, de Alice Bailey, Djwhal Khul diz que "a aura mental acabará apagando a aura emocional ou astral, e então o amor característico da alma criará um substituto de natureza superior".

Você vive e se move dentro da aura tetrafacetada. Nesta vida, a aura vital atua como agente gravador de todas as impressões, tanto de natureza objetiva quanto subjetiva. Não tanto as palavras, como algumas pessoas pensam, mas a aura é que provoca efeitos em outras pessoas. Também é a aura aquilo que é observado pelo mestre do ashram do plano interior. Especificamente, o mestre busca a Luz da alma dentro da aura para determinar se você está se aproximando do caminho do discipulado. À proporção que diminuem as reações emocionais e se clarifica o aparato mental, o progresso do aspirante passa a ser notado.

A aura é radiante por natureza e se expande de todos os corpos em todas as direções. Os sete chakras têm um grande efeito sobre a natureza de sua aura. Uma pessoa altamente emotiva, atuando pelo chakra do plexo solar muito desenvolvido e descontrolado, pode provocar destruição numa casa ou escritório. Por outro lado, um discípulo que use conscientemente o centro do coração ou da garganta, pode levar inspiração a centenas de pessoas.

A aura é levada a uma condição radiante pelo reto viver, pelo raciocínio elevado e pela atividade amorosa. Isso leva o iniciado a se tornar um centro de Luz viva, no qual todos os sete chakras se fundem numa só Luz.

Você olha o mundo através da aura. As quatro palavras que melhor descrevem a aura humana são: cor, luz, qualidade e esfera de influência. A maioria dos médiuns vê somente a faixa astral da aura. Na realidade, é possível discernir visualmente sete camadas da aura.

A aura do Cristo era tão poderosa que às pessoas bastava tocá-lo ou mesmo se aproximar de sua aura, que a virtude fluía dele e os curava. A aura de cada pessoa ou atrai ou repele, dependendo da programação e padrão de atitudes do indivíduo. Todo grupo tem uma aura, cada país tem uma aura e a própria Terra, como um todo, tem sua aura. Certa vez comprei uma linda imagem do Buda, e um clarividente amigo meu, sem que eu perguntasse, disse-me que o chakra do coração da imagem estava aberto, girando. Ao mestre basta olhar a Luz refletida na aura da pessoa para determinar seu nível de evolução.

Cada cor visível da aura humana indica características específicas.

Vermelho .... A cor vermelha reflete aspectos físicos da mente, tais como paixão, raiva, desejos físicos, emoção, vigor e vitalidade. Está relacionada com a qualidade da vontade do primeiro raio.

Azul .... A cor azul reflete os aspectos religiosos ou espirituais da mente, incluindo contemplação, oração, céu, espiritualidade, altruísmo e desprendimento, além de emoções como amor, devoção e reverência. O azul é uma cor suavizadora, tranqüilizadora.

Amarelo .... A cor amarela reflete atividades intelectuais, como lógica, indução, inteligência ativa, análise e juízo.

Branco .... A cor branca representa o puro espírito.

Preto .... O preto é a ausência de cor. É o pólo oposto do puro espírito; daí o termo "magia negra". Sugere ódio, raiva, cobiça, vingança e malícia.

Cinza .... A cor cinza reflete pensamentos e emoções negativas.

Violeta .... A cor violeta é altamente espiritual. Geralmente indica equilíbrio mental e a busca de uma causa ou experiência religiosa. Muitas vezes é associada à transmutação, em virtude de sua ligação com o sétimo raio.

Laranja .... Um tom vivo e belo de laranja geralmente indica amabilidade e consideração pelos outros. O laranja está ligado à energia da ciência concreta do quinto raio.
Verde .... A cor verde geralmente é associada à cura, pois conduz uma energia prestimosa, forte e amigável. É a cor muitas vezes adotada por médicos e enfermeiros. Está ligada à energia da harmonia do quarto raio através de um conflito.

Abaixo apresento um quadro de cores da aura humana, extraído do livro *Auras*, de Edgar Cayce. O interessante neste quadro é aparecerem também as aflições, ou aspectos negativos, de cada cor, e não só as qualidades positivas. Também aparecem os planetas e notas musicais ligadas a cada cor.

A aura humana				
Cor	**Nota musical**	**Planeta**	**Interpretação**	**Aflição**
Vermelho	Dó	Marte	Força, vigor, energia	Nervosismo, egoísmo
Laranja	Ré	Sol	Amabilidade, consideração	Preguiça, repressão
Amarelo	Mi	Mercúrio	Saúde, bem-estar, amistosidade	Fraqueza de vontade
Verde	Fá	Saturno	Cura, prestimosidade	Misturado ao amarelo: falsidade
Azul	Sol	Júpiter	Espiritualidade, vocação artística, altruísmo	Conflito, melancolia
Anil	Lá	Vênus	Tendência à busca, religiosidade	Problemas no estômago e no coração
Violeta	Si	Lua	Tendência à busca, religiosidade	Problemas no estômago e no coração

15

OS 22 CHAKRAS

*Os chakras funcionam como órgãos distribuidores
e baterias elétricas, proporcionando força dinâmica
e energia qualitativa ao homem.*
Djwhal Khul
por Alice A. Bailey

Na visão mais comum, o ser humano tem sete chakras. Esta é visão válida se você considera apenas a realidade tridimensional. O fato é que existem também oito chakras na sexta dimensão e sete na quinta dimensão. Talvez haja ainda mais chakras na sexta e sétima dimensões da realidade, mas essa informação está muito além da minha capacidade de explicar ou de compreender.

Essas informações a respeito dos 22 chakras nos foram transmitidas por Vywamus via Dorothy Bodenburg, de The Tibetan Foundation. O diagrama da página seguinte delineia esses 22 aspectos essenciais do ser humano.

Os sete chakras principais são aqueles que ligam o corpo etérico, ou de energia, ao corpo físico; estão inseridos no corpo etérico, e não no corpo físico denso. Cada chakra tem um padrão específico de energia para um objetivo específico. Desde a Convergência Harmônica, em agosto de 1987, desenvolve-se uma estrutura energética que permitirá a manifestação da quarta dimensão na existência física.

OS CHAKRAS TRIDIMENSIONAIS

O CHAKRA DA RAIZ

O primeiro chakra é a sede do corpo físico. Concentra-se na vida terrena, ligando estreitamente a pessoa à Terra. Lida com questões como ligação com a Terra, sobrevivência e existência terrena. No período lemuriano primitivo, o chakra da base era o mais aberto. A cor é o vermelho, é ligado às gônadas.

| Os Chakras |||
Da terceira dimensão	Da quarta dimensão	Da quinta dimensão
0 Terra	8 Sede da alma	16 Ascensão; ser universal
1 Base	9 Corpo de Luz	17 Luz universal
2 Polaridade	10 Integração das polaridades	18 Intento divino hexadimensional
3 Plexo solar	11 Energias da Nova Era	Sem correspondência
4 Coração	12 Consciência do Cristo	19 Energia universal
5 Garganta	13 Manifesta comunicação vibratória	20 Existência (essência do ser)
6 Terceiro olho	14 Plano divino	21 Estrutura divina
7 Topo da cabeça	15 Ligação monádica	22 Ligação à Fonte

O SEGUNDO CHAKRA

O segundo chakra é o da polaridade. Tem a ver com criatividade, equilíbrio masculino-feminino e energia sexual. A parte traseira do segundo chakra relaciona-se com a sede da mente subconsciente. A glândula relacionada é a ludig, ou glândula lyden, ligada ao sistema linfático. Geralmente é relacionado à cor laranja. Era o chakra mais usado no desenvolvimento lemuriano posterior.

O CHAKRA DO PLEXO SOLAR

O terceiro chakra é a sede do corpo emocional. As glândulas relacionadas são as supra-renais, e a cor geralmente associada é o amarelo. O período atlante da história da Terra se concentrou no desenvolvimento desse chakra.

O CHAKRA DO CORAÇÃO

O quarto chakra lida com o amor incondicional. A glândula associada é o timo; a cor geralmente atribuída é o verde. É o chakra fundamental da era cristã.

O CHAKRA DA GARGANTA

O chakra da garganta tem a ver com comunicação, expressão e o uso da vontade. Associa-se à glândula tireóide; a cor mais comumente associada é o azul. É o chakra a ser desenvolvido na Era de Aquário.

O CHAKRA DO TERCEIRO OLHO

O chakra do terceiro olho tem a ver com visão interna ou espiritual. A glândula associada é a pituitária. A cor mais freqüentemente relacionada a esse chakra é o violeta. O chakra do terceiro olho também é associado à mente consciente.

O CHAKRA DO TOPO DA CABEÇA

Tem a ver com a mente superconsciente, o Eu superior e/ou Deus. É na verdade o portão de entrada das energias superiores. A cor mais freqüentemente associada para esse chakra é a Luz branca, ou a Luz branca multicor (salpicada das cores do arco-íris). A glândula associada é a pineal.

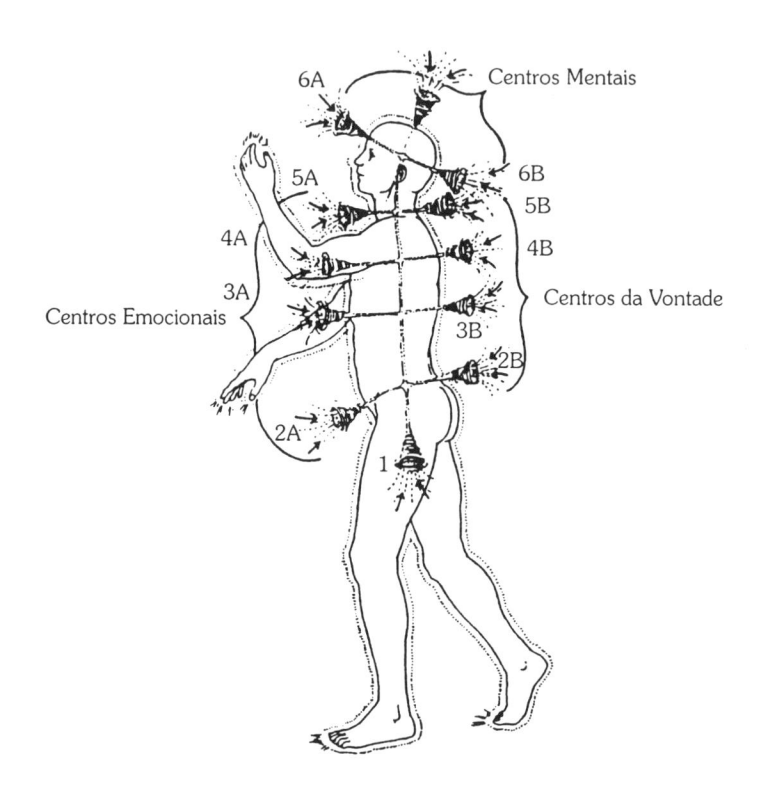

Os Sete Chakras Principais — Visões Frontal e Posterior

Esta ilustração foi extraída do livro *Hands of Light*,* de Barbara Brennan. É uma obra cuja leitura recomendo sinceramente.

---

* *Mãos de Luz*, publicado pela Ed. Pensamento, São Paulo, 1990.

AS CORES DOS CHAKRAS

Estão listadas abaixo as cores que as principais escolas de pensamento têm usado na visualização dos chakras. Incluí também as cores atualizadas que Djwhal Khul transmitiu recentemente a mim e à minha mulher.

Chakra	Cor padrão	Cores de Djwhal Khul
Raiz	Vermelho	Violeta
Segundo	Laranja	Anil
Plexo solar	Amarelo	Amarelo
Coração	Verde	Rosa (com um leve tom violeta)
Garganta	Azul	Azul (com um triângulo laranja no centro)
Terceiro olho	Anil	Ouro
Topo da cabeça	Violeta	Branco multicor

TONS DOS CHAKRAS

Para trabalhar com os chakras e abri-los, é possível usar também o som, além da Luz e das cores. Djwhal Khul canalizou os sons correspondentes aos sete chakras da terceira dimensão.

Chakra	Tons de Djwhal Khul	Tons hindus
Chakra da raiz	O (ou)	Lam
Segundo chakra	SHU (chuc)	Yam
Chakra do plexo solar	YA (ión)	Ram
Chakra do coração	WA (uei)	Yam
Chakra da garganta	He (ri)	Ham
Chakra do terceiro olho	HU (riú)	Om
Chakra do topo da cabeça	I (ai)	Aum

OS CHAKRAS DA QUARTA DIMENSÃO

Eu soube da existência de mais de sete chakras há cerca de dois anos, quando Djwhal Khul me disse que havia 12 deles. Ele disse que, à medida que a pessoa se desenvolve, os chakras superiores começam a se deslocar para baixo, descendo até os chakras da terceira dimensão. Perguntei se os meus chakras superiores já haviam descido. Ele disse que meu décimo chakra estava no alto da cabeça, o nono no chakra do terceiro olho, o oitavo no chakra da garganta, e assim por diante até o chakra mais baixo. Achei essa informação fascinante. Desde então venho invocando a descida do décimo segundo chakra ao topo da cabeça. Também venho me concentrando com mais firmeza na qualidade do décimo segundo chakra, a consciência do Cristo. Numa conversa posterior com Djwhal, ele disse que eu havia estabilizado o décimo segundo chakra no chakra do alto da cabeça, o décimo primeiro no do terceiro olho, e assim por diante, até o chakra mais inferior.

Só depois de receber recente informação de Vywamus é que tomei ciência de que, na verdade, existem 22 chakras. Atualmente, meus esforços no caminho espiritual se concentram em ancorar o décimo quinto chakra no topo da cabeça. O décimo quinto chakra, como vimos acima, está ligado à conexão monádica.

O décimo sexto chakra é aquele que desce ao topo da cabeça quando o iniciado chega à ascensão. Djwhal Khul recomenda que, antes da ascensão, não se deve invocar nenhum chakra superior ao décimo quinto, pois há o risco da combustão do corpo físico em virtude de uma freqüência energética elevada demais. É viável, entretanto, invocar as cores das energias associadas aos chakras da quinta dimensão.

O OITAVO CHAKRA

O oitavo chakra é o primeiro da quarta dimensão; é a sede da alma. Assim como na terceira dimensão a Terra, à qual se atribui o número zero, representa a existência física, da mesma forma na quarta dimensão a sede da alma se torna a sede da existência.

As cores dos chakras oitavo a décimo segundo são exatamente as mesmas dos raios superiores da quarta dimensão. (Esses raios serão explicados num capítulo à frente.) As cores do oitavo chakra são verde-esmeralda e púrpura.

O NONO CHAKRA

O nono chakra corresponde ao chakra da base na terceira dimensão. Relaciona-se com o corpo de Luz; tem a ver com a alegria. Quando tal chakra é ativado, inflama o corpo de Luz, que então penetra nas estruturas celular e subcelular do indivíduo. A cor associada é o verde-azul.

O DÉCIMO CHAKRA

O décimo chakra está associado ao chakra da polaridade na terceira dimensão. Tem a ver com a integração dos aspectos masculino e feminino dentro do

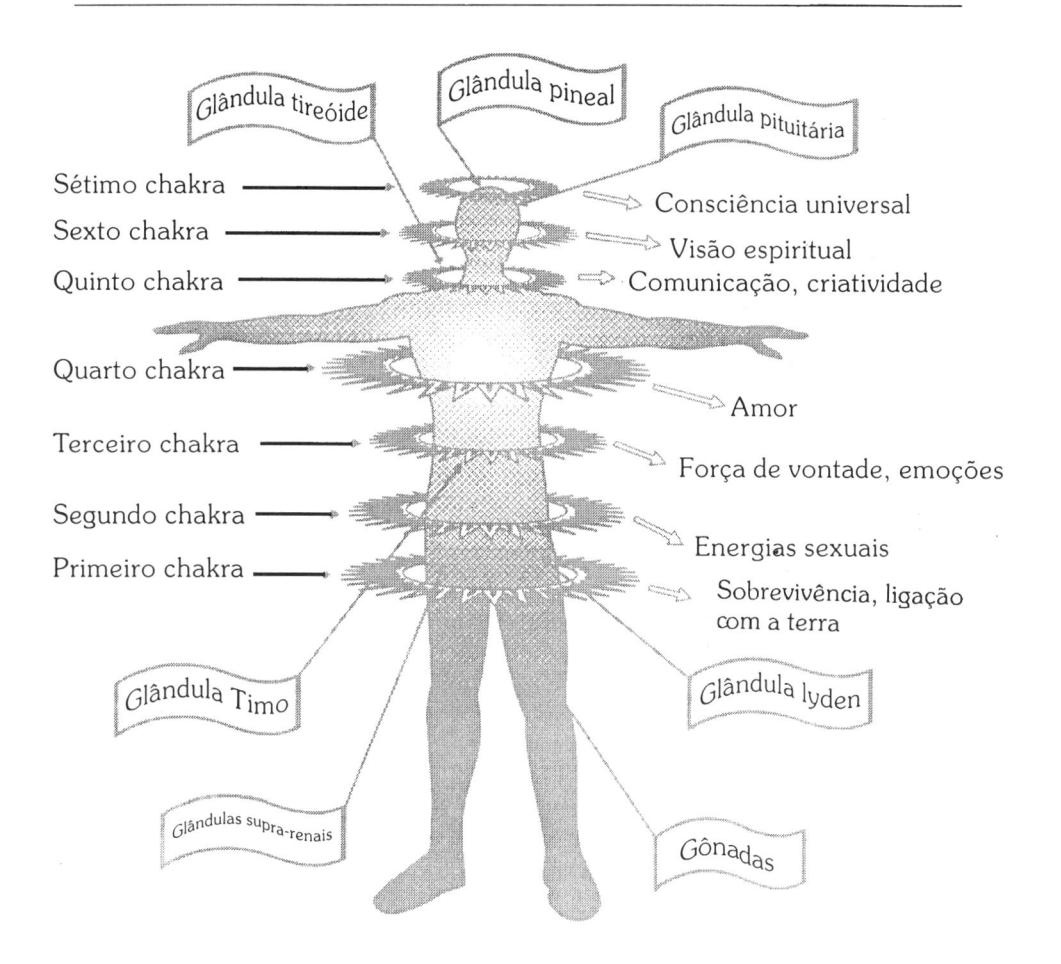

Relação Entre os Sete Chakras e as Glândulas

Glândula tireóide — Sétimo chakra, Sexto chakra, Quinto chakra
Glândula pineal
Glândula pituitária

- Sétimo chakra → Consciência universal
- Sexto chakra → Visão espiritual
- Quinto chakra → Comunicação, criatividade
- Quarto chakra → Amor
- Terceiro chakra → Força de vontade, emoções
- Segundo chakra → Energias sexuais
- Primeiro chakra → Sobrevivência, ligação com a terra

Glândula Timo
Glândula lyden
Glândulas supra-renais
Gônadas

eu. Esse chakra começa a funcionar quando as energias masculina e feminina atingem o perfeito equilíbrio. A sensação experimentada é um estado de ausência de esforço e alinhamento com a alma. A cor associada é a da madrepérola.

O DÉCIMO PRIMEIRO CHAKRA

O décimo primeiro é o chakra das energias da Nova Era. Corresponde ao chakra do plexo solar na terceira dimensão. Ligar o terceiro ao décimo primeiro chakra permite que você supere os traumas — desta encarnação e de vidas passadas — armazenados no chakra do plexo solar. A sensação da energia do décimo primeiro chakra é a de uma onda que se move pelo corpo e para fora dele, sem permanecer e sem ligar-se a uma área de percepção equivocada. (Antes, quando a quarta dimensão ainda não estava disponível, uma reação emocional iria se ligar a alguma percepção equivocada já existente no corpo.) A cor desse chakra é o laranja rosado.

O DÉCIMO SEGUNDO CHAKRA

O décimo segundo chakra é a consciência do Cristo, que é uma energia transformativa que se liga a todas as formas de energia. Está associado ao chakra do coração na terceira dimensão, e sua cor é um dourado cintilante.

O DÉCIMO TERCEIRO CHAKRA

O décimo terceiro chakra tem a ver com a manifestação da comunicação vibratória. É o chakra usado na materialização e desmaterialização de objetos e no teletransporte. Também é usado para alcançar a cura. A cor é um tom claro de rosa-violeta.

O DÉCIMO QUARTO CHAKRA

O décimo quarto chakra está ligado ao plano divino. Possibilita a submissão da mente. Esse chakra implica a permissão de que o plano divino lhe mostre o caminho sem crítica ou avaliação por parte dos processos mentais.

Corresponde ao terceiro olho na terceira dimensão. Proporciona clarividência sobre o que acontece na quarta dimensão e começa a ativar um estado de infinitude no indivíduo. A cor é um tom profundo de violeta-azulado.

O DÉCIMO QUINTO CHAKRA

O décimo quinto chakra está relacionado com a ligação monádica. Corresponde ao chakra do alto da cabeça na terceira dimensão, sua conexão espiritual. A abertura do décimo quinto chakra permite que você estabeleça uma nova ligação espiritual — a ligação com sua própria mônada. Isso ocorre depois da quarta iniciação. Na quinta iniciação, a pessoa se funde à mônada, o que a leva à porta da ascensão. Quando esse chakra está ativado, isso significa que a estrutura de sua alma está estável o bastante para manipular a energia e a extensão das informações oriundas do nível monádico. Sua cor é o branco-dourado claro.

OS CHAKRAS DA QUINTA DIMENSÃO

O DÉCIMO SEXTO CHAKRA

O décimo sexto chakra tem a ver com a ascensão e a transformação da pessoa num ser universal. É o décimo sexto chakra que desce ao chakra do topo da cabeça no momento da ascensão. Depois da ativação desse chakra, o mestre precisa decidir se vai ou não permanecer na existência física. Ao ser universal não se impõem limites de tempo ou dimensão, e ele pode se adaptar a qualquer forma de energia ou corpo, conforme a necessidade.

Como primeiro chakra do sistema de chakras da quinta dimensão, esse chakra de ascensão à mônada e transformação do indivíduo num ser universal é uma nova base, assim como o oitavo chakra — a sede da alma — é a base dos chakras da quarta dimensão. A cor é um branco-violeta claro.

O DÉCIMO SÉTIMO CHAKRA

O décimo sétimo chakra tem a ver com a Luz universal, e corresponde ao nono chakra, ou corpo de Luz da quarta dimensão. A progressão acontece da terceira dimensão — que é sólida — à quarta dimensão — que é sólida e luminosa — e daí à quinta dimensão, que é pura Luz. Sua cor reúne variados tons de branco.

O DÉCIMO OITAVO CHAKRA

O décimo oitavo chakra está ligado ao intento divino da sexta dimensão. Esse chakra, quando ativado, cria a capacidade de manifestação da sexta dimensão da realidade. Ao examinar o quadro dos chakras, você verá que existe uma lacuna entre o décimo oitavo e o décimo novo chakras, onde se lê "sem correspondência". A razão disso é que no plano da quinta dimensão não existe correspondência com o plexo solar, pois ele está unido ao chakra do coração. Sua cor é o rosa-dourado.

O DÉCIMO NONO CHAKRA

O décimo nono chakra se relaciona com a energia universal. A energia do coração é a ênfase na terceira dimensão; a consciência do Cristo é a energia expandida da quarta dimensão; e na quinta dimensão a correspondência se faz com a energia universal. Essa energia é sentida por aqueles que permitem que ela penetre por esse chakra, pelo plano monádico e pelo plano da alma até o corpo físico. Sua cor é o magenta.

O VIGÉSIMO CHAKRA

O vigésimo chakra enfatiza a existência ou essência do ser. Na terceira dimensão, você precisa se comunicar; na quarta dimensão, você é capaz de se comunicar de uma forma mais expandida, por meio da vibração da luz; na quinta dimensão não existe necessidade de troca. Existe uma existência pura, na qual a comunicação prescinde da troca. Sua cor é o dourado-violeta.

O VIGÉSIMO PRIMEIRO CHAKRA

O vigésimo primeiro chakra tem a ver com a estrutura divina. É criar a partir de um ponto de evolução, que na verdade é um ponto de resolução. Há o terceiro olho, que possibilita a clarividência na terceira dimensão; na quarta dimensão, há o plano divino. Agora você está além da estrutura da quinta dimensão, ingressando no aprendizado que ocorreu dentro da estrutura divina. Vywamus disse o seguinte a respeito desse chakra: "Devo dizer que nenhum de vocês vai precisar se preocupar com isso nos próximos dois ou três anos." É de cor ouro-azulado.

O VIGÉSIMO SEGUNDO CHAKRA

O vigésimo segundo chakra é a ligação com a Divindade. É de cor platina.

OBSERVAÇÃO FINAL

Eu gostaria de agradecer a The Tibetan Foundation e a Dorothy Bodenburg a cópia do material que ela recebeu de Vywamus, material esse que usei como base das informações reunidas neste capítulo. Alguns dos melhores materiais canalizados espiritualmente que já li vieram de The Tibetan Foundation, entidade fundada por Djwhal Khul através de Janet McClure.

16

O DESPERTAR DA KUNDALINI

*É fácil despertar a kundalini, mas muito difícil levá-la ao chakra
do alto da cabeça, passando pelos outros chakras. É algo que exige
muita paciência, perseverança, pureza e prática contínua.*
Swami Sivananda

Além dos 22 chakras e dos sete corpos, a constituição espiritual do ser humano contém canais nervosos etéricos chamados nadis.

OS NADIS NO CORPO ETÉRICO

O corpo etérico, ou duplo etérico, é a fotocópia energética do corpo físico: É o corpo que distribui a energia vital a toda a forma física. É como se fosse a bateria do corpo físico. O corpo etérico contém um sistema nervoso etérico formado por milhares de canais que interpenetram as formas física e etérica.

A literatura indiana sugere que temos 72 mil meridianos ou canais nervosos, que permeiam o corpo etérico. Três desses canais nervosos são de particular importância para a compreensão da kundalini: sushumna, ida e pingala.

SUSHUMNA E SUTRATMA, OU CORDÃO DE PRATA

Sushumna é o canal nervoso central dentro da espinha dorsal. Corre da base da espinha até a região do terceiro olho, e depois se funde num raio de Luz ainda mais poderoso chamado sutratma, ou cordão de prata. O sutratma se estende até o topo da cabeça, sobe até a alma e prossegue até a mônada. Como todos os chakras se localizam no corpo etérico, o sushumna atravessa e liga os sete chakras tridimensionais.

IDA

Ida é o canal feminino. Começa na base da espinha e termina na narina esquerda. Flui principalmente ao longo do lado esquerdo da coluna vertebral. Trilha um caminho sinuoso e emaranhado pelos sete chakras.

PINGALA

Pingala é o canal nervoso masculino. Nasce na base da espinha e termina na narina direita. Corre principalmente pelo lado direito da coluna vertebral. Trilha, da mesma forma, um caminho sinuoso e emaranhado ao longo da espinha e pelos chakras. Ida e pingala representam dois pólos opostos da mesma energia.

Enquanto pingala controla o lado direito do corpo, e ida, o lado esquerdo, sushumna é mais neutro. O ideal é equilibrar a energia nos canais ida e pingala. O sushumna é mais ativo ao nascer e ao pôr-do-sol, e entre as quatro horas da manhã e o amanhecer. É por isso que as culturas orientais sugerem a meditação ao amanhecer.

Falo bastante sobre a necessidade de a pessoa alcançar o equilíbrio nos quatro corpos, três mentes e sete chakras, e também nos aspectos yin e yang do eu. É fascinante ver como ida e pingala representam essas facetas dentro da constituição espiritual. Se você é feminino ou masculino demais, esse desequilíbrio aparece no fluxo de energia através de ida e pingala.

KUNDALINI

A palavra kundalini significa "enrodilhado"; refere-se à energia ou força adormecida que reside, qual serpente enrodilhada, na base da espinha do corpo etérico de todo ser humano. Essa força em espiral, embora ainda adormecida, serve para vitalizar o corpo e órgãos físicos.

Quando a força da kundalini é despertada, ela aumenta continuamente a ação vibratória dos chakras e dos corpos físico, astral e mental. A elevação da kundalini tem dois efeitos básicos. Primeiro, começa a eliminar tudo o que é grosseiro e inadequado dos veículos físico, emocional e mental. Segundo, faz a consciência absorver na sua esfera de influência as qualidades sublimes que elevam o conteúdo energético do corpo etérico.

Um dos principais objetivos da ativação da kundalini, fazendo-a subir pelo sushumna, é despertar as glândulas pituitária e pineal, o que resulta na abertura do terceiro olho. Isso acarreta a revelação dos planos mais sutis da vida espiritual. Quando dormente, ela pode funcionar como estimulante dos impulsos sexuais e dos órgãos de reprodução. Muitas almas jovens dissipam essa energia enredando-se numa atividade sexual desenfreada, perdendo assim a oportunidade de elevar uma fatia dessa energia pelo sushumna até o terceiro olho e o alto da cabeça.

Muitas pessoas no movimento da Nova Era estão começando a praticar a sexualidade tântrica, aprendendo a elevar essa energia pelo sushumna e através dos chakras a fim de chegar ao orgasmo — em certo sentido — em todos os sete níveis do ser. Aprender a fundir-se com o parceiro nos níveis de todos o chakras é uma meditação amorosa. Hoje existem no mercado muitos bons livros que ensinam como fazer isso.

Na religião taoísta, os homens aprendem a desviar o fluxo do sêmen para dentro e para cima, em vez de desperdiçá-lo fora do corpo. Os taoístas ensinam que um número exagerado de orgasmos pode dissipar a energia vital do indivíduo. Eu, particularmente, endosso uma filosofia de moderação nessas áreas; porém, tenho consciência de que existe alguma verdade naquilo que dizem os taoístas.

Quando a kundalini ascende, sua radiância pessoal se intensifica e você brilha. Swami Vivekananda, um dos grandes santos da Índia, escreveu o seguinte em seu livro *Raja Yoga*:

> Quando, pelo poder de prolongada meditação interior, a grande massa de energia armazenada sobe pelo sushumna e alcança os centros da cabeça, a reação é tremenda — imensamente superior à reação da percepção dos sentidos.
>
> Sempre que há qualquer manifestação daquilo que comumente se chama sabedoria ou poder sobrenatural, certamente uma pequena corrente da kundalini conseguiu fluir pelo sushumna. Na esmagadora maioria dos casos, a pessoa, sem o saber, executou por acaso alguma prática que acabou libertando uma insignificante porção da kundalini.

Outro dos grandes mestres espirituais da Índia é Swami Sivananda. Em seu livro *Kundalini Yoga*, ele diz:

> É fácil despertar a kundalini, mas muito difícil levá-la ao chakra do alto da cabeça, passando pelos outros chakras. É algo que exige muita paciência, perseverança, pureza e prática contínua. O iogue que a conduziu até o chakra do alto da cabeça é o verdadeiro senhor de todas as energias.
>
> Geralmente os estudantes da ioga interrompem suas práticas espirituais a meio caminho, por causa de uma falsa satisfação. Depois de conseguir algumas experiências místicas e poderes psíquicos, imaginam que alcançaram a meta. Eles querem exibir esses poderes ao público para amealhar fama, boa reputação e dinheiro. Mas isso é um triste erro. Só a plena realização pode proporcionar a liberação derradeira, a paz perfeita e a bem-aventurança mais elevada.

Earlyne Chaney, em seu livro *Kundalini and the Third Eye*, afirma eloqüentemente:

> Quando a pessoa, por meio de meditação e controle da respiração, alcança a união de ida e pingala e provoca a elevação pelo meridiano sushumna das forças positiva e negativa equilibradas, a força todo-poderosa da kundalini despertada, sendo lançada para cima junto com a energia prânica equilibrada, atinge a glândula pineal masculina. Isso estimula à ação a geralmente passiva glândula pineal.
>
> Assim despertada e elevada, ela projeta sua energia ao terceiro ventrículo para estimular a glândula pituitária feminina. Reagindo à essência da pineal, a pituitária se une a essa glândula num casamento místico na câmara do terceiro

ventrículo — e o inefável terceiro olho abre-se momentaneamente, proporcionando uma iluminação transcendental ao devoto. A experiência é aquilo que os ocidentais denominam consciência crística ou cósmica.

LIBERAÇÃO E DESPERTAR

O despertar da kundalini não significa que o discípulo atingiu a liberação; há muitos requisitos além de ter experiências derivadas da kundalini. Mesmo quando a kundalini é despertada, geralmente ela não permanece nesse estado até que se atinjam as iniciações superiores durante os anos de prática espiritual contínua, de purificação e serviço à humanidade.

Há várias indicações de que a energia da kundalini está começando a despertar:

1. A consciência de uma pequena área de aquecimento físico na base da espinha;
2. Uma leve pressão física ao longo da coluna vertebral;
3. Momentos de tontura ou um súbito aumento de vitalidade, ou a visão de um lampejo ofuscante de luz;
4. Uma sensação, durante a meditação, de contato com os planos e dimensões superiores;
5. Uma sensação de ascensão ou elevação a esferas espirituais durante a meditação.

PERIGOS DA KUNDALINI

Djwhal Khul, em seus ensinamentos, diz que os meios e exercícios artificiais com o propósito específico de elevar a kundalini devem ser usados com extrema cautela. A kundalini é uma força enormemente poderosa, e caso elevada prematuramente ou de maneira forçada, sem que o discípulo esteja pronto, pode expor a pessoa a graves riscos.

Há basicamente três escolas de pensamento que tratam da questão. Há os mestres em ioga da kundalini, que livremente ensinam aos alunos, preparados ou não, exercícios que elevam a kundalini. Existe a escola de pensamento que preconiza que a kundalini deve ascender por si própria durante a evolução espiritual normal, não forçada. E há ainda a terceira escola de pensamento, aquela que Djwhal Khul e os ensinamentos de Earlyne Chaney recomendam: ser sumamente cuidadoso e praticar esses exercícios somente sob orientação especializada, depois de se ter purificado, equilibrado, depois de ter atingido um autodomínio suficiente para poder manipular essa poderosa energia.

Djwhal Khul me disse que a elevação prematura da kundalini num discípulo que ainda não esteja pronto pode gerar tamanho desequilíbrio no sistema de quatro corpos que a recuperação completa requereria um período de até dois anos. O despertar dessa força, se provocada de modo ignorante e prematuro, pode gerar graves problemas nos nervos, inflamação dos tecidos, doenças na coluna vertebral e disfunções cerebrais. Quando a kundalini progride naturalmente, ao longo de uma vida disciplinada, a orientação especializada de um mestre espiritual qualificado poderá abrir as portas aos reinos superiores.

É também muito importante que suas emoções sejam puras e controladas no lidar com a energia da kundalini. Medo e raiva, ou motivos impróprios, podem fazer a kundalini descer ao invés de subir, possibilitando que a energia seja usada pelo ego negativo.

RESUMO

Para os que estão interessados em aprender mais sobre a kundalini e que se sentem prontos para começar o processo gradual de ativação dessa energia de uma forma segura, recomendo a leitura do livro *Kundalini and the Opening of the Third Eye*, de Earlyne Chaney. É um livro fantástico, que proporciona boa parte do conhecimento básico, posturas, meditações, mantras e exercícios para o início desse processo.

Earlyne atua como canal das mensagens de Kuthumi, da Virgem Maria e dos mestres ascensionados, e suas informações têm muitos pontos de contato com os ensinamentos de Djwhal Khul, que é um de meus mestres principais. Depois de ler esse livro, caso você esteja interessado em se aprofundar mais, recomendo requisitar as lições da autora. As lições de Astara, a escola de mistérios de Earlyne, apresentam práticas mais detalhadas que não são dadas ao público em geral. Essas lições são enviadas duas vezes por mês ao longo de um período de tempo que lhe permite praticar exercícios da ioga dos lamas, que foram repassados à autora por Kuthumi. Este é um treinamento bastante seguro e gradual para aqueles que se sentem inclinados a se concentrar na ativação da kundalini. Não é necessário enfocar o despertar da kundalini se você não se sente verdadeiramente inclinado a fazê-lo. Na medida em que você evolui espiritualmente e atravessa o processo iniciatório básico, a kundalini acaba se elevando por conta própria, contanto que você esteja executando alguma forma de prática espiritual constante. Não importa a forma de religião, o caminho espiritual ou a escola de mistérios com que você está envolvido, desde que os ensinamentos sejam puros, pois todos os caminhos conduzem ao mesmo lugar.

17

A CANALIZAÇÃO

Aprender a canalizar é a prática espiritual mais importante que uma pessoa pode alcançar a fim de acelerar o crescimento espiritual.
Vywamus

Muitas pessoas encaram a canalização como um estranho fenômeno metafísico e esotérico, quando, na verdade, não há sequer uma pessoa neste mundo que não pratique a canalização em todos os momentos. Todos são canais; o ponto-chave é saber quem ou o que está sendo canalizado.

Você canaliza todo tipo de coisas, incluindo o seu corpo físico, a mente subconsciente, o ego, impulsos, instintos, intuição, energia vital, mônada, alma, espíritos-guias e mestres ascensionados; canaliza visões interiores, inspiração, imagens, sonhos, arte, música, textos criativos, energias curadoras e assim por diante. O que eu sugiro aqui é que a maior parte das pessoas é um canal inconsciente. Você canaliza, não o percebe e nem sempre controla o que canaliza.

À medida que você vai adquirindo domínio sobre suas energias, desenvolve um controle total sobre o que canaliza. O ideal é tornar-se canal para aquelas energias que servem a alma e a Deus.

Cada pessoa tem pontos fortes específicos quanto àquilo que canaliza. Seu ponto mais forte pode ser a canalização de pensamentos e intuições. Talvez você seja excelente na canalização de imagens e visualizações. Ou talvez, um ótimo canal para a música, pois as melodias simplesmente surgem em sua cabeça. Outros são canais para uma arte de alto nível. Se você é um agente de cura, é canal de energia e força vital. É importante harmonizar-se com o dom específico desta encarnação e usá-lo a serviço da humanidade.

LADOS DIREITO E ESQUERDO DO CÉREBRO

Seu cérebro tem dois lados: o direito e o esquerdo. O problema é que geralmente você é ensinado na escola a ignorar o lado direito e a usar basicamente apenas o lado esquerdo. Você aprende a desenvolver um raciocínio totalmente lógico, científico e dedutivo. A parte imaginativa, psíquica e intuitiva do eu é negligenciada, pois você é ensinado a rejeitá-la. Quando criança, esse lado da personalidade era bastante sensível. Você era clarividente (visão interior), clariaudiente (audição interior) e clarissenciente (sensação e tato interiores). Quando você termina os estudos tradicionais, essas faculdades naturais estão embotadas, pois você foi programado para isso.

Albert Einstein costumava sentar na sua cadeira de balanço e fitar as nuvens. Isso o deixava tonto, colocando-o num estado hipnótico no qual fazia perguntas sobre suas invenções, recebendo respostas.

Thomas Edison sentava numa cadeira, segurava dois rolamentos na mão e os apertava o mais que podia, pelo maior tempo possível. Depois de cinco minutos, mais ou menos, os rolamentos caíam de sua mão, pois os músculos já estavam exaustos. Então ele fazia perguntas sobre suas invenções e recebia respostas.

Nikola Tesla recebia imagens de invenções em sua mente. Esses projetos eram detalhados tão minuciosamente que muitas vezes o cientista nem sequer precisava produzir os projetos físicos de suas invenções.

Todo o conhecimento já existe no universo. Você só precisa aprender a tranqüilizar a mente, fazer perguntas e ouvir. Todas as respostas, toda orientação e direcionamento que você precisa já estão disponíveis. Se você se dissipa, deixando que a mente tagarele descuidada, impede que essas informações fluam. Cada pessoa tem dentro de si a capacidade de alcançar esse conhecimento, pois ele está disponível a todos. É só uma questão de aprender a sintonizar-se com ele, como se faz com um aparelho de rádio.

Para Edgar Cayce, orar era falar com Deus; e meditar era ouvir Deus. Talvez você tenha a idéia de ter cumprido o dever ao rezar suas orações, ainda que depois se ponha de pé e vá tratar de suas coisas. Mas e se Deus estivesse ouvindo pacientemente e só esperasse a oportunidade de lhe dar respostas, iluminação ou intuição bem naquela hora e local? Você saiu do estado de atenção sem esperar a chegada das respostas.

A maioria de nós não ouve tanto quanto ora. A canalização é a capacidade de ouvir, de ser receptivo e de permitir que as informações cheguem até você sem usar o lado esquerdo do cérebro para primeiro analisá-las. Para conseguir a capacidade de canalizar é preciso aprender a serenar o lado esquerdo do cérebro.

Quero enfatizar que, se você está lendo este livro, sabe como canalizar e sempre o fez.

CANALIZAÇÃO DE VOZ

Ao pensar em canalização, talvez você pense primeiro na canalização de voz, na qual você se sintoniza com o mundo espiritual e permite que um espírito-guia, o Eu superior ou um mestre ascensionado fale por você, usando suas cordas vocais. Mas esse é apenas um dos tipos de canalização, e certamente não o único. Você pode canalizar escrevendo automaticamente com uma caneta, máquina de escrever ou computador, e permitindo que o guia verta a informação por suas mãos. Pode sintonizar o espírito e canalizar imagens. Pode canalizar telepaticamente, em pensamento e não vocalmente. Pode receber poemas ou sons, ou o espírito pode pintar ou compor música por você. Todas essas formas e muitas outras podem ser aprendidas e desenvolvidas pela prática.

Recomendo que você procure um curso de desenvolvimento psíquico ou de canalização, no qual possa praticar com outras pessoas. Depois, sozinho, você pode começar a experimentar diversas formas de canalização, praticando incansavelmente. Essas são habilidades que realmente exigem prática. Você vai melhorar cada vez mais com o tempo. Talvez você ache uma forma inesperada de canalização especialmente gratificante; por isso, recomenda-se que experimente uma boa variedade delas.

Tente reconhecer quais seriam os seus pontos fortes e fracos no tocante ao tipo de canalização mais adequado a você. Nenhuma forma é melhor que outra; ninguém tem todas as capacidades. A coisa mais importante é evitar comparar-se aos outros e, em vez disso, encontrar a essência de sua função, a informação específica que Deus quer que você expresse. Por exemplo, minha mulher e eu canalizamos de modos completamente diferentes; eu não consigo fazer o que ela faz e ela também não consegue fazer o que eu faço. Juntos compomos um conjunto maior. Descubra a forma mais indicada para você.

CANALIZAÇÃO PSICOLÓGICA

Há dois níveis de canalização: você pode canalizar num plano psicológico ou num plano espiritual. Quando você canaliza no plano psicológico, está canalizando partes subconscientes de si mesmo. Por exemplo, você pode canalizar subpersonalidades específicas de sua mente subconsciente. Pode canalizar o seu corpo emocional, o seu corpo mental ou mesmo o seu corpo físico. Pode canalizar sua criança ou pai interior. Essa lista é infinita. Pode experimentar fazê-la no seu diário. É uma forma de dramatização: simplesmente finja que está deixando o estado consciente da mente e tornando-se um aspecto particular de si mesmo. Deixe que esse aspecto escreva no seu diário. Depois volte à mente consciente e dialogue. Esse tipo de diálogo é uma forma de canalização.

CANALIZAÇÃO ESPIRITUAL

O segundo nível de canalização é o espiritual; nele você tenta canalizar uma fonte superior de informações. Você pode canalizar espíritos-guias, sua alma, sua mônada, mestres ascensionados, anjos, espíritos da natureza, extraterrestres. O alerta que lhe dou é que, como disse Jesus, "Na casa de meu Pai há muitas moradas". O que ele quis dizer é que há muitas dimensões da realidade.

Quando você está canalizando orientação espiritual, recomendo canalizar somente a sua alma ou mônada, e seres que sejam mestres espirituais ascensionados.

As pessoas que brincam com as tábuas ouijas* e artes mediúnicas inferiores muitas vezes começam a entrar em contato com entidades astrais inferiores. Recomendo que canalizem somente seres que estejam nos planos monádico e logóico, ou níveis superiores de consciência em termos de evolução. Entidades do plano astral provavelmente não terão muito mais conhecimento do que você já tem. Só por estar do outro lado, a entidade espiritual não é necessariamente evoluída. Talvez você esteja falando com a tia Amélia que acabou de morrer. Ela não acreditava nas coisas espirituais enquanto vivia e ainda não o faz, ainda que já tenha morrido.

Sugiro que você salte os planos físico, astral, mental, búdico e átmico, sintonizando as dimensões sexta e sétima da realidade, que são os planos monádico e logóico dos mestres ascensionados. Quando estiver prestes a canalizar, tudo o que tem a fazer é pedi-lo. É só dizer algo como: "Agora eu entro em sintonia com as dimensões espirituais da realidade, na qual habitam os mestres ascensionados, e peço para falar com (Jesus, por exemplo). Não aceito orientação senão dos planos dos mestres ascensionados." Na verdade, a forma de dizer isso não importa muito. A formação do pedido na sua mente irá protegê-lo. Se você firma o seu intento e sintonização como acabei de descrever, então só poderá receber informações desses planos.

Se ouvir uma voz ou receber uma orientação que lhe pareça autoritária, nada amorosa, você pode perguntar com quem está falando, e a entidade terá de lhe dizer a verdade. Se você sentir que o seu radiorreceptor (a sua mente) sintonizou uma vibração inferior, desfaça essa ligação, reze alguma oração e seja firme e mais exato na sua sintonização.

Até que a prática se torne um hábito natural, pode ser útil orar, ler textos espiritualistas ou salmodiar o nome de Deus antes de começar a entrar em sintonia. Na verdade, sempre é bom purificar-se e harmonizar-se ao máximo antes de iniciar esse tipo de atividade — ou, de fato, antes de começar o dia.

Em resumo, não perca o seu tempo canalizando espíritos dos planos astral ou mental; vá direto aos níveis superiores. Por que canalizar entidades de baixa vibração, quando pode, com a mesma facilidade, canalizar sua alma, sua mônada ou mestres ascensionados, que anseiam por falar com você, para ajudá-lo de todas as maneiras possíveis? Para eles, é imenso prazer fazer tal coisa; eles estão disponíveis para responder às suas perguntas. Porém, eles jamais interferem no livre-arbítrio. O mesmo vale para sua alma e mônada. Elas se gratificam enormemente falando com você, dando-lhe orientação e conselhos, mas antes é preciso requisitar a sua ajuda. É a lei divina.

---

* Tábulas equipadas com letras ou sinais que servem como meio material para a resposta de espíritos desencarnados. (N. do T.)

ORAÇÃO PEDINDO PROTEÇÃO

Abaixo apresento uma bela oração pedindo proteção, que você pode usar antes de canalizar (ou antes de ir para a cama, ou mesmo em qualquer momento que dela necessitar):

Amada Presença de Deus, minha mônada, minha alma, e amados mestres ascensionados: peço para ser revestido de um manto de Luz, composto de amor, sabedoria e poder de Deus, não apenas para minha proteção, mas para que todos aqueles que o vejam ou entrem em contato com ele sejam atraídos a Deus e curados.

COMO CANALIZAR

O verdadeiro processo de canalização é bem fácil.

Primeiro passo: comece dizendo o mantra da alma de Djwhal Khul:

Eu sou a Alma,
Eu sou a Luz Divina,
Eu sou Amor.
Eu sou Vontade.
Eu sou o Desígnio Imutável.

A seguir, imagine um tubo de Luz estendendo-se do topo de sua cabeça até as mais altas dimensões espirituais da realidade. Ainda que você imagine o tubo pela primeira vez ao ler este trecho, ele sempre esteve aí.

Segundo passo: imagine uma espiral no sentido horário que desça pelo tubo, vindo do plano espiritual, passando por todos os chakras e entrando depois na terra. Faça isso duas ou três vezes, movendo-a com sua respiração. O propósito é limpar o tubo e a coluna de chakras de quaisquer entulhos psíquicos antes do início do processo.

Terceiro passo: invoque um mestre ascensionado, ou sua alma ou mônada. Você já fez contato com sua alma e pediu a ajuda dela ao salmodiar o mantra da alma; portanto, agora basta dizer algo como: "Agora invoco _____!" Ao invocar o mestre ascensionado com quem pretende falar, sinta a energia descendo pelo tubo até o topo da sua cabeça. Sinta o contato e o faça penetrar no corpo físico.

Quarto passo: agora você está pronto para canalizar. Para começar, você precisa "dar a partida" no processo: pode dizer alguma coisa em voz alta se pretende canalizar a voz, ou começar a escrever ou datilografar se pretende canalizar um texto. O mestre ascensionado vai pairar sobre suas palavras iniciais; depois é só deixar fluir. Tire do caminho a mente crítica do lado esquerdo do cérebro e não se preocupe com o resultado.

Talvez você queira gravar a mensagem, caso esteja canalizando a voz, para não ter de pensar no que está dizendo. Se a mensagem não vem numa voz clariaudiente (de forma que você realmente "ouça" as palavras), basta dizer a primeira coisa que lhe vier à mente.

No início, talvez também seja importante fingir, caso sua mente crítica duvide do processo. Finja, por exemplo, que Djwhal Khul está falando. Ao fingir, você permite que ele entre na sua dramatização. Se você se libera cada vez mais, logo o processo não parece mais fingimento; será então realmente o processo em si. Se tiver optado por outras formas de canalização, como a dança, então é preciso dar o primeiro passo. Se está canalizando música, é preciso tocar os primeiros acordes. Se está pintando, precisa iniciar o processo dando as primeiras pinceladas; e assim por diante.

Quinto passo: finalmente, é preciso concluir e esvaziar o processo. Às vezes o próprio mestre resolve ir embora. Caso contrário, gentilmente, desfaça a conexão e agradeça ao mestre ou à sua alma a orientação. É muito importante desfazer a conexão, pois você certamente não vai querer ficar no estado de canalização continuamente; não é algo saudável para o corpo físico. Você ficaria dispersivo e talvez confuso. O ideal é canalizar e receber a orientação e energia, voltando depois a pôr os pés no chão e a viver normalmente a vida, manifestando o que você aprendeu. Canalizar o tempo todo seria como meditar o tempo todo, deixando de viver.

Ao desfazer a conexão de canalização, você recobra o sentimento de si mesmo e seu próprio poder pessoal e autodomínio. Assim, em essência, você tem o melhor de dois mundos.

18

UMA VISÃO ESPIRITUAL DE SONHOS E SONO

Só quando acordamos dos sonhos é que sabemos que estivemos sonhando. Da mesma forma, esta vida só pode ser percebida como um sonho quando despertamos para a consciência cósmica.
Paramahansa Yogananda

Os sonhos são um mecanismo de resposta da mente subconsciente e do Eu superior. Muitas vezes a pessoa não tem a capacidade de conversar diretamente com a alma ou Eu superior; por isso a alma usa os sonhos como uma das alternativas de comunicação com ela. A maioria dos sonhos, porém, é criada pela mente subconsciente até a personalidade encarnada começar a despertar espiritualmente.

Os sonhos são como a impressão computadorizada dos pensamentos, sentimentos e ações do dia anterior; mas em vez de vir em palavras, a impressão aparece na forma de símbolos. A chave da interpretação dos sonhos é a compreensão de que toda parte do sonho é uma parte de você mesmo. Ao examinar a organização dos símbolos no sonho, você pode ficar ciente daquilo que está criando e fazendo acontecer na sua vida.

É muito importante entender que a mente consciente nem sempre é consciente. Por exemplo, talvez você esteja sendo rude com as pessoas e não tenha consciência disso. Seus sonhos podem fazer-lhe ver a experiência de um indivíduo bastante rude descontando sua irritação nos outros. A mente subconsciente ou superconsciente lhe está dando uma resposta; você não pode resolver um problema a menos que o conheça.

Talvez você não preste atenção nos sonhos por não entender o que significam. Sonhos são como uma língua estrangeira: ao se expor pela primeira vez a uma língua estrangeira, as palavras não têm significado; mas depois de estudar a língua, é fácil compreendê-la. Os sonhos são a linguagem universal dos símbolos.

Talvez às vezes você tenha sonhos proféticos ou sonhos de vidas passadas, que formam uma categoria em si mesma. É comum ter sonhos que se repetem com freqüência. Esses sonhos são especialmente importantes, pois significam que sua mente subconsciente ou alma está tentando torná-lo ciente de um determinado comportamento no qual você está enredado.

A maioria dos sonhos trata da organização interior de padrões de pensamentos e sentimentos. Porém, às vezes, os sonhos também podem transmitir uma afirmação clara sobre a realidade exterior. Se, por exemplo, você sonha com uma determinada pessoa que se envolve num desastre de carro, o sonho pode estar usando essa pessoa como símbolo de uma parte da sua própria personalidade, que está à beira de um desastre. Ou o sonho pode estar passando uma mensagem realmente sobre essa pessoa. Talvez o seu Eu superior esteja dando orientação à outra pessoa por meio de você. É por isso que eu creio firmemente na validade de partilhar com os amigos e entes queridos quaisquer sonhos que eu tenha com eles.

Na interpretação dos sonhos, há símbolos pessoais e universais. É sempre mais seguro supor que, em seus sonhos, os símbolos sejam pessoais. Por exemplo, o significado padrão do gato na maioria dos livros sobre sonhos é a independência. Você, porém, pode ter tido determinadas experiências na infância que confiram aos gatos um significado especial e específico, além do geral.

É também muito importante, ao lidar com os sonhos, não entregar seu poder a eles. Eu trago à baila essa questão por conhecer pessoas que permitiram que sonhos maus as deprimissem durante boa parte de um dia. É preciso encontrar um equilíbrio entre reconhecer e honrar os sonhos, de um lado, e também compreender que você precisa assumir seu poder pessoal, de outro.

Uma prática que pode ser bastante útil é reviver os sonhos de manhã. Talvez um sonho tenha um resultado perturbador. Quem sabe, por exemplo, alguém tenha invadido sua casa e roubado alguns objetos. É possível reprogramar essa imagem negativa revisualizando o sonho de manhã: faça a polícia chegar e prender o assaltante, e depois veja todos os objetos em seus devidos lugares. Esse procedimento corrige a imagem errônea que o sonho lhe sugeria.

Outra experiência comum em sonhos é voar. Este pode ser o símbolo de voar na sua vida num sentido psicológico, mas também talvez seja uma experiência real. É muito comum ocorrer a projeção astral durante a noite; esses vôos muitas vezes são sonhos lúcidos de viagens astrais.

É também um fenômeno normal os mestres entrarem em contato com você durante os sonhos. Ao sonhar, você passa a viver num estado espiritual, sem o corpo físico, e isso facilita a comunicação dos mestres. Sai Baba, o grande mestre indiano, disse que ninguém jamais sonha com ele sem que ele mesmo o deseje.

Carl Jung, o grande psicólogo suíço e contemporâneo de Freud, rotulou alguns sonhos de "grandes" e outros de normais. Os grandes sonhos são aqueles que devem realmente ser recordados, pois muitas vezes são criados pela alma ou pelos mestres.

Às vezes você se assusta quando morre num sonho, pois pensa que isso significa que vai morrer na realidade física. Mas não é este geralmente o caso. Sonhar com a própria morte pode ser um sonho bastante positivo. Pode significar simbolicamente que você está morrendo para uma determinada fase da vida, ou para uma parte negativa de si mesmo. Na verdade, você está recebendo uma mensagem de morte e renascimento.

Outro símbolo que às vezes confunde é o ato de, num sonho, fazer amor com outra pessoa que não o seu cônjuge. Isso não significa que você deva fazê-lo na vida real, nem se trata de um sonho que o deva constranger. Ao fazer amor com alguém, você simbolicamente está se conectando a essa parte de si mesmo. Analise, então, o significado e simbolismo da pessoa com quem fazia amor.

Toda a cultura dos índios senóis é baseada nos sonhos. Eles encaram os sonhos como algo praticamente mais importante que a vida real. Toda manhã, ao despertar, eles contam os sonhos uns aos outros como um ritual sagrado. Muitos livros maravilhosos foram escritos sobre esse incrível grupo étnico.

É comum receber mensagens diretas nos sonhos. Você nem precisará interpretar o sonho caso o significado seja passado pela alma, mestre ou pessoa simbólica numa mensagem clara e direta.

Nos sonhos, as palavras muitas vezes têm duplo sentido ou formam trocadilhos. Por exemplo, um sonho com insetos esvoaçando em torno de você talvez tenha a ver com alguém que o esteja incomodando.

Algo importante a analisar é onde está a sua mente consciente e onde está você dentro do sonho. Em outras palavras, será que você está simplesmente observando o sonho ou participando ativamente dele? Uma coisa, por exemplo, é você se ver no sonho comendo exageradamente na cozinha, e estando já com 90 quilos acima do peso; outra é observar outra pessoa acima do peso e comendo exageradamente. Há uma diferença significativa. O sonho em que você apenas observa evidencia uma desidentificação com o processo. A idéia de comer demais está em jogo, mas você tem consciência dela. No primeiro sonho você está se identificando com a atividade.

Esse exemplo mostra a importância de observar a seqüência de sonhos que você tem. É possível observar a evolução da consciência: de um patamar de total identificação com um hábito negativo à desidentificação e ao autodomínio.

COMO RECORDAR OS SONHOS

Não é difícil recordar os sonhos. Tudo o que você precisa fazer é dar algumas sugestões à mente subconsciente pouco antes de adormecer. Isso pode ser feito em voz alta ou por escrito. Escrever é melhor porque o ato físico reforça a mensagem na mente subconsciente. Basta dizer ou escrever "Vou me lembrar dos sonhos hoje à noite" dez vezes. Assim você programa a mente subconsciente para despertá-lo depois de um sonho.

É boa idéia ter à mão, perto da cama, uma pequena lâmpada ou lanterna, além de caneta e papel. Se você não anotar o sonho por escrito, ou pelo menos fazer algumas anotações, é provável que o esqueça de manhã. O interessante dos sonhos é que você muitas vezes se lembra deles de trás para a frente. São como linhas de pesca que se recolhem. Se você não pega a ponta da linha, ela acaba se perdendo.

É da maior importância que, o mais tardar, você anote os sonhos por escrito de manhã. Só o ato de escrever já é algo que proporciona cura e integração. Muitas vezes o significado lhe vem mais tarde, no mesmo dia, ou ainda dias ou semanas depois. Seus registros são úteis também como fonte de pesquisa no caso de observar seqüências de sonhos.

Caso não consiga avançar na interpretação dos sonhos, ore pela ajuda do Eu superior. Você receberá intuições no mesmo momento ou mais tarde no mesmo dia, numa hora mais tranqüila e receptiva. É também importante notar de que forma sua vida interior se relaciona com a vida exterior. Lembre-se da lei de Hermes: "Dentro como fora; no alto como embaixo."

SONAMBULISMO

Um fenômeno interessante do estado do sono é o sonambulismo. Aqui o que acontece é que a pessoa se identifica com seu corpo astral, mas o corpo físico se movimenta também.

Certa vez tive como paciente um adolescente. Cerca de duas horas antes de ir para a cama, ele planejava roubar o carro dos pais para visitar a namorada. Depois de planejar tudo, acabou mudando de idéia pouco antes de ir dormir, e decidiu que não valia a pena correr o risco de ser pego e castigado. Sua mente consciente decidiu não fazê-lo; porém, o plano ainda estava na mente subconsciente. Ele começou a caminhar durante o sono, pegou as chaves, tirou o carro da garagem e empurrou-o pela rua. Depois de já ter empurrado o carro uma quadra e meia na rua, entrou no carro e deu partida. Só então despertou.

Essa história traz uma boa lição sobre a importância de dominar a mente subconsciente, colocando-a a serviço da mente superconsciente, ou da alma. Esse é apenas um exemplo do que pode acontecer quando as três mentes agem em separado, em desarmonia.

CURSOS NOTURNOS

Toda noite durante o sono você viaja nos diversos corpos. Arcanjos, mestres e seus iniciados ministram cursos toda noite nos planos interiores. Talvez você não perceba que enquanto seu corpo físico está dormindo, obtendo o necessário repouso, você pode estar participando de cursos e seminários espirituais da mais alta ordem. É possível pedir para ser ensinado nos planos interiores durante o sono. Você faria bem em aproveitar essa excelente oportunidade de crescimento espiritual.

Durante o sono, um terço de você está desligado, mas os outros dois terços (o subconsciente e o superconsciente) continuam ativos. É provável que você atue no plano astral durante o sono; porém, é altamente recomendável ir a dimensões superiores, se possível. Antes de dormir, você pode pedir para ascender aos planos espirituais.

Aquilo que você pensa antes de adormecer pode determinar o lugar a que você vai durante o sono. No *Bhagauad-Gita*, lê-se que o lugar para onde você vai depois de morrer é determinado pelo último pensamento que cruza a sua mente antes da morte. O mesmo vale para o sono; o lugar para onde você vai depende do último pensamento que teve. É por isso que ver o noticiário da tevê antes de dormir é uma péssima idéia. O ideal é fazer algum trabalho espiritual, ler, estudar, escrever no diário, meditar ou orar durante os 30 minutos ou uma hora que antecede o sono. Isso garantirá que você viaje para um nível superior — ao menos ao plano astral superior.

A qualidade do sono físico e o nível de rejuvenescimento será em larga medida afetado pelos pensamentos que cruzam a mente antes do adormecer. O corpo físico não é uma máquina; é um organismo sinergético e holístico, cuja qualidade do sono é determinada pelos pensamentos que você tem e os sentimentos que você sente.

Outra coisa que você precisa evitar é adormecer zangado ou cheio de emoções negativas. Esses pensamentos e emoções podem funcionar como um ímã que o arraste aos planos astrais inferiores, que são as regiões infernais às quais se referem as religiões tradicionais.

Sua mônada e alma têm conexão direta com a mente subconsciente durante o sono. Elas também têm essa conexão quando você está desperto, mas a mente consciente, com seu pensamento crítico e incessante tagarelar, tende a obstruir o caminho. Durante o sono, você entra num estado muito semelhante à hipnose, permanecendo hipersugestionável e totalmente receptivo.

Quase todos vão à escola durante o sono, ainda que as pessoas não tenham consciência de que querem estudar. A alma é que se encarrega desses estudos. Suas orações afetam a natureza dos ensinamentos recebidos; portanto, não deixe de assumir responsabilidade por seu papel co-criativo no processo.

Algumas personalidades encarnadas desenvolvem obras altruístas durante o sono. Ajudam almas que já morreram, fazendo-as entender que não estão mais no plano físico e conduzindo-as à Luz, rumo ao próximo passo da sua evolução.

Às vezes, quando você se surpreende cansado de manhã, a razão é ter trabalhado duro e por longo período nos planos interiores. Algumas vezes esse trabalho tem a ver com a inspeção de projetos para construir algo no plano astral. Muitas vezes as coisas são modeladas no plano astral antes de se manifestarem no plano físico.

Algumas pessoas gostam mais das atividades do período do sono do que aquelas do período de vigília. O ideal, porém, é trazer o estado espiritual à vida terrena.

O INGRESSO NOS TEMPLOS DA SABEDORIA

Num ponto específico e especial de sua evolução espiritual, o período do sono torna-se ainda mais importante: isso ocorre quando você dá os primeiros passos nos caminhos da provação e da iniciação. É nesse momento que você entra no Salão da Sabedoria. Você passa a ter uma nova grade de disciplinas, recebendo ensinamentos superiores. É como formar-se no segundo grau e entrar na faculdade. As turmas ficam muito menores, tendo às vezes só dois ou três alunos.

Nessas aulas às vezes você pode ter a mesma lição durante um mês inteiro, para que seja realmente gravada na mente subconsciente. Essa é uma forma de aprender de maneira mais intensa.

QUANTO TEMPO VOCÊ PRECISA DORMIR?

A maioria das pessoas dorme entre sete e oito horas por noite. Você pode dormir ainda mais como uma forma de fuga, caso sua vida consciente seja traumática. Existe uma doença chamada narcolepsia, na qual o paciente adormece constantemente. Esse é um caso extremo de mente subconsciente que não quer estar presente. Os pacientes de manicômios geralmente ou dormem demais ou simplesmente não dormem. Entretanto, você pode conseguir fazer tudo o que precisa no período do sono em apenas quatro horas.

AVANÇOS NO MEIO DA NOITE

Muito freqüentemente, grandes invenções e outros avanços ocorrem no meio da noite, pois é nesse período que você está mais receptivo à informação do mundo espiritual. Todo o conhecimento já existe; só é preciso sintonizá-lo. Em momentos específicos, a Hierarquia Espiritual introduz determinados conceitos na mente universal da Terra. As pessoas que estão apropriadamente sintonizadas e receptivas assimilam essas idéias.

Isso também ocorre no nível pessoal. Basta propor a pergunta para a qual você busca uma resposta. Pode ser algo sobre sua vida pessoal, ou uma invenção em que está trabalhando, ou idéias para um roteiro. Sua mente subconsciente, sua alma ou os mestres superiores irão dar-lhe as respostas desejadas. Muitas pessoas pensam que estão criando sozinhas grandes pinturas, músicas, peças de teatro, invenções, etc. Mas na verdade, com maior freqüência, estão é recebendo tais criações da mente universal ou de espíritos-guias.

SERVINDO NO PLANO ASTRAL

Muitas pessoas que estão atualmente encarnadas no plano terreno se oferecem como voluntárias para servir no plano astral durante o sono. Trabalham fora de seus corpos à noite, ajudando pessoas que estejam em transição, ensinando e ajudando a expandir a consciência.

SONHOS LÚCIDOS

O estado em que você mantém a consciência e atenção, mesmo quando o corpo físico está dormindo, recebe o nome de sonho lúcido. Há três níveis básicos. O primeiro pode ser chamado de testemunho. O testemunho ocorre quando você permanece ciente de que está dormindo e ao mesmo tempo bem ciente do que acontece no quarto. No segundo nível, você dorme e se mantém ciente de que está dormindo e das decisões que toma nos sonhos. No terceiro nível, você dorme e se mantém ciente dos sonhos e decisões, mas também tem a capacidade de usar a vontade dentro do sonho, para mudá-lo. Esse é o nível mais alto de sonho lúcido, e sem dúvida aquele que você deve alcançar se possível É o mesmo processo usado para reviver os sonhos de manhã, só que você não o faz de manhã, mas enquanto o sonho está realmente acontecendo.

EXTENSÕES DE ALMA

Um processo importante que acontece dentro dos sonhos é a comunicação com as outras 11 extensões de alma. Sua mônada, ou poderosa Presença do Eu Sou, criou 12 almas, e cada uma das 12 almas criou 12 extensões de alma, ou personalidades, que encarnaram no mundo material. É basicamente durante o sono que você tem a oportunidade de entrar em contato com os 11 outros membros do seu grupo de almas.

Djwhal Khul me disse que eu atuo como uma alma-guia, ou alma-mestra, de minhas 11 almas gêmeas, e que tenho sido importante em sua transformação coletiva. Isso tudo ocorria mesmo que, num plano consciente, eu não tivesse absolutamente nenhum conhecimento do fato.

Djwhal Khul também me disse que eu mantinha um relacionamento co-dependente com minhas outras 11 extensões de alma. Isso não fez sentido para mim, pois me considero uma das pessoas menos co-dependentes do planeta. O que acontece é que, de quando em quando, inclino-me a ser independente demais. Djwhal Khul explicou-me que isso realmente era verdade nos meus relacionamentos terrenos, mas que eu estava carregando no corpo físico o karma de minhas outras 11 extensões de alma, e isso vinha me debilitando. Ele me explicou que a Hierarquia Espiritual queria que eu usasse este corpo para servir aos outros, e que eu deveria deixar que minhas outras extensões de alma suportassem seus próprios karmas.

Acatei esse conselho intuitiva e imediatamente; então eu disse a minhas almas gêmeas, em meditação, que estava cortando os laços de co-dependência e que, a partir daquele momento, elas teriam de cuidar por conta própria de seus karmas. Daí em diante fiquei responsável somente pelo meu próprio karma. Elas me acataram imediatamente e desde então não tive mais problemas.

SONHOS QUE ENVOLVEM
O CORPO EMOCIONAL

Sua alma e os mestres ascensionados podem ensinar por meio de símbolos, comunicação verbal direta e emoção. Quando o corpo emocional está envolvido na experiência onírica, a comunicação é bem mais rica e significativa. Esses tipos de experiências podem ser bastante profundos, em virtude de sua intensidade emocional. Um exemplo pessoal de tal intensidade emocional é um sonho no qual viajei à Índia para me encontrar com Sai Baba. Em certa altura do sonho, eu disse a Sai Baba o quanto o amava. Rebentei em lágrimas de amor e devoção. Sai Baba se aproximou de mim com uma caixa de lenços de papel, e vi também uma lágrima em seu olho. Esse sonho foi extraordinariamente significativo para mim.

COMO INTERPRETAR SONHOS

A interpretação dos sonhos começa com a anotação dos detalhes por escrito. Depois é preciso isolar cada símbolo do sonho e encontrar o significado experiencial que ele tem para você. Na psicologia da gestalt, isso é feito por meio da experiência física, ou dramatização, do símbolo. Nenhuma interpretação se faz até que tal técnica se aplique a todos os símbolos do sonho.

Carl Jung e Sigmund Freud usaram um processo de livre associação para cada símbolo do sonho. Esse método é o mais prático. Por exemplo, você pode tomar uma pessoa específica que surja em seu sonho e fazer livres associações quanto às qualidades e características de tal pessoa. É importante anotar por escrito essas associações. Depois de concluído esse processo, você está pronto para a interpretação propriamente dita.

É importante perceber que os sonhos não lhe dizem o que fazer; só descrevem simbolicamente aquilo que já está realmente acontecendo dentro dos padrões de pensamentos, emoções e comportamento.

Um dos desafios da interpretação dos sonhos é evitar que sua estrutura de crenças e concepção de vida conduza a análise. É fácil cair nessa armadilha, expondo-se assim ao perigo da auto-ilusão. Pode-se superar tal obstáculo, até certo ponto, usando sua orientação interior e intuição, e pedindo o auxílio de sua alma e mônada no processo interpretativo.

Uma vez reconhecida a psicodinâmica manifestada no sonho, é tarefa de sua mente consciente decidir se quer manter o padrão atual. Se não quiser, então é preciso exercitar seu poder pessoal e força de vontade para alterar o padrão, fazendo visualizações e afirmações a fim de reprogramar todas as três mentes, e não apenas uma ou duas.

POSSÍVEIS INTERPRETAÇÕES

Se você sonha que outra pessoa dirige seu carro, então certamente você vai querer saber quem é tal pessoa e qual o significado que ela tem para você. Se a pessoa que dirige seu carro é sua avó louca e imprevisível, então o sonho significa que essa parte de *você* que se identifica com a avó louca e imprevisível é que está dirigindo sua vida.

Estar nu numa sala de aula significa que você não está mentalmente preparado ou protegido. Encontrar-se no porão ou no andar de cima teria algo a ver com estar no reino subconsciente ou no reino do Eu superior.

Relaciono abaixo os prováveis significados de alguns outros símbolos comuns:

Mar: o inconsciente
Água: sentimentos
Água vazando por todos os lados: suas emoções estão vazando por todos os lados
Você está correndo de carro e a polícia está em seu encalço: você está correndo em sua vida e a parte de você identificada com a lei e a ordem está em seu encalço, mas você não lhe dá ouvidos
Alguém está invadindo a casa: um pensamento ou sentimento negativo de sua mente subconsciente está invadindo a santidade de sua mente
A cor branca: o aspecto espiritual
Bebês: um aspecto do eu que acabou de nascer; nascimento de um novo estado de consciência, nova idéia ou princípios
Mosca: irritação
Pássaros: transcendência
Cabelos: pensamentos
Lâmpadas ou luzes: iluminação espiritual ou mental
Casamento ou aliança: integração espiritual
Pés: compreensão
Casas e prédios: as diversas localizações psíquicas do pensamento e da ação
Casa com piso podre: base espiritual deficiente
Porão: dimensões sufocadas da consciência
Prisão: você de alguma forma se encarcerou com sua mente
Aeroporto: altos ideais ou crenças religiosas, pois os aviões o levam rumo ao céu
Prato de sopa: vida boa e pura
Casa em chamas: raiva
Telefone tocando: mensagem ou comunicação a caminho
Falta de um dente: possivelmente um colapso em sua capacidade de discernir apropriadamente
Privada entupida: não se livrar de seus "detritos" psicológicos

Os sonhos são uma fonte valiosíssima de respostas, orientação e direcionamento. Basta arrumar tempo para anotá-los por escrito e trabalhar neles que logo irão se tornar um auxílio precioso para que você se conheça a si mesmo e acelere seu crescimento espiritual.

AS DEZ FONTES DE SONHOS DE DJWHAL KHUL

Djwhal Khul, no livro *Esoteric Psychology* (transmitido a Alice Bailey), enumerou dez fontes de sonhos:

1. *Sonhos baseados na atividade cerebral.* Sonhos que têm tal origem são causados por um sono leve demais. Você não deixou o corpo, e assim o fio da consciência (da alma à glândula pineal) não foi completamente recolhido, como o seria se você tivesse um sono pesado. Assim, você permanece estreitamente identificado com o corpo físico. Esse estado específico de consciência pode durar a noite inteira, embora geralmente se faça presente apenas durante as primeiras duas horas de sono, ou na última hora antes do despertar. Djwhal diz que tais sonhos são provocados por uma espécie de nervosismo físico, e não têm significado espiritual importante.

2. *Sonhos de recordação.* Esses sonhos são a recordação de experiências no plano astral durante o sono. É no plano astral que você geralmente se encontra quando o fio da consciência é removido do corpo.

3. *Sonhos como recordações de atividades reais.* Tais sonhos são exatamente iguais à vida desperta: você está lúcido e ativo, ainda que o corpo físico esteja dormindo.

4. *Sonhos de natureza mental.* Esse tipo de sonho é um registro na consciência desperta de suas experiências no plano mental, em contraste com o plano astral. Se você tende a se polarizar no corpo mental, provavelmente terá esse tipo de sonho.

Há três tipos de sonhos de origem mental:

A. Sonhos de natureza antiga, moderna ou recente, baseados no contato com o mundo dos pensamentos.

B. Sonhos com figuras geométricas arquetípicas. Djwhal menciona alguns dos formatos geométricos: ponto, linha, triângulo, quadrado, cruz, pentágono e círculo. Há sete desses símbolos para cada raça-raiz. Como a humanidade já passou pelas raças-raízes lemuriana, atlante e agora ariana, isso significa que 21 dessas formas geométricas podem surgir nos sonhos.

C. Sonhos de natureza simbólica. Provêm do Salão do Aprendizado e do Salão da Sabedoria no plano mental.

5. *Sonhos como registros de trabalhos realizados.* Esse tipo de sonho registra trabalhos de ajuda realizados em regiões limítrofes (entre os planos astral e físico), na terra do verão (onde há a vida do desejo integral e do anseio racial) e no mundo do glamour, que faz parte do plano astral.

6. *Sonhos telepáticos.* Tais sonhos são registros no cérebro físico de eventos reais que são transmitidos de uma pessoa a outra. Geralmente um amigo ou parente passa por uma experiência e a partilha durante o sono; é assimilada pelo receptor em forma de sonho.

7. *Sonhos como dramatizações da alma*. Esses sonhos são apresentações simbólicas realizadas pela alma com o propósito de dar instrução espiritual à personalidade encarnada. São muito comuns em aspirantes e discípulos. Esses tipos de experiências podem também ocorrer durante a meditação.

8. *Sonhos ligados ao trabalho em grupo*. Nesse tipo de sonho, a alma está treinando a personalidade encarnada para serviços e atividades em grupo. O trabalho em grupo é executado no mundo da vida da alma, e não no plano físico. Suas experiências no grupo do mestre, ou ashram, podem ser um exemplo desse tipo de treinamento.

9. *Sonhos como registros de instrução*. Tal tipo de sonho engloba o ensinamento dado por um mestre a seu discípulo. O dever do discípulo é aprender a interpretar adequadamente essas instruções ao despertar. Geralmente o mestre dá a orientação à alma, e esta então repassa a instrução à mente do discípulo, freqüentemente via sonhos.

10. *Sonhos ligados ao desígnio do mundo*. Esses sonhos são transmitidos aos discípulos do mundo. Tratam do desígnio mundial, do desígnio solar e do desígnio cósmico. Tal sonho indica um alto estágio de evolução por parte do discípulo ou iniciado.

19

AS LEIS DA MANIFESTAÇÃO

*Manifestação não é magia. É o processo de trabalhar com
princípios e leis naturais a fim de transferir energia de um plano
de realidade para outro.*
David Spangler

Dominar as leis e métodos da manifestação é um dos objetivos mais importantes de um discípulo do caminho. Neste capítulo escrevi sobre o assunto um dos artigos mais abrangentes e de mais fácil compreensão, que você poderá encontrar. Organizei a informação numa série de leis ou princípios necessários para alcançar o domínio do assunto. O estudo e a meditação cuidadosos desses princípios serão de valor incalculável para você.

1. A primeira lei da manifestação é que você precisa aprender a manifestá-la com todas as três mentes — a consciente, a subconsciente e a superconsciente ou alma.

    A. A manifestação no plano consciente é feita pelo uso da vontade ou poder pessoal. A maioria das pessoas manifesta as coisas em suas vidas dessa forma. Trabalham 18 horas por dia e simplesmente criam as coisas com essa energia. O nível consciente da manifestação também está ligado à ação física. Isso significa fazer ligações telefônicas, organizar as coisas fisicamente, visitar clientes, fazer coisas na rua, administrar os negócios, etc. Este e um método bastante válido e importante de manifestação.

    "Não existe no universo força mais poderosa que a sua vontade." Essa é uma frase famosa da Mente Universal, diz Edgar Cayce. Para manifestar com eficácia, você precisa assumir plenamente o seu poder pessoal e força de vontade, usando-os em conjunto com o amor incondicional e a consciência de que você é Deus em ação.

    B. O segundo método de manifestação é o uso do poder da mente subconsciente. Na realidade, você sempre usa esse nível de manifestação, mesmo que não o perceba. O problema é que, em muitos casos, você não o usa conscientemente. Outro problema é que você muitas vezes usa esse método para bloquear a manifestação, e não para facilitá-la.

A lei da mente subconsciente é baseada naquela famosa lei hermética da correspondência: "Dentro como fora; no alto como embaixo." Aquilo que você pensa e imagina nas mentes consciente e subconsciente irá manifestar sua imagem e semelhança nas circunstâncias externas. O mundo exterior é um espelho de seu mundo interior. Essa é a lei, que se manifesta para o bem ou para o mal, pois a mente subconsciente faz aquilo que é programada para fazer. Ela está constantemente atraindo e repelindo, conforme aquilo que você permite que nela se grave.

A obra principal do caminho espiritual é eliminar toda a programação desequilibrada imposta pelo eu inferior e pelo ego negativo, tudo o que não provém da alma e do Eu superior. Concluída essa obra, você tem "o toque de Midas" — tudo que você toca se transforma em ouro. Isso acontece porque a mente subconsciente serve ao consciente, que por sua vez serve à mente superconsciente, e esta à mente da alma, que por sua vez serve à mente monádica, que, enfim, serve a Deus.

A mente subconsciente governa completamente o corpo físico e cria saúde ou doença, dependendo de como é programada. O subconsciente atrai a você todo o necessário, pois todas as mentes na verdade estão unidas. É por isso que o uso de afirmações, visualizações e auto-sugestões é uma ciência tão importante. (No capítulo 10, apresentei 24 métodos de programação de sugestões na mente subconsciente.)

Para manifestar com eficácia, você precisa deter o controle da mente subconsciente. Muitas vezes você se deixa governar pelo computador (a mente subconsciente), em vez de deixar o programador (a mente consciente) controlar o computador. Idealmente, ele é o seu servo. Em outros ensinamentos, foi chamado de eu básico ou servomecanismo. Ele é o seu servo fiel e irá proporcionar-lhe tudo o que é necessário, desde que você o programe diretamente.

C. A terceira forma de manifestação é o uso da mente superconsciente, o Eu superior, o espírito, Deus. Isso, é claro, envolve, não afirmações ou visualizações, mas orações. A oração é a prática espiritual de pedir a Deus aquilo que você quer e acreditar que o seu pedido é atendido instantaneamente.

Deus, por meio de seu Eu superior e da mônada, ouve e atende todas as orações. Como, quando e de que forma Ele as atende depende de como você acata as leis universais da manifestação.

Por que manifestar somente com a força de vontade e o trabalho físico, se você pode orar todo dia e conquistar a ajuda de Deus? Ao orar, você não apenas tem a ajuda de Deus, mas também a ajuda dos mestres ascensionados, dos anjos, eloins, espíritos da natureza, de outras pessoas (como instrumentos de Deus), do seu Eu superior e da mônada.

Talvez você não ore o bastante. O ideal é usar todos os três níveis da sua mente. Quem sabe não esteja usando apenas a mente consciente. Quem sabe até ore, mas não mexa uma palha, esperando que Deus faça tudo por você. Isso não funciona, pois Deus ajuda aqueles que também se ajudam.

Talvez você esteja constantemente fazendo afirmações e visualizações, mas não tenha a força de vontade para executar a ação física e o trabalho necessários.

Essa lei trata da importância de usar os três níveis da mente em perfeita harmonia, equilíbrio e integração.

Os kahunas do Havaí têm um método de oração no qual todas as três mentes são utilizadas. Aumente sua força e energia vital antes de iniciar a oração, e execute a operação com entusiasmo. Escreva a oração de modo bem específico num pedaço de papel e imagine-a com fartura de cenas vívidas. Depois de escrever e imaginar a oração de forma correta, diga-a três vezes em voz alta, dirigindo-se a Deus, ao Eu superior e a qualquer outra entidade que se sinta inspirado a contatar. Depois de rezá-la três vezes, ordene à mente subconsciente — de modo impositivo mas amoroso — que leve a oração ao Eu superior. Visualize essa coisa acontecendo, jorrando através do chakra do alto da cabeça, como o gêiser Old Faithful. Depois esqueça a oração e faça o que for necessário fazer nos níveis consciente e subconsciente para manifestá-la. Em outras palavras, todas as três mentes trabalham juntas em perfeita harmonia, sincronia e equilíbrio.

Já usei esse método incontáveis vezes, e ele nunca falhou. (Outro método de oração é simplesmente escrever uma carta a Deus e ao Eu superior. Seu Eu superior vai responder às suas cartas na vida diária.)

Todas as formas de oração funcionam; porém, recomendo que use esse método para coisas importantes.

2. A segunda lei fundamental da manifestação é agir com base na consciência de que você é a alma, e não a personalidade. Se você manifesta com base na consciência da personalidade, acaba vendo-se a si mesmo como algo separado de seus irmãos e irmãs, e da própria criação. Isso é ilusão.

Sua manifestação será mil vezes mais poderosa se você se reconhecer como o Cristo, o Buda, Atmã, o Eu Eterno, pois na verdade é isso mesmo que você é. Você é uma coisa só com Deus e com toda a criação; portanto o que está tentando manifestar não passa de uma parte de si mesmo! Este conceito é importantíssimo.

As leis da manifestação da Nova Era lidam com essa mudança no enfoque da sua identidade. Quando você deixa de usar a oração e de se identificar como alma em vez de como personalidade, acaba se isolando, e em larga medida, da fonte de energia que possibilita a manifestação de seus desejos. Caso sinta a necessidade de uma ajuda adicional, peça ajuda aos mestres ascensionados — anjos, mônada, eloins, espíritos da natureza e/ou o Comando Ashtar.

3. Não se apegue àquilo que você está tentando manifestar, senão acabará por repeli-lo. Prefira manifestar uma preferência e não um apego. Com essa atitude, você se mantém contente até que o desejo se realize.

4. Submeta a oração a Deus, entregando-a às mãos divinas. Deus gosta de ajudá-lo, mas você *precisa* entregar o pedido às mãos dEle. Você pode visualizar a oração subindo numa bolha de Luz rósea ou dourada e fundindo-se à Luz divina. Depois é sua obrigação cuidar de sua vida e fazer o que puder no plano consciente, do poder pessoal, da ação física.

5. Tudo o que existe é, na verdade, perfeição. Deus o criou, e você é perfeito. Sempre que qualquer coisa imperfeita se manifestar, imediatamente ore e/ou visualize e afirme a verdade, em vez da ilusão do ego negativo. Cancele e rejeite quaisquer pensamentos alheios à verdade que tentem entrar na sua mente. Caso esteja doente, afirme e visualize somente a saúde perfeita. Se sua conta bancária está baixa, imagine-a bem polpuda.

6. São os pensamentos e imagens acalentados na mente que criam a realidade. O universo de Deus é abundante e ilimitado. Porém, você atrai pobreza ou abundância dependendo da sua atitude. Isso nos leva de volta à lei hermética: "Dentro como fora; no alto como embaixo." Seu mundo exterior e seu corpo físico são espelhos do mundo interior e dos pensamentos e imagens formados pelas mentes consciente e subconsciente.

7. Tenha fé. Você sabe que Deus existe e também que as leis de Deus são perfeitas e funcionam sempre. Então, depois de orar, acredite que sua oração foi ouvida e que a lei de Deus foi invocada. Nada pode acontecer além da lei e da perfeita satisfação do pedido, contanto que você tenha fé nos princípios divinos. Se você se deixa envolver pela dúvida e a preocupação, está bloqueando a energia que acabou de colocar em ação.

8. Mantenha-se sintonizado e em harmonia. Todos os quatro corpos precisam estar sintonizados para uma rápida manifestação do seu pedido. A mente precisa estar sintonizada no espírito, para que a energia possa fluir através de você.

O corpo emocional precisa harmonizar-se com a mente e depois com a alma. O corpo físico precisa entrar em sintonia com o corpo emocional, que está harmonizado com a mente, que por sua vez está harmonizada com a alma, e esta harmonizada com a mônada, que enfim está harmonizada com Deus. Em outras palavras, a mente subconsciente serve a mente consciente, que serve a mente superconsciente ou alma, que serve a mônada ou espírito, que serve a Deus. Cada nível é subserviente ao nível imediatamente superior.

Depois de orar, você não vai querer que a mente subconsciente cometa a apostasia de dizer "Não acredito que isto vá funcionar". Se isso começar a acontecer, expulse esse pensamento da sua mente, dizendo: "Afasta-te de mim, Satanás!" Depois, reafirme a perfeição de Deus.

9. Tudo no universo de Deus é apenas energia, e toda energia é Deus. Mesmo a matéria física não passa de energia que vibra num ritmo lento. Então tudo o que você faz, na verdade, ao trabalhar com as leis da manifestação é transformar energia de uma forma em outra.

Essa lei lida com o fato de que a energia obedece ao pensamento. O que você pede já existe num plano superior logo depois de feita a oração, afirmação ou visualização. Nesse ponto, você só precisa aguardar que o desejo se manifeste na realidade física. A atitude deve ser de expectativa, como se tal coisa fosse acontecer a qualquer momento. Você só está esperando que ela desça das dimensões superiores e se realize no mundo físico. Contanto que você mantenha os quatro corpos e as três mentes em harmonia, não existe razão para que o seu desejo não se manifeste.

10. Essas leis operam independentemente de você estar consciente delas ou não. Além disso, elas não ligam se funcionam para fins negativos ou positivos; não são seletivas nem discriminatórias. Tudo o que você imprime no subsconsciente é utilizado por ele. Se você acalenta uma imagem ou pensamento negativo por muito tempo, ele acabará se manifestando na sua realidade física. Portanto, caso você não esteja trabalhando com essas leis da manifestação para fins positivos, elas vão acabar trabalhando contra você.

Edgar Cayce disse: "Por que se inquietar se você pode orar?" Reconheça o seu próprio poder e afirme e visualize tudo o que quiser sempre que quiser. Se estiver começando a se inquietar, é hora de voltar aos métodos espirituais da correta manifestação. Se continuar a se inquietar, poderá simplesmente manifestar aquilo que o está inquietando.

11. Em todos os momentos da vida, você está trabalhando com as leis da manifestação, mesmo quando não está orando, desejando, visualizando ou afirmando. Cada pensamento que passa pela sua mente na vida diária e durante o sono é parte desse processo.

Se você nunca realizou nenhum trabalho específico de manifestação, mas sempre esteve vigilante sobre cada pensamento que permite entrar na mente, admitindo somente pensamentos divinos, de perfeição, prosperidade, amor, equilíbrio e saúde perfeita, então na verdade já tem tudo o que necessita. Nesse estado, as três mentes funcionam como uma só. Sua alma e o seu Eu superior pensam por você, e não o ego negativo ou a personalidade.

12. Não esqueça que o desejo pelo qual você está orando deve vir da alma, e não do ego negativo. Sua alma não o irá ajudar se o que você pede não é para o mais puro bem de todos os envolvidos. Se uma oração não se manifesta, existe a possibilidade de que tal coisa não deva mesmo acontecer, por não ser verdadeiramente parte do Plano Divino para você.

13. A perseverança é imprescindível. Neste plano terreno da realidade, o tempo fica mais lento para que você pratique essas leis. Nas dimensões superiores da realidade, as coisas se manifestam instantaneamente. Você está neste plano da existência para provar seu domínio sobre essas leis, a fim de não provocar destruição nos planos superiores.

Quanto mais alta a sua iniciação, mais rápida a manifestação. Sai Baba pode manifestar tudo o que quiser instantaneamente, mesmo ainda estando no corpo físico. Você também será capaz de fazer isso no futuro, mas por enquanto precisa demonstrar perseverança e tolerância.

14. Não imponha limites à forma como a manifestação ocorrerá. Se você está tentando manifestar dinheiro, por exemplo, não o imagine chegando somente pelo trabalho. Talvez venha pela loteria, ou por herança, ou quem sabe você simplesmente o encontre ou o receba de alguém. Deus age de maneiras misteriosas; portanto, não tente sobrepujá-lo em pensamento. Se você acha que a sua oração pode se manifestar apenas de uma forma, então você está impondo limites a Deus e à capacidade de a mente subconsciente manifestar seu pedido.

15. Na vida você precisa saber igualmente receber e dar. Conheço muitas pessoas espiritualizadas que são grandes doadoras, mas não sabem receber. Al-

guém lhes oferece um presente, e elas dizem: "Não, não posso aceitar isso." Agindo assim, você bloqueia a fartura. Trata-se de um requisito essencial para quem quer alcançar a mentalidade da prosperidade.

16. É extremamente importante mostrar-se humildemente grato pela abundância com que Deus o agracia. Agradeça a Deus, à alma, aos mestres ascensionados, à mente subconsciente, aos anjos, aos espíritos da natureza todo o trabalho maravilhoso que eles fazem por você. Transforme todo dia num dia de ação de graças.

17. É impossível fracassar. Como é que você pode fracassar tendo o auxílio de Deus, da alma, dos mestres ascensionados, dos anjos, dos eloins, do poder pessoal, do poder da mente subconsciente, do corpo físico, dos espíritos da natureza, de outras pessoas e da própria mônada? Além disso, na verdade você é o Cristo, o Buda, o Atmã, o Eu Eterno. Você é Deus. Será que Deus pode ser derrotado pelas forças do glamour, da ilusão e de maya? Na realidade, tais coisas nem sequer existem; você apenas pensa que elas existem.

A única coisa que pode barrar o seu trabalho de manifestação é o glamour, a ilusão e maya, oriundos do seu próprio ego negativo e eu inferior. A única força que pode impedi-lo de manifestar tudo o que você deseja é você mesmo. Deus lhe deu tudo. Só espera que você o reclame para si. Essa é a única coisa que Deus não pode fazer por você. É preciso reclamar a abundância divina; e então ela instantaneamente passa a ser sua.

Se você domina seu pensamento e imaginação e, assim, o seu corpo emocional, então nada pode impedir que ocorra a manifestação.

18. Para ter tudo, dê tudo a todos. Essa é a lei da manifestação apresentada em *A Course in Miracles*. Você precisa aprender a receber, mas também precisa aprender a dar para manifestar seus desejos com eficácia. É preciso manter a abundância em circulação. Se você se torna egoísta e mesquinho, deixando de dar, então o universo também se torna egoísta e mesquinho, e deixa de dar a você. Quando você deixa de dar ao todo, que é Deus, os dutos se entopem e você fica igualmente incapaz de receber. Nunca pare de dar, que jamais deixará de receber; isso mantém o fator abundância em circulação.

19. Toda palavra que você pronuncia é um decreto, uma ordem de manifestação. É importante permanecer atento ao que você fala. O poder da palavra falada é ainda maior que o dos pensamentos que você acolhe em sua mente. Só porque você não está se concentrando no trabalho de manifestação, isso não quer dizer que não o esteja realizando.

20. Afirmações e orações precisam ser formuladas numa linguagem positiva, e não em linguagem que inclua palavras e imagens negativas. Por exemplo, se você quer curar uma perna quebrada, seria bom evitar dizer: "Estou curando agora a minha perna quebrada." É melhor dizer: "Minha perna está agora forte, curada e sã." A referência à imagem negativa pode exercer um efeito negativo sobre a mente subconsciente, que manifesta tudo o que nela se grava. A primeira frase traz o perigo de imprimir uma mensagem dúbia.

21. Acumule força vital e energia antes de fazer qualquer trabalho de manifestação. O espírito às vezes também usa a sua energia, além dos pensamentos

e imagens que você envia junto com a oração. A energia vital é intensificada se você respira fundo ou faz algum exercício físico por alguns minutos antes de começar.

22. Demonstre entusiasmo quando fizer algum trabalho de manifestação. Seu entusiasmo faz parte da lei da intensificação da energia vital, exposta acima, e também incorpora seu corpo emocional ao trabalho — o que faz a manifestação se realizar muito mais rapidamente. O corpo emocional está ligado à mente subconsciente, e nada se manifesta se a mente subconsciente não estiver envolvida no processo.

23. Existe apenas uma mente subconsciente universal. Cada pessoa se concentra num aspecto dessa mente, estando ao mesmo tempo ligada à mente integral ou, como Jung a chamou, ao inconsciente coletivo. Essa compreensão e consciência do trabalho de manifestação elimina a crença na separação, que pode tornar lento o processo.

24. Não se esqueça de perdoar todas as pessoas, situações e a si mesmo antes de iniciar o trabalho de manifestação. A ausência do perdão gera culpa e outras barreiras psíquicas que tornam a mente subconsciente incapaz de cooperar plenamente na oração e no processo de afirmação.

25. A auto-estima é de importância fundamental. Se você tem carência de auto-estima, isso geralmente significa que se sente indigno. Essa crença errônea envia uma mensagem dúbia à mente subconsciente. Caso precise aprimorar esse ponto, estude o capítulo 4, "A consciência crística e como alcançá-la".

26. Algumas pessoas rezam demais, o que é sinal de falta de fé. Na realidade, uma vez já é suficiente. Se, porém, a inquietação e a dúvida começarem a assaltá-lo, não há problema em repetir a oração para solidificar a fé. No tocante a isso, há um equilíbrio singular e específico que cada indivíduo deve buscar.

27. Anote por escrito suas orações e afirmações. O ato físico de escrever envia à mente subconsciente uma mensagem mais forte do que simplesmente mentalizar as orações ou dizê-las em voz alta. A mente subconsciente é mais fortemente influenciada quando algum tipo de ação física está acontecendo.

28. Faça o seu trabalho de manifestação num estado de meditação, um estado alterado de consciência. Nesse estado, você está sob hipnose, o que permite que as sugestões penetrem mais facilmente no subconsciente. Um bom momento para fazer esses trabalhos de manifestação é pouco antes de adormecer, à noite (o estado hipnagógico), ou quando está despertando de manhã (o estado hipnopômpico), estados limítrofes entre o sono e a vigília.

Evite falar sobre o seu trabalho de manifestação. Muitas vezes o fato de conversar com amigos sobre o que você está procurando manifestar pode dissipar a energia. Além disso, pode haver uma reação negativa das pessoas, contra a qual você teria de lutar a fim de impedir que penetre na mente subconsciente. (Ver capítulo sobre autodefesa psíquica.)

29. Permaneça num ambiente positivo, cercado de pessoas positivas. Até atingir o autodomínio, essa é a influência mais importante no caminho espiritual. No trabalho de manifestação, você tenta dominar um determinado pensamento, energia e vibração. Logicamente, você vai preferir cercar-se de pessoas

que apóiem esse processo. Cercar-se de pessoas negativas, num ambiente negativo, é algo que tende a dissipar suas energias físicas, emocionais, mentais e espirituais, tornando mais difícil manter a vibração.

30. Você já tem tudo. Você já é tudo. Como você é o próprio Deus, Cristo, Buda, Atmã, Eu Eterno, mônada, alma, então na verdade tudo é seu, como tudo é de Deus. E sempre foi assim; mas é difícil reconhecer isso porque você está muito acostumado a crer na interpretação que o ego tem de si mesmo, aquela que diz que você é somente um corpo físico, uma personalidade, a parte da criação. Se você realmente aceitar a verdade de que é o Eu Eterno, então todos os seus pensamentos irão nascer dessa compreensão fundamental, e todo o necessário se irá manifestar sempre que você precisar.

31. Peça somente aquilo que verdadeiramente necessita. Se seu ego se envolver no processo e começar a pedir coisas que não são realmente necessárias, então a oração será fruto do glamour. Isso sabotará a manifestação.

32. Aprenda a confiar unicamente em Deus e nas leis divinas para conseguir abundância e prosperidade. Deus, seu poder pessoal e o poder da sua mente subconsciente são uma equipe imbatível. Quando você está harmonizado, sua segurança está dentro de você mesmo, e não fora. Aconteça o que acontecer lá fora — mesmo desastres de qualquer espécie —, você sabe sempre que pode manifestar tudo o que precisa com a ajuda de Deus, de sua própria vontade e do poder da mente subconsciente.

33. É importante usar todos os cinco sentidos ao visualizar o que você pretende manifestar. Veja, ouça, saboreie, toque e cheire. Faça uma visualização convincente a ponto de a realidade meditada se tornar tão real quanto a realidade física, ou até mais. Quando a visualização é executada dessa forma, você tem a certeza do sucesso.

34. É preciso pedir ajuda a fim de recebê-la. Se você não pede, seu Eu superior, os mestres ascensionados e os anjos não podem ajudá-lo. Peça e receberá; bata que a porta se abrirá. Se você não pedir ajuda, Deus não poderá dá-la a você. Essa é a lei.

35. A lei da mente subconsciente é exatamente o oposto da lei acima. Você deve dizer à mente subconsciente o que ela deve fazer. Se você não a alimentar com sugestões, afirmações, visualizações e programas de computador, então ela irá manifestar tudo o que já estiver armazenado no seu banco de dados, junto com tudo o que você permitir que outras pessoas insiram nela.

36. Seja útil. Só porque você está trabalhando com orações, afirmações e visualizações, isso não quer dizer que não deva desenvolver algum trabalho físico para viver. Para a alma, trabalhar é servir a Deus, e o verdadeiro prazer é estar a serviço de Deus. Uma vez atingido algum grau de auto-realização, já não existe mais razão para estar aqui, a não ser servir a humanidade, que é Deus.

37. A manifestação no plano mental exige concentração, atenção e uma mente firme na Luz. Exige que não se perca de vista, durante o processo de manifestação, o potencial idealizado que você é. À medida que for evoluindo, você nem precisará mais ter paciência nem aguardar, pois poderá manifestar instantaneamente tudo o que quiser, como acontece com Sai Baba.

38. A manifestação no plano emocional lida com fé infantil e devoção a Deus. Pois não diz a Bíblia que, se você tiver fé do tamanho de um grão de mostarda, poderá literalmente mover montanhas? Essa fé infantil, que muitas pessoas sem instrução têm, é uma maravilha de ver. Afinal, quem é mais próspero: o banqueiro multimilionário que vive se preocupando com dinheiro, ou a mãe de seis filhos que manifesta tudo o que precisa pela simples fé em Deus?

39. A manifestação no nível da alma está ligada à identificação de si mesmo como alma, e não como personalidade, e à harmonização contínua com a consciência da alma. Isso permite que as energias da alma se envolvam na manifestação daquilo que você precisa. Trabalhar somente nos planos mental, emocional e físico e não utilizar o nível da alma seria isolar-se da fonte de toda a vida.

Sem a alma você vive na ilusão da separação, mergulhado no ego negativo, com todos os seus atributos. Quando a alma é incluída, o que você quer manifestar já é parte de você. Então a manifestação, em certo sentido, consiste apenas em revelar aquilo que já é seu, mas que está escondido sob a falácia da personalidade. A alma não está separada do objeto que ela tenta manifestar, como a personalidade quer que você acredite. O que você está tentando manifestar é parte da alma, pois a alma permeia todas as coisas. É por isso que você já tem tudo e é tudo.

Uma pessoa como Sai Baba, que é uma coisa só com o espírito, imagina algo e este se manifesta instantaneamente. O mesmo vale para você, só que o processo é um pouco mais lento. Quando você imagina algo com a consciência da alma, o objeto também se manifesta instantaneamente, ainda que você não possa vê-lo com os olhos físicos. Na verdade, tempo e espaço não existem; assim, quando você reclama a manifestação, ela já é sua. Você simplesmente aguarda que a coisa se manifeste no plano terreno. Se você já desenvolveu a capacidade da clarividência, pode vê-la.

Muitas vezes é fácil perder a concentração antes que a manifestação tenha a oportunidade de migrar do plano etérico para o físico. As leis agem mais lentamente no plano físico, por isso a manifestação parece não ocorrer instantaneamente, mas levar algum tempo para surgir no nível material. Mantenha sua concentração e faça a manifestação através da consciência da alma.

40. *Os milagres são naturais.* Os milagres são um subproduto normal quando alguém expressa as leis de Deus e trabalha com elas a serviço da humanidade.

41. *Identifique-se com Deus.* Quando estiver trabalhando numa manifestação, use as palavras "Eu Sou" para iniciar suas afirmações e, se quiser, para dirigir-se a Deus. Quando você diz "Eu Sou", está afirmando o nome de Deus, que também é o seu nome.

42. "Buscai, em primeiro lugar, o Reino de Deus e a sua justiça, e todas essas coisas vos serão acrescentadas." Acho que essa frase é evidente por si mesma, e não requer explicação.

"De fato, que aproveitará ao homem se ganhar o mundo inteiro mas arruinar a sua vida?" [Mt 16:25-26] Muita gente julga a prosperidade pela quantidade de dinheiro ou pelas coisas materiais que você tem. A verdadeira prosperidade é fundir-se à alma e ao espírito, o que resulta na satisfação de todas as suas necessidades, sempre a serviço de Deus.

43. Não existe problema em orar pedindo coisas materiais. Algumas pessoas dentro do movimento espiritualista se confundem nesse ponto. É perfeitamente aceitável, e mesmo um desejo da alma e da mônada, que você se utilize da ajuda delas nesse campo; porém, não seja ganancioso. Peça aquilo que você necessita — nem mais nem menos.

A verdadeira abundância não é uma questão de ter tudo, mas antes de ser uma fonte por meio da qual tudo o que você precisa possa se manifestar. É ser um com a essência que existe por trás e dentro de todas as coisas.

44. A manifestação no plano do poder pessoal é grandemente intensificada quando seu trabalho é percebido e enfocado como serviço à humanidade. Há um antigo ditado metafísico que diz o seguinte: "Quando o seu coração for puro, você terá a força de dez." Se a sua obra favorece uma causa nobre, e você a executa com pureza de coração e intenção, então você tem um suprimento de energia muito maior para fazer o que é necessário, pois está em harmonia com a força universal.

45. Seja bastante específico nas suas visualizações e afirmações quando quiser manifestar algo. Ao generalizar excessivamente, pelas leis universais você poderá manifestar apenas uma solução geral, ou quem sabe gerar uma solução que seja vaga demais para sequer se manifestar.

46. Entenda que qualquer coisa que você manifeste não é realmente sua. É na verdade de Deus; você está apenas tomando conta dela. Ou, em outras palavras, não existe distinção entre o que é de Deus e o que é seu.

47. Cuide bem daquilo que você manifesta. Se manifestar um carro novo e não cuidar dele, então estará sendo indigno da manifestação no plano físico. Todos os planos precisam estar alinhados, senão a manifestação pode ficar bloqueada.

48. Não há como você aprender a manifestar com eficácia sem autodisciplina. É preciso aprender a disciplinar a mente, as emoções, o corpo e a consciência, para manter a vibração apropriada e harmonizar-se com a alma. Você não pode permitir que o eu inferior encha de dúvidas e medos a sua mente. A disciplina lhe confere coerência e permite que você viva continuamente na Luz, na alegria, na positividade e no amor, conservando incessantemente a mentalidade da abundância.

49. Manifeste num estado mental de autoridade, sabendo que você é o senhor. Não existe força mais poderosa do que a sua vontade. Para manifestar com eficiência, você precisa assumir o seu pleno poder e se identificar com o Cristo, Buda, Atmã, Eu Eterno. É preciso manifestar com o pleno poder do eu como alma e como espírito. Então o universo obedecerá imediatamente à sua ordem.

50. Apesar daquilo em que o ego negativo quer que você acredite, na realidade existe somente uma necessidade: reconhecer a verdade da sua identidade com Deus. Quando essa necessidade é satisfeita, então todas as outras necessidades também são satisfeitas, como subproduto desse estado de consciência.

51. Não considere como falta aquilo que você espera manifestar. Tudo, na verdade, já faz parte de você, que é Deus; portanto nada lhe falta. A manifesta-

ção torna-se então uma oportunidade de demonstrar a presença de Deus. Quando executa seus milagres de manifestação, Sai Baba os descreve como meros subprodutos da natureza infinita de Deus. Manifestação é, realmente, apenas a criatividade em ação.

52. Quando grupos de pessoas esperam manifestar algo, é essencial que todos partilhem a mesma visão. Caso contrário, as diferentes visões podem cancelar umas às outras, impedindo assim a manifestação.

53. Siga seus impulsos e intuições depois de rogar por ajuda. Digamos, por exemplo, que você tenha orado por um valor específico no cheque do aluguel que espera receber no mês que vem. O universo planeja manifestar seu pedido por meio de uma pessoa que você deve encontrar numa festa. Você recebe orientação para ir à festa, mas o eu inferior lhe diz que está cansado demais para sair de casa; assim, você pode perder a manifestação que lhe foi arranjada. É aqui que a autodisciplina se casa perfeitamente com a obediência à orientação espiritual.

54. Depois de orar, acredite que a oração já foi atendida. Você obedeceu a todos os princípios universais da manifestação. Cumpriu todas as leis. Não creia apenas que ela foi atendida; *saiba* que foi atendida, com cada célula, molécula e átomo do seu ser. Está feito. Está terminado. Assim seja, pois assim você decretou que deveria ser. Sua obra é Deus manifestado. Você é Deus, e é uma coisa só com Deus. Você cumpriu a lei; portanto, como é que a sua oração poderá deixar de se manifestar?

55. Esta última lei da manifestação é a lei do dízimo. Está relacionada à lei do dinheiro seminal. A lei universal declara que se você doa um décimo de sua renda a uma instituição de caridade, receberá dez vezes mais pela generosidade. Essa lei funciona com a leia do karma, que decreta que todos colhem o que semeiam; o que a pessoa lança ao vento acaba voltando para ela. A doação do dízimo mantém a energia do dinheiro em circulação. Se você for mesquinho com o universo, que é Deus, então o universo, Deus, será mesquinho com você. Se você for generoso com o universo, então o universo, pela lei, será necessariamente generoso com você.

A Course in Miracles traz muitas afirmações maravilhosas sobre a manifestação de milagres.

> Não existe uma ordem de dificuldade de milagres. Um não é mais difícil ou maior que o outro. Todos são iguais. Todas as expressões de amor são máximas.
> Milagres são naturais. Quando não ocorrem é porque algo saiu errado.
> A oração é o princípio gerador de milagres. É um meio de comunicação da criatura com o Criador. Pela oração, o amor é recebido e pelos milagres o amor é expresso.
> Milagres são exemplos de correto pensar, de harmonização das percepções com a verdade como Deus a criou.
> Os milagres nascem de um estado mental milagroso, ou estado de pronta aceitação do milagre.

20

AS LEIS DO KARMA

*Porque em verdade vos digo que, até que passem o céu e a terra,
não será omitido nem um só i, uma só vírgula da lei, sem que
tudo seja realizado.*
Mateus 5:18

É mais fácil passar céu e terra que uma só vírgula cair da lei.
Lucas 16:17

A lei básica do karma decreta que você colhe aquilo que semeia; aquilo que você lança ao vento acaba voltando. É a lei de causa e efeito. Você pode até pensar que muitas pessoas que vivem neste mundo aprontam e saem ilesas. Mas eu estou aqui para lhe dizer que ninguém escapa impune. Como disse Edgar Cayce, "Cada i, cada vírgula da lei é cumprida".

O interessante acerca da lei do karma é que ela se estende ao longo de muitas vidas. Ainda que aparentemente alguém tenha tirado vantagem de outra e escapado ileso, na verdade não é isso o que acontece. A alma permanece ainda que tenha encarnado em outro corpo físico. Os arquivos de Edgar Cayce estão repletos de exemplos disso. Jesus deu uma excelente explicação da lei do karma quando disse: "Faça aos outros aquilo que você gostaria que lhe fizessem." O significado aqui é mais literal do que você possa imaginar.

Há diferentes níveis de karma. Isso de que eu venho falando até aqui é aquilo que eu denominaria karma pessoal — aquilo que você pessoalmente colocou em movimento com o poder da sua consciência.

O segundo tipo de karma é o karma de grupo. Quando você encarna neste mundo, nasce num grupo identificado pela cor da pele, filiação religiosa, etc. Uma pessoa nascida num corpo de pele negra nos Estados Unidos sofre com o racismo e o preconceito, não porque a pele negra é inferior à branca, mas por causa do baixo nível de consciência espiritual de muitas almas deste plano. Uma pessoa que nasça num corpo de pele negra, ou em qualquer outro grupo minoritário, assimila as lições kármicas desse tal grupo.

Outro tipo de karma é o nacional. Você nasce num determinado país e, depois, é doutrinado com suas identificações egoístas. Se, por exemplo, houvesse uma guerra entre a China e os Estados Unidos, os habitantes de cada país se enredariam em suas próprias lições kármicas nacionais. Você não é uma ilha.

Depois há o karma do planeta. Esta escola específica chamada Terra proporciona lições bem diferentes daquelas assimiláveis em outros planetas desta galáxia ou deste universo. Você precisa lidar com o karma do planeta e com a fase histórica em que nasce.

Também é possível dizer que todo karma é pessoal, pois você, como alma, escolhe a cor da pele, a família, a religião e o país antes de encarnar.

A palavra "karma" muitas vezes é associada ao mau karma, à idéia de que você precisa experimentar alguma forma de sofrimento por conta de uma lição ainda não aprendida. Isso se distingue do estado de graça. A aplicação dos princípios deste livro permitirá que você evite o sofrimento, pois o que está escrito aqui está em harmonia com as leis de Deus.

Tudo no universo é governado por leis. Existem leis físicas, emocionais, mentais e espirituais. Se você entra em desarmonia com essas leis, sofrerá inevitavelmente. O karma, portanto, não é um castigo, mas uma dádiva, um sinal de que você está desequilibrado.

A atitude correta diante de tudo o que acontece na vida é a seguinte: "Não a minha vontade, mas a tua. Obrigado pela lição." O budismo chama essa atitude de não resistência. Na psicologia, denomina-se aceitação. Em vez de lutar contra o universo, a idéia é trabalhar conjuntamente e aprender com ele. Isso não significa abrir mão do seu poder, mas bem o contrário. Significa assumir o seu poder e encarar tudo o que acontece como uma lição, um desafio e uma oportunidade de crescer. A idéia é encarar o karma como um degrau para o aprimoramento da alma.

Não há necessidade de sofrer. O sofrimento não faz parte dos desígnios de Deus; é, na verdade, um desejo seu. É um sinal de que você está deixando que o ego negativo, o eu separado e fundado no medo, aja como guia, quando na verdade tal função é prerrogativa da alma ou do espírito.

Não existe pecado. Pecado, supostamente, é alguma mancha indelével no seu caráter, algo que não pode ser removido. Mas essa é uma noção egoísta, e não espiritual. Não existem pecados, mas apenas erros. O verdadeiro significado do termo pecado é "errar o'alvo". Erros são na verdade positivos, e não negativos. A idéia é aprender com eles e, acima de tudo, perdoar a si mesmo. Ser perfeito não significa jamais cometer um erro. A verdadeira perfeição é sempre perdoar-se pelos erros, aprendendo com a experiência.

Outro ponto bastante importante com relação ao karma é que todas as lições são aprendidas dentro do eu. Em outras palavras, se você tem uma briga grave com um ex-amigo, mas prefere perdoar e amar incondicionalmente essa pessoa abrindo mão da animosidade, você fica livre do karma, ainda que a outra pessoa decida guardar rancor pelo resto da encarnação. Este é um conceito bastante libertador.

O karma volta a você em todos os planos — física, emocional, mental e espiritualmente. O modo como você cuida do corpo físico nesta encarnação determinará a saúde do corpo físico que terá na próxima vida (se você estiver destinado a voltar).

Se você domina as emoções nesta vida e se torna um ser tranqüilo, calmo, alegre e feliz, então quando encarnar novamente será um bebê tranqüilo, calmo, alegre e feliz. Algumas pessoas crêem na idéia da tábula rasa ou tábua vazia. Isso é, obviamente, um absurdo. Você não é uma tábua vazia ao nascer. Na verdade, não existem crianças no sentido estrito, mas apenas almas adultas vivendo em corpos de bebês. As pessoas têm, em média, entre 200 e 250 vidas passadas. A alma, com todas as suas 12 extensões de alma, tem uma média de duas mil a duas mil e 500 encarnações passadas.

Outro ponto interessante acerca do karma é a compreensão de que não existe tempo linear no mundo espiritual. O tempo é simultâneo. Suas encarnações passadas e futuras estão na verdade acontecendo agora; na realidade, só existe o agora.

Uma pessoa pode sofrer hemorragias kármicas oriundas de qualquer uma das outras 11 extensões de alma que ainda estão encarnadas. Essas hemorragias podem vir tanto do passado quanto do futuro. (Eu sei que esse conceito é bastante difícil de compreender neste plano. Tente assimilá-lo com o lado direito do cérebro, ao invés do lado esquerdo. As hemorragias kármicas podem se manifestar como, por exemplo, sintomas físicos que na verdade não são seus. Digamos que uma de suas extensões de alma esteja perto da morte. Você pode sentir essa morte ou processar parte do karma dessa pessoa no seu corpo físico. Se quiser fazer isso por uma ou várias de suas extensões de alma, pode fazê-lo. Entretanto, não recomendo que o faça muito constantemente, a não ser que receba clara orientação para agir assim.

Uma experiência que tive um dia com Djwhal Khul proporciona um bom exemplo desse tipo de hemorragia. Ele disse que havia fumaça de cigarro no meu campo energético. Eu retruquei: "Fumaça de cigarro? Impossível, pois eu nunca fumei cigarro." Perguntei se ele tinha certeza de que não era incenso, que uso às vezes. Ele disse que não, que era mesmo fumaça de cigarro. Depois ele investigou com mais profundidade a questão e descobriu que a fumaça provinha de uma de minhas extensões de alma.

Para entender o conceito de que as extensões de alma são guiadas pela alma, ou "sobre-alma", recomendo a leitura de um dos livros de Seth, da autora Jane Roberts: *The Education of Oversoul Seven*. A leitura o ajudará a alcançar uma compreensão melhor dos conceitos de tempo simultâneo e do fato de as extensões de alma serem guiadas pela alma.

Adiante falarei mais sobre os três átomos permanentes, que são aparelhos de registro do karma pessoal situados nos corpos físico, mental e emocional. Os três átomos permanentes registram todo o karma, bom e mau, como um arquivo akáshico pessoal. Esses átomos permanentes também são distribuidores de karma. Eles colocam imagens kármicas na corrente sangüínea, o que exerce um enorme efeito sobre o sistema glandular. Isso faz parte do sistema divino de justa execução da lei do karma.

Outro ponto importante sobre o karma é que você recebe apenas o tanto que pode suportar. Isso é controlado pela alma e pela mônada. Se todo o karma lhe fosse jogado aos ombros de uma vez só, seria algo insuportável. É possível desacelerar o karma que você tem de enfrentar caso esteja se sentindo sobrecarregado, e também é possível acelerar as lições kármicas se quiser crescer mais depressa. É fácil conseguir isso: basta orar à alma ou a Deus. Eles têm imensa satisfação em trabalhar com você da maneira que lhe seja mais confortável.

Todo o bom karma de vidas passadas e desta encarnação é armazenado no seu corpo causal, ou corpo da alma. O aprimoramento desse corpo causal é um dos requisitos principais para que o ser alcance a libertação da roda do renascimento. Para atingir a ascensão, você precisa equilibrar somente 51% do karma de todas as vidas passadas (o karma de suas vidas passadas pessoais, e não o karma das outras 11 extensões de alma).

Boa parte do karma vivenciado na vida não vem de encarnações passadas, mas foi criado nesta encarnação mesmo. Por exemplo, se você adormece ao volante e sofre um grave acidente de carro, a lição pode ser simplesmente aprender a não cometer a bobagem de dirigir excessivamente cansado.

Todo o karma de vidas passadas não passa, basicamente, de programações gravadas na mente subconsciente e nos três átomos permanentes. Todo ele pode ser transformado durante esta vida se você aprender a dominar os três veículos inferiores — os corpos físico, emocional e mental —, colocando-os a serviço do espírito e do amor incondicional. É possível limpar por completo a mente subconsciente e os três átomos permanentes de toda programação negativa, substituindo-a por uma programação positiva.

As leis do karma envolvem até o tipo de alma que você atrai durante o ato sexual e a concepção do seu filho. A espécie de alma atraída é, em larga medida, determinada pela qualidade do sentimento e do amor que está sendo partilhado e manifestado durante a relação amorosa.

No tocante à relação entre karma e transfusões sangüíneas, transplantes de órgãos e transplantes de órgãos animais, Djwhal Khul disse com veemência que nenhum dos três é recomendável, e que devem ser evitados sempre que possível.

Vejamos, por exemplo, o caso da transfusão de sangue. Digamos que você seja um iniciado de terceiro grau e tenha acabado de passar o rito da iniciação da fusão da alma. Então você vai ao hospital e faz uma transfusão de sangue, recebendo o sangue de uma pessoa que nem sequer pisou ainda no caminho espiritual. Física e espiritualmente falando, o sangue seria totalmente dissonante em comparação com a sua vibração. Você estaria fundamentalmente recebendo o karma dessa pessoa pela corrente sangüínea. Um transplante de órgão seria ainda pior. E o pior de tudo seria colocar o fígado de um porco num corpo humano. E hoje já se faz esse tipo de coisa!

A lei básica do universo é que os pensamentos criam a realidade. Todo karma tem seu antecedente em algum pensamento do passado que gerou um sentimento ou uma ação. Às vezes é útil fazer uma regressão hipnótica para liberar bloqueios kármicos de vidas passadas ou da primeira infância. Sob hipnose, você pode reviver um trauma passado, conseguindo assim descobrir a causa de resultados kármicos específicos. Depois, muitas vezes, é possível eliminar esse programa da mente subconsciente.

Uma última questão desse tema é o fato de o mestre poder assumir o karma de um de seus discípulos. Sai Baba, o grande mestre indiano, já fez isso muitas vezes por seus devotos. Certa vez ele tomou para si o enfarto, o derrame e o apêndice rompido de um devoto, que certamente de outro modo teria morrido.

Sai Baba ficou extremamente doente durante dez dias. Mais de 25 dos melhores médicos da Índia estavam ao lado do seu leito no décimo dia. Sua tez tinha enegrecido por completo, e era consenso entre os 25 médicos que ele viveria somente mais dez minutos. Sai Baba se recusava a tomar medicamentos e disse que às quatro horas daquele mesmo dia estaria dando uma palestra. Os médicos pensaram que ele tinha enlouquecido. Na hora indicada, ele aparentemente borrifou um pouco d'água sobre si mesmo e ficou curado instantaneamente. Desde então, aqueles 25 médicos oram a Sai Baba pedindo ajuda antes de tratar qualquer paciente.

O KARMA E SUA INFLUÊNCIA SOBRE O PASSADO E O FUTURO

Estudei os arquivos de Edgar Cayce e descobri casos fascinantes que mostram como a lei do karma se estende sobre vidas passadas e futuras.

O primeiro exemplo é o de um homem que numa vida passada viveu em Roma. Era um homem bem bonito e costumava sair criticando os outros por serem gordos, e não esbeltos como ele. Em sua vida atual, sua glândula pituitária é pouco hipoativa, o que provoca a obesidade. Mencionei anteriormente os três átomos permanentes que muitas vezes liberam na corrente sangüínea um karma que afeta adversamente o sistema glandular. Esse é um ótimo exemplo desse processo.

Em outra das leituras de Cayce, um homem que havia esfaqueado e matado alguém numa vida passada hoje está sofrendo de leucemia. Numa leitura semelhante, um homem que matara alguém no passado está nesta vida derramando o próprio sangue por causa de uma anemia.

Certos pais levaram o filho de oito anos para se consultar com Edgar Cayce. O menino urinava seguidamente na cama à noite. Cayce acabou descobrindo que o problema era uma lição kármica de uma vida passada em Salem, Massachusetts, durante a caça às bruxas. Ele fora um dos homens responsáveis pelas torturas impostas às bruxas em função de suas crenças. Entre as técnicas de tortura, havia uma que envolvia o afogamento da vítima. O menino de oito anos sofria então o afloramento de uma culpa profunda por ter maltratado as mulheres, e o resultado prático era urinar na cama à noite.

A causa da epilepsia em duas leituras diferentes era o uso errôneo de poderes psíquicos numa vida passada, e em outra leitura a causa era o abuso da sexualidade. Um casal de negros foi se consultar com Cayce e lhe perguntou por que eles tinham nascido negros numa sociedade racista. A resposta: os dois, em vidas passadas, haviam sido fazendeiros brancos no sul dos Estados Unidos, e haviam maltratado pessoas negras. Isso me faz lembrar a exortação de Jesus: "Faça aos outros aquilo que você gostaria que lhe fizessem." Pois é exatamente assim que a lei funciona.

Uma amiga minha tinha medo de nadar. Dois médiuns diferentes lhe disseram que ela havia morrido no naufrágio do Titanic. Os três interesses principais dessa mesma amiga nesta vida eram arte, música e os índios americanos. Um dos médiuns, sem saber disso, disse-lhe que em suas últimas três encarnações ela fora uma artista famosa, um músico e um índio americano.

O medo que certa mulher tinha de facas estava relacionado com uma vida na Pérsia, onde ela fora atacada por invasores que a mataram com uma faca. Em outra leitura, certo homem tinha um problema grave de dores nos quadris; os médicos lhe disseram que era câncer ósseo. Cayce disse que a causa kármica fora uma vida passada em Roma: o homem tinha ido ao Coliseu e ria do sofrimento de um dos combatentes.

Outra leitura era a de um homem que sofria de um grave problema congênito de catarata. Cayce disse que a causa vinha de uma vida passada na Pérsia: o homem era de uma tribo bárbara e costumava cegar outros membros da mesma tribo com ferro em brasa.

Cayce disse também que a urticária é provocada por animosidades, rancor e pensamentos agressivos. Falou ainda que ninguém pode odiar seu próximo sem ter problemas no estômago e fígado.

Outra leitura tratava de uma criança que sofria de paralisia infantil com um ano de idade. Ela tinha as duas pernas paralisadas, e os dois pés atrofiados. Cayce disse que a causa era uma encarnação atlante, na qual ela usava drogas e técnicas de hipnose para enfraquecer os membros e o corpo de outras pessoas, para que então tivessem de obedecer às ordens dela.

Outra leitura fascinante de Cayce fala de um homem que odiava os negros. Ele era nazista e membro da Ku Klux Klan. Para ele, os negros eram como animais. Esse homem, obviamente, não iria participar de uma leitura, mas alguém que o fez perguntou como uma pessoa podia ser tão cheia de ódio. A resposta era que essa alma, numa vida passada, fora um fenício, tendo vivido por volta do ano 500 a.C. Aparentemente, durante uma guerra entre fenícios e cartagineses, ele fora capturado e reduzido à condição de escravo num dos navios. Os navios eram como aqueles que aparecem no filme *Ben Hur*: os escravos, acorrentados aos assentos sob o convés, eram obrigados a remar. Um homem negro tocava um tambor e todos os escravos tinham de remar acompanhando a batida. Outro homem negro açoitava os escravos que não mantinham o ritmo correto da remada. Esse homem viveu aparentemente 30 anos, passando de navio a navio, sendo sempre obrigado a remar e açoitado. Esse é um bom exemplo de hemorragia kármica. Ele acumulou tanto ódio naquela encarnação que, quando encarnou de novo, esse sentimento o dominou por completo.

Outra leitura era para um homem que nascera num corpo físico deformado. As pessoas sempre se perguntam por que um homem parece abençoado e outro amaldiçoado. Acontece que, numa vida passada, essa alma fora Nero, o imperador romano que tocava violino enquanto Roma ardia em chamas. Essa alma iludida havia acumulado tanto mau karma naquela vida que decidiu descarregá-lo de uma vez só, vivendo num corpo deformado.

Em outra leitura, uma mulher tinha um medo terrível de animais. O medo vinha de uma experiência em Roma, quando seu marido fora obrigado a lutar contra animais selvagens em uma das arenas.

Outra mulher fora casada por nove anos e tinha um marido bastante meigo e afetuoso. Ainda assim a mulher tinha medo de se envolver sexualmente. O problema era que numa vida passada, durante as Cruzadas, ele lhe impusera um cinto de castidade, fazendo que ela o odiasse. Essa lição kármica, obviamente, ainda não havia sido aprendida.

Certa mulher que foi consultar-se com Edgar Cayce tinha distúrbios glandulares que provocavam um fluxo menstrual excessivo; esse problema a impedia de ir à aula e gerou uma profunda depressão, levando a um colapso nervoso. Cayce disse que numa vida passada ela fora freira num convento francês, na época de Luís XIV. Ela era bastante austera, fria e intransigente em relação à fraqueza humana. Sua compreensão da escritura era puramente literal. Ela agia como se fosse superior aos outros, e era bastante intransigente.

Em outra leitura, uma mulher não conseguia assumir o compromisso do casamento. Cayce lhe disse que sua desconfiança vinha de uma vida durante as Cruzadas, quando o marido a abandonara. Outra mulher era anormalmente tímida e incapaz de fazer amizades. A origem do problema fora uma encarnação na França, em que ela tinha muito talento e beleza; porém, o ciúme do marido o fazia tentar suprimir os impulsos naturais da mulher com uma tirania fria e cruel. Ele às vezes chegava a chicoteá-la.

Outra leitura era para um médico que tinha uma natureza marcadamente pouco comunicativa. Cayce disse que a causa vinha de uma vida passada em que ele exercitara o silêncio como membro de uma comunidade quacre. Outra pessoa era surda; a causa da surdez provinha do fato de ela não dar ouvido aos sofrimentos dos outros numa vida passada. Outra ainda tinha problemas com a digestão, provocados por ter sido glutão numa encarnação anterior.

Uma produtora de filmes sofria de poliomielite. A causa fora, novamente, uma vida em Roma, na qual ela havia escarnecido e ridicularizado os que não resistiam à morte nos combates dentro do Coliseu. Um homem era homossexual e queria tornar-se padre. Isso era fonte de grande confusão e conflito para ele. Numa vida passada ele fora satirista e alcoviteiro na corte francesa, que se deleitava especialmente em divulgar escândalos homossexuais com seu talento de caricaturista.

Dei muitos exemplos de mau karma que se transfere de uma vida para outra. Mas o karma também pode ter uma natureza positiva. Por exemplo, como será que Mozart criou concertos para piano aos cinco anos de idade? Ele teve outras quatro ou cinco encarnações como músicos famosos antes dessa última vida.

A VISÃO DE DJWHAL KHUL SOBRE LEI DO KARMA E RENASCIMENTO

Eu gostaria de terminar este capítulo com uma série de 13 afirmações de Djwhal Khul extraídas de um livro de Alice Bailey intitulado *The Reappearance of the Christ*. Essas 13 afirmações de Djwhal compõem um bom resumo de todo o processo:

1. A lei do renascimento é uma grande lei natural no nosso planeta.
2. É um processo instituído e executado sob a lei da evolução.
3. Está intimamente ligado e é fortemente condicionado pela lei de causa e efeito.
4. É um processo de desenvolvimento progressivo, permitindo que os homens avancem das formas mais grosseiras de materialismo irracional até uma perfeição espiritual e percepção inteligente que lhes possibilitem tornarem-se membros do Reino de Deus.
5. Isso explica as diferenças entre os homens e — junto com a lei de causa e efeito (denominada lei do karma no Oriente) — também as diferenças de circunstâncias e atitudes diante da vida.
6. É a expressão do aspecto volitivo da alma, e não o resultado de alguma decisão da forma; é a alma em todas as formas que reencarna, escolhendo e gerando veículos físicos, emocionais e mentais apropriados, com os quais possa aprender as próximas lições que ela tem de aprender.
7. A Lei do Renascimento (no que toca à humanidade) entra em ação no plano da alma. A encarnação é motivada e orientada a partir do plano da alma, sobre o plano mental.
8. As almas encarnam em grupos, ciclicamente, obedecendo à lei e para estabelecer relações corretas com Deus e com seus companheiros humanos.
9. A evolução progressiva, sob a Lei do Renascimento, é em larga medida condicionada pelo seguinte princípio mental: "O homem é o que ele pensa no seu íntimo." Essas poucas e breves palavras demandam a mais cuidadosa ponderação.
10. Sob a Lei do Renascimento, o homem desenvolve lentamente a mente, depois a mente começa a controlar os sentimentos, a natureza emocional e, finalmente, revela a alma e sua natureza e ambiente ao homem.
11. Ao alcançar esse nível de desenvolvimento, o homem começa a trilhar o caminho de volta, e se orienta gradualmente (depois de muitas vidas) ao Reino de Deus.
12. Quando — por meio de mentalidade, sabedoria e altruísmo evoluídos — o homem aprende a não pedir nada para o eu separado, ele renuncia ao desejo de viver nos três mundos e é libertado da lei do renascimento.
13. Agora ele é consciência coletiva, e conhece o seu grupo de alma e a alma em todas as suas formas; atingiu, enfim, como Cristo exortara, um estágio de perfeição crística; alcançou a medida da estatura da plenitude do Cristo.

21

AS CRIANÇAS NO MUNDO DE HOJE

*O professor detém o papel mais importante na modelagem
do futuro de um país. De todas as profissões, é a mais nobre, a mais
difícil e a mais importante.*
Sathya Sai Baba

EDUCAÇÃO

Os problemas das crianças no mundo de hoje constituem uma das situações mais urgentes com que depara a humanidade neste ponto de sua história. A questão é bastante complexa; porém, logo de início, quero ressaltar que o sistema educacional está completamente inadequado.

O único propósito desta vida é atingir a teo-realização, a imortalidade e a ascensão, a fim de oferecer um serviço mais completo à humanidade. O sistema educacional falhou nesse ponto. Em vez de se dedicar ao aprimoramento do caráter, aos valores morais, à ética, aos ideais espirituais, aos relacionamentos humanos corretos, ao reto viver, à virtude e à consciência espiritual e da alma, o sistema eliminou completamente a alma de todas as facetas do aprendizado, cuidando unicamente da metade menos importante do ser humano.

Essa situação tem origem nas decisões políticas tomadas quando da redação da Constituição dos EUA, a fim de garantir a separação entre Igreja e Estado. Embora bem intencionada, essa decisão fez que se eliminasse o essencial junto com o desprezível. A intenção era evitar que grupos, como os farisaicos fundamentalistas cristãos e a "maioria moralista", impusessem seus valores egoístas a outras pessoas nas escolas. Nesse particular, foi uma decisão sábia. O problema é que não se pode aceitar que se elimine totalmente a espiritualidade das escolas.

A educação, hoje, tem uma orientação materialista e egoística. O enfoque recai sobre o sustento econômico, o acúmulo de bens, o alcance do maior sucesso material e do maior conforto possíveis. O sistema gera competitividade, orgulho, egoísmo, preconceito nacionalista, separatividade e sentimento de superioridade em relação a outros povos, culturas e nações. As pessoas não são educadas como cidadãs do mundo. Ignora-se completamente sua responsabilidade sobre a humanidade.

O sistema educativo é um exercício que visa entulhar a mente dos jovens com quantidades enormes de fatos desconexos para que possam conseguir uma boa nota. É um exercício de desenvolvimento da memória de curto alcance, num processo destituído de alegria. Visa apenas a meta, sem se preocupar com o processo, funcionando meramente como um meio de atingir um fim. Se por acaso o aluno vier a gostar de algo é uma surpresa agradável. A escola, durante a maior parte do tempo, é uma lição de autodisciplina.

A faculdade ainda é pior. Os que terminam o curso e partem para a vida profissional muitas vezes já estão neuróticos. Essa é a definição de sucesso. É quase impossível ser uma pessoa saudável, íntegra e equilibrada e ainda competir vitoriosamente o bastante para chegar ao ponto mais alto de uma profissão qualquer.

Sai Baba disse que a dádiva mais preciosa que um jovem pode receber na escola é o dom do caráter. Disse também que política sem princípios, educação sem caráter, ciência sem humanismo e comércio sem moralidade não são apenas inúteis mas, de fato, perigosos. Essa é a situação atual em todas essas quatro categorias. Se a consciência da alma não for integrada ao sistema educacional de uma forma universal, eclética e imparcial, os líderes do futuro serão intelectualmente desenvolvidos, mas espiritualmente retardados. Será que é surpresa verificar que os políticos são tão corruptos, os advogados e médicos, em geral, tão egocêntricos, os cientistas tão cruéis com os animais e os comerciantes tão inclinados a cobrar um sobrepreço para ganhar um dólar a mais, desde que possam driblar a lei?

As crianças avançam nos estudos, mas não têm paz interior nem felicidade. Não agem corretamente consigo mesmas, nem com Deus. Não estão preparadas para o casamento, e menos ainda para a paternidade ou maternidade. É de admirar que haja tantos casos de maus-tratos contra as crianças?

Há porém uma resposta: incluir a disciplina da espiritualidade nos currículos, dentro do contexto do ensino de religiões comparadas, enfatizando a unidade básica de todas as religiões. Em outras palavras, todas as religiões seriam ensinadas, com a exigência de que nenhuma delas fosse tratada como superior às outras. Isso, logicamente, demandaria um treinamento especial dos professores.

Outra forma de corrigir o problema seria ensinar espiritualidade em vez de religião. Haveria aulas sobre o desenvolvimento moral e ético, sobre o aprimoramento do caráter, sobre valores espirituais e relacionamentos humanos corretos, só para apontar alguns tópicos. As escolas, em vez de se concentrarem somente em matérias como leitura, escrita, aritmética, história e geografia, acrescentariam aulas sobre autodomínio; posse do poder pessoal; desenvolvimento da autoestima; integração das três mentes; dieta e alimentação apropriadas; meditação; os sete níveis de iniciação; integração da mônada, alma e personalidade; equilíbrio dos sete chakras; os santos de todas as religiões; religiões comparadas; anjos; a Hierarquia Espiritual; evolução dos minerais, plantas e animais; morte e atitude diante da morte; ciência do bardo; a alma; como aprimorar o antakarana; as escrituras do mundo; apreciação da arte; apreciação da música; transcendência do ego negativo e da dualidade; canalização; utilização dos lados direito e esquerdo do cérebro; mantras e palavras de poder; ética e treinamento moral; autodefesa psíquica; civilizações extraterrestres; modos espiritualistas de conduzir os negócios; modo espiritual de se portar na política; desenvolvimento psíquico; equilibração dos quatro corpos; compreensão da lei do karma; relatos da criação oriundos de religiões diversas.

A escola não seria mais divertida se todos esses assuntos constassem no currículo? Eu não estou dizendo que não se deva ensinar a ler, escrever e fazer contas. É claro que essas áreas são imprescindíveis. É importante, porém, mesclar as matérias tradicionais com aulas sobre desenvolvimento da alma. Que vantagem tem uma pessoa que passou 20 anos na escola para conseguir um diploma de doutorado, se isso a transformou num egomaníaco delirante? Diante da falta da consciência da alma nas escolas, o que se ensina é a consciência do ego negativo.

Além disso, deveria ser obrigatória a exigência de aulas sobre assuntos como o cultivo de um casamento eficiente e o modo de educar adequadamente os filhos. A maioria das pessoas está mal qualificada para essas aventuras. Deveria haver a obrigatoriedade de aulas sobre controle de natalidade, consciência da Aids e o controle de desejos do corpo para colocá-lo a serviço do amor incondicional e dos propósitos da alma.

Pode parecer improvável que essas matérias algum dia sejam incorporadas ao currículo escolar regular, mas grave bem o que eu digo: num futuro não tão distante, quando o Senhor Maitreya fizer sua aparição, ao lado da divulgação da Hierarquia Espiritual, haverá uma transformação radical neste planeta, mudando todas as instituições atuais fundadas no ego. Eu profetizo hoje que esse fato ocorrerá dentro de 30 anos.

As crianças deveriam ser ensinadas numa atmosfera de amor incondicional e de firmeza. Infelizmente, essas qualidades hoje estão ausentes das escolas. O que estou sugerindo requer que os professores sejam a encarnação desses ideais. Pois, se os nossos professores não abraçarem tais ideais, como é que as crianças poderão aprendê-los? A educação, na situação atual, endurece os corações e esmaga qualquer coisa que lembre amor incondicional e compaixão. As crianças aprendem que lá fora existe um mundo-cão; cada um por si é a lei da selva, portanto, elas aprendem somente que precisam obter boas notas e conseguir entrar numa boa faculdade.

Deus não liga para boas notas e educação superior, se é para fins egoístas que essas coisas são usadas. A pergunta fundamental é sempre: qual o propósito da vida? Por que você encarnou nesse corpo físico? E a resposta é: para alcançar o conhecimento de Deus. A educação, na forma atual, com toda a certeza não conduz as crianças nessa direção.

RELIGIÃO

Por que as crianças não recebem treinamento espiritual e moral em igrejas e templos? O problema é que o ego invadiu completamente todas as instituições religiosas. Se uma pessoa não mantém um relacionamento correto consigo mesma, acaba projetando esse relacionamento errôneo em tudo na vida, incluindo na relação com Deus. Os ensinamentos de todas as principais religiões foram distorcidos, pois as escrituras acabaram sendo interpretadas pelo ego, e não pelo espírito. Se Deus é retratado como um ser que castiga e julga, ameaçando a eterna danação no inferno, quem é que vai querer ir à igreja? A religião tradicional, na sua forma atual, está completamente falida.

Talvez a criança vá à igreja somente aos domingos, para ouvir um sermão chato e enfadonho. Isso não faz milagres. As crianças que freqüentam escolas religiosas têm todo um conjunto diferente de problemas psicológicos e espirituais relacionados com a culpa, com o medo, com a hipocrisia, tudo em virtude do bombardeio a que são submetidas.

As instituições religiosas não serão a resposta, a menos que se purifiquem do ego negativo e aceitem a verdade de uma religião universal que reconhece que muitos caminhos conduzem a Deus. Isso acontecerá num futuro não muito distante, quando a Era de Ouro desabrochar neste planeta. Está prestes a ocorrer uma mudança de enfoque, da mentalidade egoísta para a mentalidade espiritual. Isso vai representar o renascimento de todas as instituições dentro dos princípios da alma e da consciência do Cristo.

Outra instituição que requer uma total renovação é o sistema político. Causa repugnância assistir à política sectária, na qual os políticos não servem o espírito. Servem a seu partido ou a um grupo de interesses específicos.

Os lobistas estão praticamente legalizando o suborno. A política é um exemplo clássico do que acontece com uma nação quando os líderes eleitos são altamente desenvolvidos no campo intelectual, mas nada evoluídos no campo espiritual. A menos que o sistema educativo seja profundamente modificado, deve-se esperar comportamento semelhante dos futuros líderes.

As crianças se deparam com uma enorme quantidade de negatividade e programação negativa neste mundo.

Estudos recentes confirmam que a família mediana passa algo como seis horas na frente da televisão todos os dias. Infelizmente, a alma e o Eu superior não orientam nem controlam a programação da tevê. Crianças pequenas assistem a desenhos animados incrivelmente violentos. Noventa por cento dos programas da tevê fazem a propaganda de valores egoístas. A tevê está repleta de violência, do sexo, de machismo e de pessoas bonitas que programam o subconsciente das crianças. Elas não têm uma mente consciente suficientemente desenvolvida para se protegerem da programação negativa. A alma nem sequer habita plenamente o corpo mental antes da idade de 21 anos. A inclinação emocional e a orientação subconsciente tornam os jovens hipersugestionáveis. Eles vivem a maior parte do tempo sob hipnose. Os programas de televisão a que assistem, e os filmes que vêem, penetram diretamente em sua mente subconsciente.

A segunda influência negativa que as crianças têm de enfrentar é a enorme quantidade de comida inútil e de açúcar a que são expostas. Como, por definição, elas ainda não alcançaram o autodomínio, sendo portanto governadas pelo corpo do desejo, ao consumir essas comidas inúteis e cheias de açúcar elas acabam se viciando e querendo mais. Mesmo as escolas lhes oferecem esse tipo de alimentação. Em cada esquina há um restaurante de comida rápida ou sorveteria, e quanto mais a criança cresce, menos controle têm os pais sobre esse aspecto da vida dos filhos. A comida inútil e o açúcar criam todo tipo de desequilíbrio químico, e provocam a redução da resistência do sistema imunológico. Isso afeta o corpo emocional, caso as crianças e adolescentes já estejam suficientemente desequilibrados em função do rápido crescimento físico e da secreção hormonal.

Crianças e adolescentes, por terem inclinação emocional, passam por muitos altos e baixos ao enfrentar cotidianamente as novas lições (relacionamentos, sexualidade, namoro, dinheiro, faculdade, etc.), lições kármicas, os efeitos nocivos das famílias desestabilizadas e o medo dos maus-tratos, de assalto e de molestamento.

Os pais às vezes levam seus filhos adolescentes a conselheiros ou psicólogos. Isso nos leva a outro compartimento problemático da sociedade: 98% de todos os conselheiros, psicólogos, psiquiatras e profissionais da área social praticam uma forma de psicologia alheia à alma e ao Eu superior. Isso não quer dizer que sejam totalmente ineficazes; eles fazem de fato algum bem. Entretanto, é como aquela afirmação de Einstein segundo a qual o ser humano usa apenas 8% do cérebro. A psicologia da alma é dez mil vezes mais eficaz e útil do que as formas de psicologia não ligadas ao aspecto espiritual da vida. Aqui, novamente, os jovens se confrontam com a falta da ajuda que necessitam.

A criança é bombardeada pelos noticiários cheios de negatividade que os pais vêem; esses programas se concentram nos assassinatos e crimes que ocorrem ao redor do mundo. Se Deus controlasse os noticiários, tenho certeza de que Ele iria dar atenção também aos eventos positivos que acontecem. A Comissão Trilateral e o governo secreto controlam as notícias, de qualquer modo, e assim nada de real interesse, como a atividade extraterrestre, é noticiado.

Crianças e adolescentes são obrigados a lidar com toda a publicidade que apela para o corpo do desejo, mesmo que ainda não detenham o controle desse corpo. Se eles não têm instrução espiritual, é inevitável que o eu inferior assuma o controle. Se não podem escolher seus modelos de comportamento entre os mestres espirituais e santos de todas as religiões, precisam achá-los em programas de tevê, em filmes e revistas, cujas estrelas e imagens enchem suas mentes de estereótipos e amor pervertido. Além disso, a música que a gente jovem ouve está repleta de letras que exibem um tipo semelhante de programação, toda baseada em princípios egoístas. A música programa a mente subconsciente da mesma forma que uma fita de hipnose o faz. Quando o adolescente fica um pouco mais velho, depara com a pornografia, que é uma criação do eu inferior. Sem a instrução espiritual, há pouca razão para não mergulhar nesse tipo de coisa, que só reforça as imagens gravadas na mente subconsciente, funcionando como um incentivo para tratar o sexo oposto como um objeto.

Existem somente dois tipos de pessoas no mundo: as que estão sintonizadas com a alma e as que se superidentificam com a matéria. Existem somente duas emoções no mundo: amor e medo. Qual delas as crianças escolherão?

A EDUCAÇÃO DOS FILHOS

O papel dos pais na criação dos filhos é hoje mais importante que nunca, especialmente por causa dessa negatividade tão difundida. Na minha opinião como psicoterapeuta e professor espiritual, os pais são frouxos demais. Eu acho que eles deveriam exercer controle rígido sobre as dietas física, emocional e mental dos filhos. As crianças também precisam ser criadas num ambiente de amor incondicional. Firmeza e amor — amor enérgico — é o ideal. Além disso, nesta nossa época, só os pais podem educar os filhos sobre a universalidade das religiões e instruí-los sobre os grandes santos e mestres, infundindo em suas mentes metas nobres e ideais elevados.

Infelizmente, na nossa sociedade, a maioria dos pais não é competente para orientar os filhos nessas questões. Eles já tiveram uma educação totalmente confusa por parte de seus próprios pais e do sistema educacional que os moldou. Eles tendem a mimar demais a criança, ou a ignorá-la por completo, e muitas vezes eles mesmos têm hábitos censuráveis. Fumam, bebem demais, jogam, brigam em casa, fofocam, julgam. A única esperança para as crianças é que seus pais e professores deste mundo transformem sua própria consciência. Eles não podem ensinar os ideais que não abraçam.

Sai Baba disse que "os pais precisam perceber que são os servos nomeados pelo Senhor para cuidar das pequenas almas que nascem em suas famílias, como o jardineiro cuida das árvores no jardim do mestre".

No futuro, toda criança receberá ao nascer um mapa astrológico. (Isso é prática comum na cultura hindu.) Além disso, os pais podem pensar em mandar fazer uma análise dos raios e um perfil espiritual dos filhos, para determinar a idade da alma, seu grau na escala da evolução e as tendências místicas ou a ausência delas. Esse serviço, é claro, deve ser feito por um médium qualificado. É também recomendável encomendar um perfil vocacional para o adolescente, a fim de determinar se sua extensão de alma se inclina mais a trabalhos físicos ou mentais.

Os pais precisam compreender que, na verdade, não existem crianças no sentido estrito do termo; o que existe são almas adultas vivendo em corpos de bebê. Cada personalidade encarnada já teve entre 200 e 300 encarnações. É também importante perceber que os pais não são realmente pais; são os criadores do corpo físico da criança, enquanto Deus criou a alma. Na realidade, cada pai faz um trabalho de parceria com Deus na criação dos filhos. Hoje, ninguém se lembra mais disso.

Na filosofia havaiana, o Eu superior é chamado de "aumakua", o "eu-pai totalmente confiável". Os pais devem cooperar com o eu-pai totalmente confiável, que é o Eu superior dessa personalidade encarnada.

As crianças nascem com capacidades, personalidades e traços de caráter bem distintos. Os pais devem necessariamente conseguir um delicado equilíbrio entre ensino, instrução, modelagem e direcionamento, ao mesmo tempo permitindo que a alma da criança se expresse. Não é tarefa fácil.

A melhor coisa que um pai pode fazer é aprender a portar-se corretamente em relação a si mesmo e a Deus. Os pais que não alcançaram esse ideal geram graves problemas para todos. Se dedicarem suas vidas ao caminho da teo-realização, então isso será programado na criança, tanto energeticamente quanto pelo exemplo.

Muitos pais vivem tão ocupados que a criança passa todo o tempo na escola, com amigos ou babás, e essas pessoas então se tornam os modelos cujo comportamento a criança assimila. Por isso é importante escolhê-los com cuidado. É também importante que os pais preparem a comida dos filhos. Senão eles vão comer porcarias, e é fundamental lembrar, aqui, que essa comida inútil está repleta da energia das pessoas que a prepararam. O alimento que você mesmo preparar estará cheio de amor e da sua força vital.

Em toda casa deveria existir um pequeno santuário de qualquer tipo, um lugar de oração, de meditação, de repetição do nome de Deus, de leitura das escrituras, etc. Qualidades divinas como discernimento, renúncia, sutileza intelectual, paz, verdade, honradez, prestimosidade, compaixão, paciência e amor incondicional devem ser enfatizadas e elogiadas. Enfatize a igualdade das religiões e dos grandes profetas e santos de todas as religiões.

Quando as crianças são bem pequenas, é excelente idéia conversar com elas enquanto estão dormindo. Diga-lhes o quanto você as ama e o quanto Deus as ama. Durante o sono, elas permanecem num estado de hipnose. Ficam hipersugestionáveis a qualquer programação. Você pode até gravar uma fita e tocá-la enquanto elas dormem. Preencha essas fitas com pensamentos de auto-estima, de poder pessoal, de coragem, de fortaleza, de confiança, de fé, de segurança e de sintonia com Deus. Você pode dizer o que quiser, desde que sejam palavras positivas e enlevadoras. Se o seu filho estiver com algum problema, recomendo que faça isso toda noite durante dois meses seguidos. É algo que faz maravilhas.

A RESPONSABILIDADE DOS PROFESSORES

A educação no sistema atual é o termo dado à arte de acumular informações do mundo objetivo. A tarefa mais importante da educação é, de longe, transformar a natureza do homem em algo divino. Se isso não acontece, acontece o inverso, e as crianças são inconscientemente ensinadas a viver como animais. Com excessiva freqüência, verifica-se que os professores estão muito mais preocupados em receber o pagamento do que em perceber a divina responsabilidade que foi depositada em suas mãos. A verdadeira educação é ajudar a criança a manifestar a divindade que jaz latente dentro dela. É essencial que o tecido moral sirva de base até dos estudos mundanos que precisam ser feitos na escola.

É também essencial que o professor crie na sala de aula um ambiente de amor incondicional e de compaixão. As crianças precisam assimilar a verdadeira alegria do aprendizado. Se o currículo fosse mais equilibrado entre os lados mundano e espiritual da educação, tenho certeza de que tal coisa se tornaria real.

A educação, no passado, levou a criança à meta de ganhar a vida. No futuro, isso se combinará com a educação para fazer da vida algo digno de viver. O professor é que faz a escola, ou a destrói. O professor molda as maneiras, o comportamento, as atitudes e os preconceitos dos alunos que estão sob seus cuidados.

Sai Baba certa vez comparou o sistema educacional a um banco. Disse ele: "O sistema educacional é o banco do qual a nação saca dinheiro sempre que quer trabalhadores fortes, confiáveis e qualificados. Se o banco vai à falência, é um desastre nacional." Essa é a situação hoje.

A falta de instrução espiritual gerou um enorme contingente de pessoas que não são completas, equilibradas, integradas. Elas são, isto sim, fragmentadas. São evoluídas intelectual e fisicamente, mas não emocional, psicológica e espiritualmente.

É bom que o sistema educacional proporcione pelo menos instrução intelectual e profissional, mas isso não é o bastante. É como uma maçã que parece doce e madura, mas está podre por dentro. Se cada professor ensinar os ideais que venho pregando a cem crianças, todo o país se transformará.

Djwhal Khul, no livro *Problems of Humanity*, de Alice Bailey, sugeriu que os educadores enfatizem os seguintes pontos:

1. Controle mental da natureza emocional;
2. Visão, ou a capacidade de ver, além daquilo que é, aquilo que pode ser;
3. Conhecimento herdado e factual, sobre o qual será possível sobrepor a sabedoria do futuro;
4. A capacidade de conduzir sabiamente os relacionamentos e de reconhecer e assumir responsabilidades;
5. O poder de usar a mente de duas formas:
    A. Como a mente prática que analisa e sintetiza informações a ela transmitidas pelos cinco sentidos; e
    B. Como uma lanterna potente, que penetra o mundo das idéias e a verdade abstrata.

Os educadores dão muita importância ao QI ou quociente de inteligência. No futuro estarão muito mais interessados no QE, o quociente espiritual. Antevejo um tempo em que o teste psicológico pode se combinar harmonicamente com o teste espiritual nas escolas, com a presença de astrólogos, médiuns, canalizadores e especialistas em análise dos raios, todos devidamente qualificados. Os educadores vão enfocar os problemas da juventude pelo prisma da potencialidade instintiva, emocional, intelectual e intuitiva. Hoje eles transformam o aspecto intelectual num deus, negligenciando o resto da pessoa.

Os educadores precisam compreender que educar as crianças para a cidadania no reino de Deus não é apenas uma missão religiosa das igrejas. Isso equivaleria a dizer que a espiritualidade não tem espaço na política ou no sistema penitenciário. Infelizmente, **é** exatamente isso o que aconteceu em todas as instituições deste planeta. A espiritualidade foi isolada da própria vida, quando o verdadeiro propósito desta vida é trazer o Céu à Terra e integrá-lo de uma maneira equilibrada.

Djwhal Khul sugeriu a criação de um sistema internacional de educação por professores de todo o mundo. Isso aceleraria extraordinariamente o processo de paz no mundo. Geraria uma espécie de democracia mundial, na qual todas as pessoas, independentemente de raça, religião, nacionalidade ou cor da pele, seriam vistas como iguais. A diferença entre as pessoas seria honrada e respeitada, enfatizando-se ao mesmo tempo a unidade essencial de todas elas.

Os educadores do futuro agirão obrigatoriamente como psicólogos e professores espiritualistas, facilitando o desenvolvimento integral da pessoa, em vez de atuarem apenas como intelectuais acadêmicos que enfiam fatos insignificantes goela abaixo dos alunos.

Professores, famílias, anjos, pais, políticos, ministros, rabinos, conselheiros e voluntários precisam trabalhar todos juntos para corrigir esse desequilíbrio no sistema educacional.

Para maiores informações, o dr. Joshua David Stone, pode ser contactado no seguinte endereço:

>Melchizedek Synthesis Light Academy
>Dr. Joshua David Stone
>28951 Malibu Rancho Rd.
>Agoura Hills, California 91301 – USA
>Fone: (818) 706-8458 – Fax: (818) 706-8540
>E-mail: drstone@best.com
>http://www.drjoshuadavidstone.com

BIBLIOGRAFIA

A Course in Miracles. Tiburon, Califórnia: Foundation for Inner Peace, 1975.
Bailey, Alice A. *Esoteric Psychology,* vol. I. Nova York: Lucis Publishing Co., 1963.
—. *Esoteric Psychology,* vol. II. Nova York: Lucis Publishing Co., 1942.
—. *Glamour, a World Problem.* Nova York: Lucis Publishing Co., 1950.
—. *Initiation, Human and Solar.* Nova York: Lucis Publishing Co., 1922.
—. *Ponder on This.* Nova York: Lucis Publishing Co., 1971.
—. *Serving Humanity.* Nova York: Lucis Publishing Co., 1972.
—. *The Soul, the Quality of Life.* Nova York: Lucis Publishing Co., 1974.
Beesley, R. P. *The Robe of Many Colors.* Kent, Inglaterra: White Lodge Publications, 1968.
Brennan, Barbara. *Hands of Light.* Nova York: Bantam Books, 1988. [*Mãos de Luz,* publicado pela Editora Pensamento, São Paulo, 1980.]
Bro, Harmon H., Ph.D. *Edgar Cayce on Dreams.* Nova York: Warner Books, 1968.
Cerminara, Gina. *Many Mansions.* Nova York: New American Library, 1988.
Edgar Cayce Foundation. *A Search for God.* Virginia Beach, Virginia: A.R.E. Press, 1982. [*À Procura de Deus,* publicado pela Editora Pensamento, São Paulo, 1997.]
Fortune, Dion. *Psychic Self-Defense.* Nova York: Samuel Weiser, Inc., 1992.
Foundation for Inner Peace. *A Course in Miracles,* volumes I, II, III. Nova York: 1975.
Gandhi, Mohandas K. *An Autobiography.* Boston: Beacon Press, 1957.
Hills, Nora. *You are a Rainbow.* Boulder Creek, Califórnia: University of the Trees Press, 1979.
Krishna, Gopi. *Kundalini — the Secret of Yoga.* Ontário, Canadá: F.I.N.D. Research Trust, 1972.
Krystal, Phyllis. *Cutting the Ties that Bind.* Dorset, Inglaterra: Element Press, 1982.
Sai Baba, Sathya. *Education in Human Values.* Andhra Pradesh, Índia: Sathya Sai Publications, 1988.
Sai Baba, Sathya. *Sathya Sai Speaks,* vol. VII. Andhra Pradesh, Índia: Sathya Sai Publications, 1982.
Sechrist, Elsie. *Dreams, Your Magic Mirror.* Nova York: Warner Books, 1988.
Silburn, Lilian. *Kundalini, Energy of the Depths.* Albany, Nova York: State University of New York Press, 1988.
Sivananda, Swami. *Practice of Yoga.* Índia: Divine Life Society, 1984.
Solomon, Paul. Tapes. Virginia Beach, Virgínia: Fellowship of Inner Light, 1974.
Spangler, David. *The Laws of Manifestation.* Marina del Rey, Califórnia: De Vorss & Co., 1975.
Williamson, Marianne. *A Return to Love: Reflections on the Principles of "A Course in Miracles".* Nova York: HarperCollins, 1992.
Woodward, Mary Ann. *Edgar Cayce's Story of Karma.* Nova York: Berkeley Publishing Corp., 1971.
Yogananda Paramahansa. *Man's Eternal Quest.* Los Angeles, Califórnia: Self-Realization Fellowship, 1975.

Meditações de Ativação Ascensional da Hierarquia Espiritual

Dr. Joshua David Stone
Janna Shelley Parker

Este é um dos livros mais profundos já escritos para atingir os sete níveis de Iniciação e a Ascensão! Essas meditações de Ativação Ascensional são designadas especificamente para acelerar o processo de ascensão e construir seu corpo de luz e quociente de luz mais rápido e de modo mais eficiente do que qualquer outro tipo de meditação. Isso porque essas meditações invocarão a ajuda do plano interior dos Mestres Ascensionados e dos Anjos que ajudarão nesse processo. Pessoalmente, gosto de chamar o trabalho com os Mestres Ascensionados de "Foguete para Deus"! E é isso que você experimentará ao ler e trabalhar com este livro!

* * *

Joshua David Stone é Ph.D. em psicologia transpessoal e também conselheiro matrimonial familiar e infantil em Los Angeles, Califórnia. Num nível espiritual, ele dirige o Melchizedek Synthesis Light Academy Asharam, um asharam do plano interior e exterior integrados que procuram ensinar todos os caminhos para DEUS. Servindo como porta-voz do movimento de Ascensão Planetária, a linhagem espiritual do Dr. Stone está diretamente ligada a Djwhal Khul, a Sanandra, a Kuthumi, ao senado Melquesedeque, ao Mahatma e a Metatron. Ele também sente que tem uma ligação muito estreita com a Mãe Divina, com o Senhor Buda, assim como uma devoção profunda por Sathya Sai Baba.

EDITORA PENSAMENTO

A História da Criação
UMA COMPILAÇÃO

Dr. Joshua David Stone

Uma das mais extraordinárias obras canalizadas sobre a verdadeira História da Criação, da perspectiva dos Mestres Ascensionados. Esse livro apresenta informações nunca antes reveladas, que mudarão sua consciência de si mesmo e da vida para sempre. Canalizadas pelo autor e por muitos dos maiores canais que já viveram neste planeta, elas foram organizadas de modo a apresentar um quadro vívido, compreensível e cativante de como a Criação realmente aconteceu. Uma leitura absolutamente imprescindível para todos os que estão em busca de autoconhecimento e de profundos ensinamentos espirituais.

* * *

Joshua David Stone é Ph.D. em psicologia transpessoal e também conselheiro matrimonial familiar e infantil em Los Angeles, Califórnia. Num nível espiritual, ele dirige o Melchizedek Synthesis Light Academy Asharam, um asharam do plano interior e exterior integrados que procuram ensinar todos os caminhos para DEUS. Servindo como porta-voz do movimento de Ascensão Planetária, a linhagem espiritual do Dr. Stone está diretamente ligada a Djwhal Khul, a Sanandra, a Kuthumi, ao senado Melquesedeque, ao Mahatma e a Metatron. Ele também sente que tem uma ligação muito estreita com a Mãe Divina, com o Senhor Buda, assim como uma devoção profunda por Sathya Sai Baba.

EDITORA PENSAMENTO

MÃOS DE LUZ

Barbara Ann Brennan

Este livro é de leitura obrigatória para todos os que pretendem dedicar-se à cura ou que trabalham na área da saúde. É uma inspiração para todos os que desejam compreender a verdadeira essência da natureza humana.
ELISABETH KUBLER-ROSS

Com a clareza de estilo de uma doutora em medicina e a compaixão de uma pessoa que se dedica à cura, com quinze anos de prática profissional observando 5000 clientes e estudantes, Barbara Ann Brennan apresenta este estudo profundo sobre o campo energético do homem.

Este livro se dirige aos que estão procurando a autocompreensão dos seus processos físicos e emocionais, que extrapolam a estrutura da medicina clássica. Concentra-se na arte de curar por meios físicos e metafísicos.

Segundo a autora, nosso corpo físico existe dentro de um "corpo" mais amplo, um campo de energia humana ou aura, através do qual criamos nossa experiência da realidade, inclusive a saúde e a doença. É através desse campo que temos o poder de curar a nós mesmos.

Esse corpo energético — pelo qual a ciência só ultimamente vem se interessando, mas que há muito é do conhecimento de curadores e místicos — é o ponto inicial de qualquer doença. Nele ocorrem as nossas mais fortes e profundas interações, nas quais podemos localizar o início e o fim de nossos distúrbios psicológicos e emocionais.

O trabalho de Barbara Ann Brennan é único porque liga a psicodinâmica ao campo da energia humana e descreve as variações do campo de energia na medida em que ele se relaciona com as funções da personalidade.

Este livro, recomendado a todos aqueles que se emocionam com o fenômeno da vida nos níveis físicos e metafísicos, oferece um material riquíssimo que pode ser explorado com vistas ao desenvolvimento da personalidade como um todo.

Mãos de Luz é uma inspiração para todos os que desejam compreender a verdadeira essência da natureza humana. Lendo-o, você estará ingressando num domínio fascinante, repleto de maravilhas.

EDITORA PENSAMENTO

LUZ EMERGENTE

A Jornada da Cura Pessoal

Barbara Ann Brennan

O primeiro livro de Barbara Ann Brennan — *Mãos de Luz*, publicado pela Editora Pensamento — consagrou-a como uma das mais talentosas mestras da atualidade no seu campo específico de atuação. Agora, neste seu novo livro há muito esperado, ela continua sua pesquisa inovadora sobre o campo energético humano e sobre a relação de nossas energias vitais com a saúde, com a doença e com a cura.

Com base em muitas das novas descobertas que ela fez na sua prática diária, a autora mostra de que modo tanto os pacientes como os agentes de cura podem ser energizados para entender melhor e trabalhar com o nosso poder de cura mais essencial: a luz que se irradia do próprio centro da condição humana.

Nas suas várias partes, este livro explica como e por que a imposição das mãos funciona; descreve o que um curador pode ou não fazer para beneficiar as pessoas, ensina a forma básica de uma sessão de cura e como uma equipe constituída por um curador e um médico pode funcionar com resultados excelentes; apresenta depois o conceito do sistema interno de equilíbrio e mostra como podemos desenvolver doenças quando não seguimos a orientação desse sistema; transcreve a seguir uma série de interessantes entrevistas com pacientes que ajudam a explicar o processo de cura de um modo muito simples; explica o modo como os relacionamentos podem afetar a saúde, tanto positiva como negativamente, e propõe, para finalizar, maneiras práticas de criar relacionamentos saudáveis, além de mostrar a conexão entre saúde, doença e cura com o processo criativo.

O livro traz, ainda, uma série detalhada de casos clínicos esclarecedores, propõe exercícios, além de incluir ilustrações em preto e branco ou em cores para a melhor compreensão do texto.

Apresentando os aspectos práticos e teóricos desse novo campo de pesquisa, Barbara Ann Brennan coloca-se na liderança da prática da cura na nossa época.

CULTRIX/PENSAMENTO

PRÓXIMOS LANÇAMENTOS

Editora Pensamento
SÃO PAULO

Para receber informações sobre os lançamentos da
Editora Pensamento, basta cadastra-se
no site: www.editorapensamento.com.br

Para enviar seus comentários sobre este livro,
visite o site www.editorapensamento.com.br ou mande
um e-mail para atendimento@editorapensamento.com.br